# UM HOMEM DE SORTE

# Nicholas Sparks

# UM HOMEM DE SORTE

Tradução
Marsely De Marco Martins Dantas

Editora Novo Conceito

Esta é uma obra de ficção. Os nomes, personagens, lugares e acontecimentos descritos são produtos da imaginação do autor. Qualquer semelhança com nomes, datas e acontecimentos reais é mera coincidência.

4 ª Impressão - 2011

Produção Editorial
Equipe Novo Conceito

Tradução: Marsely de Marco Martins Dantas
Preparação de Texto: Denise Cristina Morgado
Revisão de Texto: Flávia Taveira de Ataíde Mazzo e Tárcia Garcia Leal
Diagramação: Nhambikwara Editoração
Capa: Mello & Mayer

Este livro segue as regras da Nova Ortografia da Língua Portuguesa

**Dados Internacionais de Catalogação na Publicação (CIP)**
**(Câmara Brasileira do Livro, SP, Brasil)**

---

Sparks, Nicholas
Um homem de sorte / Nicholas Sparks; tradução Marsely de Marco Martins Dantas. -- Ribeirão Preto, SP : Editora Novo Conceito, 2011

Título original : The lucky one.
ISBN 978-85-63219-13-8

1. Ficção norte-americana I. Título.

10-08918 CDD-813

---

Índice para catálogo sistemático
1. Ficção : Literatura norte-americana 813

Editora Novo Conceito
Rua Dr. Hugo Fortes, 1885 — Parque Industrial Lagoinha
14095-260 — Ribeirão Preto — SP
www.editoranovoconceito.com.br

Para Jamie Raab e Dennis Dalrymple

Um ano para ficar na memória…
e um ano para ser esquecido.
Estou com vocês em pensamento.

# Agradecimentos

Escrever nunca é um esforço solitário e, como sempre, há muitas pessoas a quem devo agradecer a energia e habilidade dispensadas na conclusão deste romance. É claro que há muitas maneiras de homenageá-las por seu empenho, portanto pensei em formas diferentes de dizer obrigado — pelo menos de acordo com a lista que pesquisei no Google antes de escrever. (Você conseguiria nomear todas as línguas de cabeça sem pesquisar antes?)

Meu primeiro agradecimento, obviamente, vai para minha esposa, Cathy. Mais do que tudo, ela me mantém centrado e focado em todas as coisas da vida que realmente são importantes. Digo a meus filhos que eles se dariam muito bem casando com uma mulher parecida com ela. *Thank you!*

Em seguida, agradeço a meus filhos: Miles, Ryan, Landon, Lexie e Savanah, todos imortalizados (de uma forma bem pequena) por darem nomes aos personagens de meus romances anteriores. Receber seus abraços é receber o maior presente de todos. *Muchas gracias!*

Quem vem agora? Minha agente literária, Theresa Park, que sempre merece minha gratidão. A relação agente/autor pode nos pregar peças às vezes — pelo menos foi o que ouvi sobre outros agentes e autores. Com toda a honestidade, para mim tem sido fantástico e maravilhoso trabalhar com a Theresa desde a primeira vez que nos falamos ao telefone, em 1995. Ela é a melhor; não é apenas inteligente, mas também tem paciência, foi abençoada com uma dose de bom senso a mais do que a maioria das pessoas que conheço. *Danke schön!*

Denise DiNovi, minha amiga e parceira nos projetos de cinema, é mais uma bênção em minha vida. Produziu três dos meus filmes, incluindo: *Noites de tormenta, As palavras que nunca te direi* e *Um amor para recordar* — o que faz de mim um dos autores mais afortunados do mundo. *Merci beaucoup!*

David Young, o fabuloso CEO da Grand Rapid Publishing, por todo seu apoio. Tenho muita sorte em trabalhar com ele. *Arigato gozaimasu!*

Jennifer Romanello, relações públicas e amiga, transformou a publicidade em uma experiência infinitamente interessante nos últimos treze anos. *Grazie!*

Edna Farley, a amiga que cuida do telefone, organiza quase tudo — e cuida de qualquer problema que surge quando viajo a trabalho. Ela não é somente fantástica, mas também possui um otimismo sem fim, algo que guardo em meu coração. *Tapadh leibh!*

Howie Sanders, meu agente cinematográfico, é outro membro do clube "trabalho com o autor há muito tempo". E minha vida é melhor por isso. *Toda raba!*

Keya Khayatian, também meu agente cinematográfico, é maravilhoso e sempre generoso com o tempo que tem a dispor; *Merci!* Ou, se preferir, *Mamnoon!*

Harvey-Jane Kowal e Sona Vogel, minhas editoras, são incrivelmente pacientes, considerando que estou sempre atrasado com os prazos de entrega. Elas têm de corrigir todos os errinhos dos meus romances (tudo bem, alguns erros bem grandes, às vezes) e, infelizmente, poucas vezes dou a elas tempo suficiente para isso. Portanto, se você encontrar algum erro (e pode ser que encontre), não as culpe. Culpe a mim. Elas são fantásticas no que fazem. Para vocês duas: *Spasibo!*

Scott Schimmer, meu advogado, é uma dessas pessoas em defesa das quais franzimos a testa ao ouvir piadas sobre advogados. Ele é uma ótima pessoa e um amigo ainda melhor. *Liels paldies!*

Muito obrigado também a Marty Bowen, Courtney Valenti, Abby Koons, Lynn Harris e Mark Johnson. *Efharisto Poli!*

Alice Arthur, minha fotógrafa, está sempre pronta para o que der e vier e tira fotos fantásticas, por isso sou sempre grato. *Toa chie!* Ou *Xie xie!*

Flag elaborou uma capa maravilhosa novamente. *Shukran gazilan!*

Tom Mclaughlin, o diretor da Epiphany School, uma escola que minha esposa e eu ajudamos a fundar e que tem transformado minha vida em plena e rica desde que começamos a trabalhar juntos. *Obrigado!*

E, finalmente, David Simpson, meu amigo, treinador da escola New Bern High — *Mahalo nui loa!*

*P.S.* As línguas usadas foram: inglês, espanhol, alemão, francês, japonês, italiano, escocês, gaélico-escocês, hebraico, farsi, russo, grego, chinês, árabe, português e havaiano, pelo menos de acordo com o *site* que encontrei na internet. Mas quem acredita em tudo que encontra lá?

# UM HOMEM DE SORTE

# Capítulo 1

# Clayton e Thibault

O policial Keith Clayton não os ouviu se aproximar e, de perto, suas aparências eram ainda piores do que quando os vira pela primeira vez. Incluindo o cachorro. Não era muito fã de pastor-alemão e aquele, embora permanecesse tranquilo, fazia-o lembrar de Panther, o cão policial que era parceiro do policial Kenny Moore em suas rondas e que estava sempre pronto para morder os suspeitos na virilha ao primeiro comando. Achava Moore um idiota a maior parte do tempo, mas, mesmo assim, ele era o mais próximo de um amigo que Clayton tinha no departamento, e precisava admitir que Moore possuía um jeito especial de contar suas histórias sobre as mordidas nas virilhas, histórias que faziam Clayton morrer de rir. E com certeza Moore teria gostado da pequena festinha de nudismo que Clayton havia acabado de interromper, depois de espiar duas alunas no auge da sua juventude tomando sol à beira do riacho. Ele só estava lá por alguns minutos e havia tirado apenas algumas fotografias quando viu uma terceira garota surgir por detrás das hortênsias. Depois de esconder rapidamente a câmera no meio dos arbustos, deu um passo adiante e, logo em seguida, estava frente a frente com a estudante.

— Muito bem, o que está acontecendo por aqui? — perguntou de forma a deixá-la na defensiva.

Não havia gostado de ter sido pego com a boca na botija, nem tinha ficado satisfeito com a forma com que iniciou a conversa. Geralmente, conseguia ter um tom mais delicado. Muito mais delicado. Ainda bem que a garota estava envergonhada demais para perceber qualquer coisa e quase tropeçou ao tentar recuar. Gaguejou uma tentativa de resposta enquanto tentava se cobrir com as mãos. Era como observar alguém jogar Twister[1] com o próprio corpo.

Ele não fez esforço algum para desviar o olhar. Em vez disso, sorriu, fingindo nem notar o corpo nu dela, como se encontrasse mulheres nuas no meio da mata o tempo todo. Agora tinha certeza absoluta de que ela nem imaginava que ele estava tirando fotos.

— Acalme-se. O que está acontecendo?

Ele sabia muito bem o que estava acontecendo. Acontecia de vez em quando, em quase todo o verão, principalmente em agosto: alunas da escola Chapel Hill ou da NC State vinham para a praia em uma última tentativa de um fim de semana prolongado na ilha Emerald, antes do início do período letivo no outono. Sempre desviavam por uma velha estrada esburacada e seguiam por pouco mais de um quilômetro e meio até o parque nacional antes de chegar ao ponto em que o rio Swan fazia uma curva ríspida em direção ao rio South. Havia uma praia de cascalhos por lá, que era famosa pelo nudismo — como isso tinha acontecido, ele não fazia a menor ideia — e Clayton sempre dava um jeito de passar por lá para ver se tinha sorte. Duas semanas antes, ele tinha visto seis gatas, porém, hoje, havia três, e as duas que estavam deitadas na toalha já estavam procurando suas camisetas. Apesar de uma delas ser meio gordinha, as outras duas — incluindo a morena que estava a sua frente — tinham o tipo de corpo que levava os rapazes à loucura. Até mesmo os policiais.

— A gente não sabia que tinha alguém aqui. Pensávamos que não havia problema.

---

1. *Twister* é um jogo de habilidades físicas desenvolvido pela Hasbro. (N.T.)

Ela tinha um olhar tão inocente que o fazia pensar se "papai não ficaria orgulhoso se soubesse o que sua garotinha estava aprontando?" Ele se divertia ao imaginar que resposta ela daria, mas, como estava de uniforme, sabia que tinha de dizer algo oficial. Além do mais, sabia que estava brincando com a sorte, se o xerife ficasse sabendo que ele estava patrulhando a área, não haveria mais alunas por lá no futuro, e isso era algo que ele nem queria levar em consideração.

— Vamos falar com as suas amigas.

Ele foi com ela até a praia, observando-a sem sucesso tentar esconder a parte de trás de seu corpo, divertindo-se com o showzinho. Assim que saíram da mata e chegaram à clareira do rio, suas amigas já tinham vestido camisetas. A morena foi correndo para junto das amigas e rapidamente pegou sua toalha, derrubando algumas latas de cerveja pelo caminho. Clayton apontou para uma árvore que estava próxima.

— Vocês não viram a placa?

Na mesma hora, todas viraram para a direção da árvore. "As pessoas eram ovelhas, sempre esperando a próxima ordem", ele pensou. A placa, pequena e parcialmente escondida pelos galhos baixos de um velho carvalho, tinha sido colocada por ordem do juiz Kendrick Clayton, que por ventura era seu tio. A ideia da placa tinha sido de Keith, pois ele sabia que a proibição só aumentaria ainda mais a atração pelo lugar.

— Nós não vimos! — disse a morena, virando-se para ele. — Não sabíamos. Só ficamos sabendo desse lugar há alguns dias! — ela continuou protestando enquanto brigava com a toalha. As outras estavam assustadas demais para fazer qualquer coisa que não fosse colocar a parte de baixo do biquíni. — Foi a primeira vez que viemos aqui!

Sua voz se assemelhava a um choramingo, parecendo uma garota mimada. O que provavelmente todas eram. Elas tinham cara disso.

— Vocês sabiam que nudismo público é contravenção nesta cidade?

Dava para ver seus rostos jovens ficarem cada vez mais pálidos, sabendo que estavam imaginando essa pequena transgressão em suas fichas. Engraçado de se ver, mas ele lembrou que não poderia ir tão longe.

— Qual o seu nome?

— Amy — a morena engoliu em seco. — Amy White.

— De onde você é?

— Chapel Hill. Mas sou de Charlotte.

— Estou vendo algumas bebidas alcoólicas. Vocês já têm 21 anos?

Pela primeira vez as outras também responderam. — Sim, senhor.

— Está bem, Amy. Vou dizer o que farei. Vou acreditar na sua palavra de que vocês não viram a placa e de que vocês têm idade para beber legalmente, então não vou fazer muito alarde com o fato. Fingirei que nem estive aqui. Mas vocês têm de prometer que não contarão ao meu chefe que liberei vocês três.

Elas não sabiam ao certo se acreditavam nele.

— Sério?

— Sério. Também já estive na faculdade um dia — ele nunca esteve, mas sabia que soava bem. — E é bom colocarem suas roupas. Nunca se sabe, pode ter alguém espreitando por aí — ele sorriu. — Joguem fora todas essas latas de cerveja, está bem?

— Sim, senhor.

— Obrigado — e virou-se para ir embora.

— Só isso?

Voltou-se para elas e sorriu novamente. — Só isso, então, se cuidem.

Clayton afastou os arbustos, abaixando-se diante de um ou outro galho no caminho de volta para o carro, considerando que tinha dado conta do recado muito bem. Muito bem mesmo. Na verdade, Amy tinha até sorrido para ele, e, ao partir, passou pela sua cabeça a ideia de voltar e pedir o número de telefone dela. Mas não, pensou melhor, talvez fosse melhor deixar aquilo para lá. Era mais do que provável que, ao retornarem, contariam a suas amigas que, mesmo sendo pegas pelo xerife, nada havia acontecido a elas e então o boato de que os policiais da região eram legais se espalharia. Mesmo assim, ao caminhar pela mata, tinha esperança de que as fotografias tivessem ficado boas. Elas seriam um ótimo acréscimo a sua coleção.

No geral, tinha sido um dia excelente. Ele ia pegar a câmera fotográfica quando ouviu um assobio. Seguiu o som que vinha da estrada e viu um estranho com um cachorro, caminhando vagarosamente, com uma aparência de *hippie* dos anos 1960.

O estranho não estava com as garotas. Disso Clayton tinha certeza. Primeiro, ele era velho demais para estar na faculdade, devia ter quase 30 anos. Seu cabelo comprido parecia um ninho de rato, na opinião de Clayton, e, nas costas do estranho, dava para ver que havia um saco de dormir saindo para fora da mochila. Não se tratava de um banhista indo para a praia; o cara tinha a aparência de quem estava fazendo caminhada, talvez até mesmo acampando. Não dava para saber há quanto tempo ele estava ali ou o que tinha visto.

"Como Clayton tirando fotografias?"

De jeito nenhum. Não era possível. De onde estava não dava para ter visão pela estrada principal, os arbustos eram espessos, e ele teria ouvido alguém andando pela mata. Certo? Mesmo assim, era um lugar estranho para caminhar. Eles estavam no meio do nada, e a última coisa que ele queria era um bando de *hippies* fracassados estragando o ponto de referência das estudantes.

Enquanto pensava nisso, o estranho passou por ele. Estava perto do carro da polícia e ia em direção ao jipe das garotas. Clayton foi em direção à estrada e pigarreou. O estranho e o cachorro se viraram após ouvirem o som.

De longe, Clayton continuou a analisá-los. O estranho não pareceu se abalar com a presença súbita do policial, assim como o cão, mas havia algo no olhar daquele homem que deixava Clayton desconfortável. Como se ele quase estivesse esperando a presença de Clayton. O mesmo ocorria com o pastor-alemão. Ele tinha uma expressão distraída e desconfiada ao mesmo tempo, quase inteligente, bem parecida com a expressão de Panther antes de Moore soltá-lo. Sentiu seu estômago se remexer. Esforçou-se para não cobrir instintivamente suas partes íntimas.

Ficaram encarando um ao outro por um bom tempo. Há tempos Clayton havia aprendido que sua farda intimidava a maioria das pessoas. Todos, até mesmo os inocentes, ficavam nervosos diante da lei e das autoridades, e não seria diferente com aquele homem, acreditava ele. Essa era uma das razões pelas quais adorava ser policial.

— Você não tem uma coleira para o seu cão? — disse, fazendo parecer mais uma ordem do que uma pergunta.

— Está na minha mochila.

Clayton não conseguiu perceber sotaque algum. Como diria sua mãe, "inglês de Johnny Carson". — Coloque-a.

— Não se preocupe. Ele só se move ao meu comando.

— Coloque-a mesmo assim.

O estranho pegou sua mochila e começou a procurar a coleira. Clayton esticou o pescoço na esperança de perceber qualquer coisa parecida com drogas ou armas. Um pouco depois, a coleira estava em volta do pescoço do cachorro, e o estranho olhou para Clayton com cara de quem estava dizendo "e agora?"

— O que você está fazendo aqui? — Clayton perguntou.

— Caminhando.

— Essa mochila é muito grande para quem está caminhando.

O estranho não disse nada.

— Ou talvez você estivesse se escondendo por aí, tentando admirar a vista?

— É isso o que as pessoas fazem quando vêm aqui?

Clayton não gostou do seu tom, ou do que estava implícito nele. — Gostaria de ver seus documentos.

O estranho se abaixou e procurou seu passaporte na mochila. Fez um sinal com a palma da mão para que o cachorro ficasse onde estava, e aproximou-se de Clayton para entregar-lhe o documento.

— Você não tem carteira de motorista?

— Não.

Clayton analisou o nome, movendo os lábios lentamente. — Logan Thibault?

O estranho concordou com a cabeça.

— De onde você é?

— Do Colorado.

— Viagem bem longa.

O estranho não disse nada.

— Está indo para algum lugar específico?

— Estou indo para Arden.

— O que tem em Arden?

— Não sei. Ainda não fui lá.

Clayton franziu a testa diante da resposta. Astuta demais? Desafiadora demais? Qualquer coisa demais? Tanto faz. De repente, ele já sabia que não gostava daquele cara. — Você não se importa se eu der uma verificada nos seus documentos, não é?

— Fique à vontade.

Ao voltar para o carro, deu uma olhada para trás e viu Thibault pegar uma tigelinha em sua mochila e colocar um pouco de água nela. Como se não tivesse preocupação alguma no mundo.

"Isso vamos descobrir, não vamos?"

No carro, Clayton passou o nome pelo rádio, soletrando-o antes de ser interrompido pela atendente.

— É Thibault, como Tibô, não Thibault. É francês.

— E eu lá me importo com a pronúncia?

— Só estava falando...

— Tanto faz, Marge. Só verifique para mim, está bem?

— Ele tem cara de francês?

— E eu lá sei como é que um francês se parece?

— Só estou curiosa. Não precisa ficar nervosinho. Estou meio ocupada aqui.

Ah, tá. "Superocupada", pensou Clayton. Muito provavelmente, comendo *donuts*. Marge mandava ver pelo menos uma dúzia deles por dia. Ela devia pesar uns 150 quilos.

Pela janela do carro dava para ver o estranho acariciar o cachorro, conversando baixinho com ele enquanto bebia água. Balançou a cabeça.

Conversar com animais. Coisa de louco. Como se o cão entendesse qualquer coisa que não fosse um comando básico. Sua ex-mulher também tinha esse hábito. Ela tratava animais como se fossem pessoas, o que devia ter servido de aviso para ter ficado longe dela logo de cara.

— Não encontro nada de errado — disse Marge. Parecia que ela estava mastigando alguma coisa. — Não vejo nada de excepcional.

— Tem certeza?

— Sim, tenho certeza. Sei bem como fazer meu trabalho.

Como se parecesse estar ouvindo a conversa, o estranho recolheu a tigela de água e depois colocou a mochila de volta nos ombros.

— Houve algum chamado fora do comum? Reclamações de vadiagem ou algo do tipo?

— Não, foi uma manhã tranquila. E, falando nisso, por onde você anda? Seu pai está atrás de você.

Clayton era filho do xerife da região.

— Diga a ele que daqui a pouco eu volto.

— Ele está bravo.

— Apenas diga a ele que estou fazendo minha ronda, está bem?

“Assim ele fica sabendo que estou trabalhando”, pensou, mas não se preocupou em dizer.

— Eu falo.

Melhor assim.

— Preciso ir agora.

Colocou o rádio de volta no lugar, mas não saiu da sua posição, sentindo um leve desapontamento. Teria sido engraçado ver como o cara iria encarar uma prisão, com aquele cabelo de menina e tudo mais. Os irmãos Landry iam fazer as honras da casa para ele. Eram clientes habituais da cadeia aos sábados à noite: bêbados e arruaceiros, sempre metidos em brigas, na maioria das vezes um contra o outro. Exceto quando estavam presos. Nessas horas, resolviam provocar outras pessoas.

Segurou a maçaneta. E qual seria o motivo de seu pai estar bravo dessa vez? Isso era irritante. Faça isso. Faça aquilo. Já preencheu a papelada?

Por que está atrasado? Por onde andou? A maior parte do tempo tinha vontade de mandar seu velho cuidar da sua própria vida maldita. O velhote ainda tinha a ilusão de que era o mandachuva por lá.

Não tinha problema. Uma hora ele ia acabar descobrindo. Agora era hora de se livrar do *hippie* fracassado antes de as garotas saírem. Lá era para ser um lugar particular, certo? *Hippies* malucos podem acabar com tudo.

Clayton saiu do carro e fechou a porta. O cachorro inclinou a cabeça ao vê-lo se aproximando. Ele devolveu o passaporte.

— Sinto muito pelo inconveniente, Sr. Thibault — dessa vez, ele carregou na pronúncia de propósito. — Só estou fazendo meu trabalho. A menos, claro, que o senhor tenha drogas ou armas na sua mochila.

— Não tenho.

— O senhor se importa se eu mesmo vir?

— Nem um pouco. Mesmo com a Constituição do meu lado, de acordo com a quarta emenda.

— Dá para ver seu saco de dormir. Esteve acampando?

— Estive na cidade de Burke, ontem à noite.

Clayton analisou o homem, pensando no que responder.

— Não há muitos acampamentos por lá.

Thibault não disse nada.

Foi Clayton quem desviou o olhar. — É melhor deixar o cachorro preso à coleira.

— Não acho que há uma legislação sobre isso nesta região.

— Não há. É para a segurança do próprio cão. Muitos carros transitam pela avenida principal.

— Não vou me esquecer disso.

— Então, está bem — Clayton virou-se antes de fazer mais uma pausa. — Se não se importar com a minha pergunta, há quanto tempo está por aqui?

— Só estava passando. Por quê?

Algo na maneira como ele respondeu deixou Clayton pensando e ele hesitou antes de lembrar a si mesmo, novamente, que não havia como o cara saber o que ele estava aprontando. — Por nada.

— Posso ir?

— Sim, pode.

Clayton observou o estranho e seu cachorro começarem a caminhar pela estrada e entrarem em uma pequena trilha que levava à mata. Quando ele sumiu de vista, Clayton voltou ao seu ponto de observação original para procurar pela máquina fotográfica. Enfiou os braços nos arbustos, chutou as pinhas secas e fez o mesmo caminho várias vezes para ter certeza de que estava no lugar certo. Finalmente, ajoelhou-se, começando a sentir o pânico tomar conta de si. A câmera pertencia ao departamento de polícia. Ele só a "pegava emprestada" para essas saídas especiais, e seu pai ia fazer muitas perguntas se a câmera se perdesse. Pior ainda se fosse achada repleta de fotos de mulheres nuas. Seu pai era muito rigoroso quando se tratava de protocolo e responsabilidade.

Enquanto pensava nisso, algum tempo se passou e ele ouviu um ronco de motor ao longe. Supôs que eram as alunas indo embora. Por um breve momento, pensou o que elas iam imaginar ao ver o carro da polícia ainda por lá. Tinha outras preocupações em sua mente.

A máquina fotográfica tinha sumido.

Sumido não. Evaporado. E a maldita coisa certamente não tinha saído de lá com os próprios pés. Também não havia como as garotas terem encontrado a máquina. O que significava que Thibault tinha brincado com ele o tempo todo. Thibault. Brincou. Com ele. Inacreditável. Ele sabia que o cara estava agindo de uma forma descontraída demais, de uma forma muito "eu sei o que você fez no verão passado".

De forma alguma ele ia se safar dessa. Nenhum *hippie* maluco, fedido, que fala com animais ia se dar bem em cima de Keith Clayton. Não nesta vida.

Afastou os arbustos e foi em direção à estrada, achando que alcançaria Logan Thibault e olharia bem nos olhos dele. E isso seria só para começar. Faria muito mais em seguida; com certeza muito mais. O cara tirou uma com a cara dele? Isso era inconcebível. Não nesta cidade. Ele não estava nem aí para o cachorro também. O cachorro não vai gostar? Adeus, cachorrinho!

Simples assim. Pastores-alemães são armas — não havia um tribunal no mundo que não desse razão a ele.

Uma coisa de cada vez. Primeiro encontrar Thibault. Recuperar a câmera. Depois decidir o que fazer em seguida.

Foi então que, ao aproximar-se de seu carro, percebeu que seus dois pneus traseiros estavam murchos.

• • • • ❖ • • • •

— Como é mesmo seu nome?

Thibault sentou-se no assento dianteiro do jipe um pouco depois, falando sobre a força do vento. — Logan Thibault. E este é Zeus.

Zeus estava na traseira do jipe, de língua para fora, focinho empinado para o vento, e o jipe partindo em direção à autoestrada.

— Belo cão. Eu sou Amy. Essas são Jennifer e Lori.

Thibault olhou por cima dos ombros. — Oi.

— Oi.

Elas pareciam dispersas. Não era de se surpreender, pensou Thibault, imaginando o que haviam acabado de passar. — Obrigado pela carona.

— Não é nada. Você disse que ia para Hampton?

— Não é muito longe.

— Fica no caminho.

Depois de ter saído da estrada e cuidado de algumas coisas, Thibault voltou para lá bem na hora em que as garotas estavam partindo. Fez sinal com as mãos de quem precisava de carona, feliz por ter Zeus ao seu lado, e elas pararam quase que imediatamente.

Às vezes as coisas acontecem exatamente como têm de ser.

Apesar de fingir que não, na verdade ele tinha visto as três quando chegaram de manhã — ele havia acampado na beira da praia —, mas deu a elas a privacidade merecida assim que começaram a se despir. Na opinião dele, o que elas estavam fazendo enquadrava-se na categoria do "se não há dolo, não há crime"; não havia mais ninguém além dele, estavam completamente sozinhos por lá, e ele não tinha intenções de ficar para espiar. E daí se elas tinham tirado a roupa ou mesmo se estivessem usando fantasias extravagantes? Não era da conta de ninguém, e ele pretendia deixar as coisas assim — até ver o policial chegar em um carro do departamento da polícia de Hampton.

Ele deu uma boa olhada no policial pelo espelho retrovisor e percebeu algo de errado em seu olhar. Difícil dizer o que era, mas ele não parou para analisar. Deu meia-volta e, cortando caminho pela mata, chegou em tempo de ver o policial verificando o cartão de memória da sua câmera antes de fechar a porta do seu carro silenciosamente. Viu quando ele se dirigiu sorrateiramente para perto da praia. Thibault sabia muito bem que o policial poderia estar em seu horário oficial de trabalho, mas seu olhar estava mais parecido com o de Zeus quando esperava por um pedaço suculento de carne. Um pouco excitado demais com a coisa toda.

Thibault fez com que Zeus ficasse onde estava, manteve distância suficiente para que o policial não pudesse ouvi-lo, e o restante do plano veio espontaneamente depois disso. Sabia que o confronto direto estava fora de questão — o policial ia dizer que estava coletando provas, e a força da palavra de um estranho contra a sua não teria valor algum. Agressão física também estava fora de questão, principalmente porque causaria mais problemas do que valeria a pena, apesar de que ele ia adorar um corpo a corpo com o cara. Felizmente — ou infelizmente, supôs, dependendo do ponto de vista — a garota apareceu, o policial entrou em pânico, e Thibault viu onde a câmera foi parar. Quando o policial e a garota foram em direção às amigas dela, Thibault pegou a máquina. Ele poderia ter parado por aí, mas o cara tinha de aprender uma lição. Não uma grande lição, só uma lição por meio da qual mantivesse a honra das garotas intacta, permitisse que Thibault continuasse seguindo seu caminho e arruinasse o dia do policial. Foi por isso que voltou e decidiu esvaziar os pneus traseiros do carro de polícia.

— Ah, agora que me lembrei! Achei sua máquina fotográfica perdida na mata.

— Não é minha. Lori ou Jen, alguma de vocês perdeu uma câmera?

As duas balançaram a cabeça negativamente.

— Fiquem com ela mesmo assim — disse Thibault, colocando-a no assento do carro. — E obrigado pela carona.

— Eu já tenho uma câmera.

— Tem certeza? Deve ser muito cara!

— Certeza absoluta.

— Obrigada!

Thibault percebeu as sombras brincando nos contornos de seu rosto, vendo nela uma atração própria das mulheres urbanas, com feições bem marcadas, pele escura, olhos castanhos com reflexos de avelã. Ele podia se imaginar olhando para ela por horas.

— Hei... você tem algum plano para o fim de semana? — perguntou Amy. — Vamos todas para a praia.

— Agradeço o convite, mas não posso.

— Aposto que vai encontrar sua namorada, não vai?

— Por que você diz isso?

— Está na sua cara.

Ele fez um esforço para dar meia-volta e disse:

— Algo do tipo.

# Capítulo 2

## Thibault

Era estranho pensar nas reviravoltas que a vida de um homem pode dar. Até no ano anterior, Thibault teria pulado de alegria diante da oportunidade de passar um fim de semana ao lado de Amy e suas amigas. Provavelmente, era exatamente disso de que precisava, mas, quando elas o deixaram na entrada da cidade de Hampton, com o calor da tarde de agosto em seu ápice, ele acenou para elas, sentindo-se estranhamente aliviado. Colocar uma carapuça de normalidade o havia deixado exausto.

Depois de sair do Colorado, há cinco meses, ele não havia passado mais do que algumas horas sozinho com alguém por livre e espontânea vontade, a única exceção tinha sido um senhor de idade em uma fazenda de laticínios, no sul de Little Rock, que o tinha deixado dormir em um quarto vazio do andar de cima da casa, depois de um jantar em que havia falado tão pouco quanto o convidado. Agradeceu o fato de o senhor não ter sentido a necessidade de questioná-lo sobre as circunstâncias por que aparecera por lá. Nenhuma pergunta, nenhuma curiosidade, nenhum conselho gratuito. Só a aceitação de que Thibault não tinha vontade de conversar.

Em agradecimento, Thibault ficou por lá alguns dias ajudando o fazendeiro a consertar o telhado do celeiro e depois pegou a estrada novamente, com a mochila cheia e Zeus sempre atrás dele.

Além da carona das garotas, não havia pego mais nenhuma. Caminhara o tempo todo. Depois de deixar as chaves de seu apartamento no escritório da administradora, na metade do mês de março, havia gasto oito pares de sapatos, e sobrevivia às custas de barras de proteínas e água durante suas longas e solitárias caminhadas de uma cidade para outra. Uma vez, quando estava no Tennessee, depois de passar fome por praticamente três dias, chegou a comer cinco pilhas enormes de panquecas. Junto com Zeus, viajava durante tempestades de neve, de granizo, chuvas fortes e um calor tão intenso que chegava a causar bolhas nos braços. Tinha visto um tornado na linha do horizonte em Tulsa, Oklahoma, e quase foi atingido por um raio duas vezes. Pegou inúmeros desvios, tentando ficar longe das estradas principais, aumentando assim o tempo de viagem, às vezes por puro capricho. Caminhava até ficar cansado e procurava algum lugar para acampar no fim do dia, em qualquer lugar em que achasse que ele e Zeus não seriam incomodados. Antes do amanhecer, já pegavam a estrada novamente, assim não dava tempo de alguém tentar bancar o espertinho. Até o momento, ninguém os havia incomodado.

Imaginava ter caminhado mais de 30 quilômetros por dia, embora não tivesse feito um registro formal do tempo e das distâncias percorridas. Esse não era o objetivo da viagem. Imaginava que algumas pessoas acreditavam que ele viajava para esquecer as lembranças do mundo que havia deixado para trás, o que dava à viagem uma conotação poética. Outros pensavam que ele caminhava simplesmente pelo prazer de caminhar. Estavam todos errados. Ele gostava de caminhar e tinha um destino ao qual chegar. Simples assim. Gostava de partir quando sentia vontade, no seu próprio ritmo, para o lugar que quisesse. Depois de passar anos cumprindo ordens no Corpo de Fuzileiros Navais, a liberdade o atraía.

Sua mãe se preocupava com ele, mas as mães sempre se preocupam com seus filhos. Pelo menos a dele se preocupava. Telefonava frequentemente para dizer a ela que estava bem, e, ao desligar, pensava que não estava sendo honesto com ela. Tinha estado praticamente ausente nos últimos cinco anos, e, antes das três idas ao Iraque, teve de ouvir seus sermões por telefone, lembrando-o de não tomar nenhuma decisão estúpida. Não tomou, mas chegou bem perto muitas vezes. Mesmo que não contasse todos os detalhes a ela, sabia que sua mãe lia o jornal. — E agora mais essa — sua mãe lamentou na noite em que ele havia partido. — A coisa toda me parece uma loucura.

Talvez fosse. Talvez não. Ele não estava bem certo.

— O que você acha, Zeus?

O cachorro levantou a cabeça ao escutar seu nome e ficou ao lado de seu dono.

— Já sei. Está com fome. Que novidade!

Thibault parou no estacionamento de um hotel precário na entrada da cidade. Pegou a tigela e colocou o restante da comida do cão. Enquanto Zeus comia, ele ficou observando a cidade.

Hampton não era nem de longe o pior lugar que havia visto, mas também não era o melhor. Ficava às margens do South River, a 55 quilômetros de Wilmington e da costa e, à primeira vista, não parecia diferente dos milhares de vilarejos e cidades com comunidades autossuficientes, de trabalhadores braçais, orgulhosos e cheios de histórias e tradições típicas do sul. Havia alguns semáforos pendurados nos fios que interrompiam o tráfego em direção à ponte sobre o South River. De ambos os lados da rua principal podiam-se ver pequenas casas térreas de tijolos, geminadas, estendendo-se por mais de meio quilômetro, com nomes das lojas escritos nas vitrines, anunciando lugares para comer, beber ou comprar ferramentas. Algumas velhas magnólias espalhavam-se por lá e suas raízes rachavam as calçadas. Mais ao longe, dava para ver um *outdoor* antigo de uma barbearia, e até uns velhinhos sentados no banco, em frente à loja. Sorriu. Curioso! Parecia uma fantasia dos anos 1950.

Entretanto, depois de uma análise mais minuciosa, percebeu que as primeiras impressões eram enganadoras. Apesar de estar localizada à margem do rio — ou talvez por isso, supôs — percebeu a decadência nos telhados, nos tijolos próximos às fundações, nas manchas de água salobra um pouco acima das fundações, o que indicava graves inundações no passado. As lojas estavam todas vazias, e ficou imaginando quanto tempo ainda ficariam abertas dada a ausência de carros estacionados à frente delas. Os centros comerciais das cidadezinhas pareciam estar fadados ao mesmo fim dos dinossauros e, se aquela não fosse diferente das outras pelas quais havia passado, um centro comercial mais novo, provavelmente ancorado em lojas do tipo Wal-Mart ou Piggly Wiggly, seria levada à falência.

Mesmo assim era estranho. Estar ali. Não tinha certeza de como imaginava que Hampton seria, mas não era assim.

Isso não importava. Enquanto Zeus acabava de comer, tentou calcular quanto tempo precisaria para encontrá-la. A mulher da fotografia. A mulher a quem viera encontrar.

Mas ele iria encontrá-la. Disso tinha certeza. Pegou sua mochila. — Está pronto?

Zeus inclinou a cabeça para o lado.

— Vamos procurar um quarto. Quero comer e tomar um banho. E você também precisa de um.

Thibault deu alguns passos e percebeu que Zeus não saía do lugar. Olhou por cima dos ombros.

— Não me olhe assim. É óbvio que você precisa de um banho. Você está fedendo.

Zeus mantinha-se imóvel.

— Muito bem. Faça como achar melhor. Eu vou.

Foi em direção à recepção para fazer o cadastro, sabendo que Zeus viria em seguida. No fim, Zeus sempre vinha.

Até ter encontrado a fotografia, a vida de Thibault seguia como há muito havia planejado. Ele sempre tinha um plano. Quis ser bem-sucedido na escola e conseguiu; quis praticar vários esportes e cresceu praticando quase todos. Quis aprender violino e tornou-se competente o suficiente para compor sua própria música. Depois de se formar na Universidade do Colorado, planejou entrar para os Fuzileiros Navais; e o recrutador ficou emocionado com sua decisão de alistar-se como soldado em vez de oficial. Chocado, porém emocionado. A maioria dos universitários não mostrava interesse por esse cargo, mas era exatamente isso que ele queria.

O atentado ao World Trade Center não teve muito a ver com sua decisão, pois alistar-se no serviço militar parecia ser algo natural a ser feito, já que seu pai tinha sido Fuzileiro Naval por quinze anos. Seu pai havia-se iniciado como soldado raso e terminado sua carreira como um daqueles sargentos grisalhos, de queixos de aço, que intimidavam a todos, menos suas esposas e os pelotões que comandavam. Tratava aqueles jovens como se fossem seus filhos; sua única intenção, costumava dizer a eles, era trazê-los de volta para casa, para suas mães, sãos e salvos e mais adultos. Nesse tempo, seu pai deve ter assistido a mais de 50 casamentos de homens que não se imaginavam casando sem a sua bênção. Também era um bom fuzileiro. Havia sido condecorado com uma Bronze Star[2] e dois Purple Hearts[3] no Vietnã, e pelos anos em que serviu em Granada, Panamá, Bósnia e na Primeira Guerra do Golfo. Seu pai não se preocupava com transferências, por isso Thibault havia passado a maior parte da adolescência mudando de um lugar para outro, vivendo em diferentes bases militares ao redor do mundo. De certa forma, Okinawa tinha mais cara de lar do que o Colorado e, apesar de seu japonês estar um pouco enferrujado, acreditava que após uma semana em Tóquio resgataria a fluência do passado. Assim como seu pai, imaginava que se aposentaria na Marinha mas, diferente dele, pretendia viver muito tempo depois disso. Seu pai havia falecido de um ataque cardíaco apenas dois anos após ter pendurado definitivamente a farda no cabide, um infarto agudo que veio do nada. Em um instante ele estava tirando a neve da entrada da casa com a pá e, no outro, estava morto. Isso havia acontecido há treze anos. Thibault tinha 15 anos na época.

---

2. *Bronze Star* (Estrela de bronze): Condecoração militar dos Estados Unidos outorgada por atos de bravura ou mérito. (N.T.)
3. *Purple Heart* (Coração púrpuro): Condecoração militar dos Estados Unidos outorgada a todos os integrantes das Forças Armadas que foram feridos ou mortos durante o serviço militar desde 5 de abril de 1917. (N.T.)

Aquele dia e o dia do funeral representavam as lembranças mais marcantes da sua vida antes de se alistar na marinha. Ter sido criado como filho de militar ajudava a amenizar situações como essas, simplesmente por causa da frequência das mudanças de ambientes. Os amigos vão e vêm, as malas são feitas e desfeitas, a casa possui somente o estritamente necessário e, assim, não há muito que fique de significativo. Ensina-os que mesmo que algumas pessoas sejam deixadas para trás, outras inevitavelmente pegarão seu lugar e que todo lugar tem aspectos positivos — e negativos — a oferecer. Isso obriga uma criança a amadurecer precocemente.

Até mesmo o tempo de faculdade foi obscuro, apesar de ter sido um capítulo da sua vida com rotinas próprias. Estudar durante a semana, divertir-se nos fins de semana, dar duro para passar nos exames finais, comer a péssima comida da faculdade, e namorar duas garotas, uma delas por mais de um ano. Todo mundo que passa pela universidade tem as mesmas histórias para contar, poucas com um impacto duradouro. No fim, o que resta mesmo é o acadêmico. Na verdade, sentiu que sua vida havia mesmo começado no dia em que se apresentou em Parris Island para o treinamento básico. Assim que saltou do ônibus, o sargento encarregado começou a berrar em seus ouvidos. Nada como um sargento para fazer você sentir que, até aquele momento, sua vida não tivera significado algum. Os recrutas eram sua propriedade e ponto-final. Eram bons nos esportes? "Faça 50 flexões, Sr. Vigilante." Tem nível superior? "Monte esse fuzil, Einstein." Papai foi fuzileiro naval? "Limpe os banheiros assim como seu papai um dia também limpou." Os mesmos velhos clichês. Correr, marchar, bater continência, rastejar na lama, escalar paredes: não havia nada no treinamento básico que não fosse esperado.

Tinha de admitir que a maior parte do treinamento funcionou. Aquebrantou e achatou as pessoas o máximo possível de forma a transformá-las em fuzileiros navais. Pelo menos é o que diziam. Ele não se sentiu assim. Adaptou-se aos movimentos, manteve a cabeça baixa, fez o que mandaram fazer e continuou sendo o mesmo homem de sempre. Mesmo assim, tornou-se um fuzileiro naval.

Foi escalado para o Primeiro Batalhão do Quinto Regimento de Fuzileiros Navais, com base em Camp Pendleton. San Diego era seu tipo de cidade, com um clima maravilhoso, lindas praias e mulheres ainda mais bonitas. Mas aquilo não duraria. Em janeiro de 2003, logo após completar 23 anos, foi designado para o Kuwait, para participar da Operação Liberdade ao Iraque. Camp Doha, área industrial da Cidade do Kuwait, ativa desde a Primeira Guerra do Golfo, era bem autossuficiente. Havia um ginásio e um centro de informática, loja de conveniência para os militares, restaurantes e tendas montadas até perder de vista. Um lugar bem movimentado que ficara ainda mais com a iminência de uma invasão, um caos desde o início. Seus dias eram uma sequência de reuniões intermináveis, treinos de quebrar os ossos e ensaios para prováveis ataques, de acordo com planos constantemente alterados. Treinou vestir o fardamento de proteção contra a guerra química pelo menos umas 100 vezes. Os rumores também eram intermináveis. O mais difícil era descobrir qual rumor poderia ser verdadeiro. Todo mundo conhecia alguém que conhecia alguém que sabia da "verdadeira história". Um dia era para estarem prontos para entrar em combate imediatamente e, no outro, era para aguardarem. Primeiro, era para entrar pelo norte e pelo sul, depois era só pelo sul e, por fim, nem era para entrar. Falavam que o inimigo tinha armas químicas e tinha intenção de usá-las. No dia seguinte, a história era que não usariam armas químicas, pois tinham medo de que os Estados Unidos fossem retaliar com armas atômicas. Havia boatos de que a Guarda Nacional ia montar uma barreira suicida bem em frente à fronteira. Outros juravam que só fariam isso na entrada de Bagdá. E havia ainda quem dissesse que a barreira seria montada somente ao redor dos campos de petróleo. Enfim, ninguém sabia de nada, o que servia apenas para alimentar a imaginação das 150 mil tropas montadas no Kuwait.

A maioria dos soldados não passa de crianças. As pessoas se esquecem disso às vezes. Tem 18, 19, 20 anos — metade dos homens em serviço não tem nem idade legal para comprar cerveja. Estavam confiantes, bem treinados e ansiosos para entrar em ação, mas era impossível ignorar a realidade do que estava para acontecer. Alguns deles morreriam. Uns falavam abertamente sobre o assunto, outros escreviam cartas às famílias e as entregavam ao capelão. Os ânimos estavam à flor da pele. Alguns não conseguiam dormir, outros dormiam quase o tempo todo. Thibault observava tudo com uma estranha sensação de desapego. "Bem-vindo à guerra", seu pai parecia sussurrar-lhe. "É sempre a mesma coisa: situação normal e tudo ferrado."

Thibault não era totalmente imune a essa crescente tensão e, como todo mundo, precisava de uma válvula de escape. Resolveu jogar pôquer. Seu pai o havia ensinado a jogar, conhecia o jogo... ou pelo menos achava que conhecia. Não demorou muito para descobrir que havia gente que conhecia muito mais. Nas primeiras três semanas, perdeu tudo que havia guardado desde que decidira alistar-se, blefava quando deveria passar a vez e passava quando deveria continuar jogando. Para começar, nem era tanto dinheiro assim; se não tivesse perdido no jogo, não teria mesmo outros lugares para gastá-lo, mas isso o deixou de mau humor por vários dias. Detestava perder.

O único antídoto eram as longas corridas que fazia assim que acordava, antes mesmo do nascer do sol. Apesar de estar no Oriente Médio há um mês e meio, ainda se espantava com o frio da manhã no deserto. Corria duro debaixo do céu repleto de estrelas, sempre com a respiração curta.

No fim de uma das suas corridas, quando já avistava as tendas, começou a diminuir o ritmo. Nessa hora, o sol já começava a nascer no horizonte, espalhando seus raios dourados pela paisagem árida. Recuperava o fôlego com as mãos na cintura, quando viu o brilho pálido de uma fotografia, meio enterrada na areia. Parou para pegá-la e percebeu que a plastificação era barata, mas bem feita, provavelmente para protegê-la das intempéries. Tirou o pó para ver a imagem com mais nitidez e foi então que a viu pela primeira vez.

A loira sorridente tinha olhos travessos cor de jade, vestia *jeans* e camiseta estampada com as palavras "garota de sorte". Ao fundo, havia uma faixa com os dizeres "feira de Hampton". Um pastor-alemão, com o focinho grisalho, ao lado dela. Na multidão atrás dela, havia dois jovens, ao lado da bilheteria, um pouco desfocados, ambos com camisetas estampadas. No verso da fotografia, havia a seguinte frase manuscrita: "Se cuida! E".

Não que ele tivesse percebido isso tudo de uma vez. Na verdade, seu primeiro instinto havia sido jogar a fotografia fora. Quando ia fazer isso, porém, pensou que talvez quem a tivesse perdido gostaria de recuperá-la. Com certeza era algo significativo para alguém.

Ao voltar ao acampamento, colocou a foto e uma mensagem em um quadro de avisos na entrada do centro de informática, supondo que todos sempre acabariam passando por ali mais cedo ou mais tarde e certamente alguém sentiria falta dela.

Uma semana se passou, depois dez dias. Ninguém pegou a fotografia. Nessa altura, seu pelotão treinava por horas, todos os dias, e as partidas de pôquer estavam cada vez mais sérias. Alguns homens haviam perdido milhares de dólares. Diziam que um oficial tinha perdido quase 10 mil dólares. Thibault, que havia desistido de jogar desde a primeira tentativa humilhante, preferia passar seu tempo livre refletindo sobre a invasão que se aproximava e sobre como deveria reagir diante das armas de fogo. Três dias antes da invasão, caminhando pelo centro de informática, viu a foto ainda presa ao quadro de avisos e, por razões que nunca compreendeu bem, tirou-a de lá e a colocou no bolso.

Victor, seu melhor amigo no pelotão — estavam juntos desde o treinamento básico —, convidou-o para o jogo de pôquer naquela noite, apesar das restrições de Thibault. Ainda mal nas finanças, Thibault começou a jogar cautelosamente e pensou em só ficar meia hora por lá. Passou nas três primeiras rodadas, depois fez um *straight* na quarta partida e um *full house* na sexta. As cartas não paravam de cair na sua mão — *flushes, straight, full houses* — e na metade da noite tinha recuperado as perdas anteriores. Thibault ficou. Os jogadores iniciais foram substituídos por outros. Thibault continuou. Sua maré de sorte continuou e, até o cair da noite, tinha ganho mais do que seis meses de salário como fuzileiro naval.

Só quando estava para sair do jogo com Victor é que percebeu que a fotografia esteve o tempo todo em seu bolso. Quando voltaram para sua tenda, mostrou a foto para Victor, ressaltando as palavras na camiseta da mulher. Victor, cujos pais eram imigrantes ilegais que moravam perto de Bakersfield, na Califórnia, não era somente religioso, como também acreditava em presságios de todos os tipos. Raios e trovões, encruzilhadas e gatos pretos eram seus prediletos e, antes de embarcarem, contou-lhe sobre um tio que supostamente causava mau olhado: — Quando ele olha para você de um jeito, morrer é apenas uma questão de tempo. — Victor tinha tanta convicção que fazia Thibault sentir-se com 10 anos de idade ao ouvir a história sendo contada à luz de lanterna. Na hora não disse nada. Todo mundo tem suas manias. E daí se o cara tinha suas crendices? O que importava mesmo era o fato de Victor ser tão bom atirador que havia sido escolhido para o pelotão de elite, e Thibault confiava sua vida a ele.

Victor analisou a fotografia antes de devolvê-la: — Você disse que a achou ao nascer do dia?

— Sim.

— Esse é o momento mais poderoso do dia.

— Você já me falou.

— Isso é um sinal. Ela é o seu amuleto da sorte. Olha só a camiseta dela.

— Ela foi mesmo esta noite.

— Não foi só hoje à noite. Você achou essa fotografia por um motivo. Ninguém deu falta dela também por um motivo. Hoje resolveu pegá-la por um motivo. Ela estava destinada a você.

Thibault ia fazer um comentário sobre quem a perdera e como poderia se sentir por tê-la perdido, mas resolveu não dizer nada. Em vez disso, deitou-se com as mãos na nuca.

Victor fez o mesmo. — Estou feliz por isso. A partir de agora a sorte está do seu lado.

— Tomara que sim.

— Mas você não pode perder a fotografia jamais!

— Não?

— Se perder, vai passar a ter o efeito contrário.

— Como assim?

— Você deixará de ter sorte. E, em uma guerra, não ter sorte é a última coisa que se pode querer.

O quarto de hotel era tão feio por dentro como era a fachada do hotel por fora: painéis de madeira, lâmpadas presas aos fios no teto, tapete áspero, televisão presa no suporte. Parecia ter sido decorado por volta de 1975, e nunca havia sido reformado, o que o fez lembrar dos hotéis em que seu pai os fazia ficar sempre que a família tirava férias no sudoeste quando Thibault era criança. Passavam a noite em lugares à beira da estrada, pois, estando limpos, seu pai os considerava excelentes. Sua mãe não pensava da mesma forma, mas o que ela podia fazer? Não havia nenhum hotel cinco estrelas do outro lado da estrada e, mesmo que houvesse, eles nunca teriam dinheiro para pagar.

Thibault seguiu a mesma rotina que tinha com seu pai ao entrar em um quarto de hotel: tirou o edredom para ter certeza de que os lençóis estavam limpos, verificou se havia lodo na cortina do banheiro e procurou por cabelos nas pias. Apesar das manchas de ferrugem já esperadas, de uma torneira que não parava de pingar e das queimaduras de cigarro, o lugar estava mais limpo do que havia imaginado. Além de ser um lugar barato. Havia pago adiantado, em dinheiro, uma semana, nenhuma pergunta foi feita e não houve cobrança de tarifa extra pelo cachorro. Um bom negócio, no geral. Um bom sinal. Thibault não tinha cartões de crédito ou de débito, nem tinha endereço oficial ou telefone celular. Praticamente tudo o que tinha levava consigo. Tinha conta bancária e algum dinheiro poderia ser enviado, se necessário. Era uma conta de empresa, não de pessoa física. Ele não era rico. Não era nem classe média. A empresa não estava ativa. Apenas gostava de privacidade.

Levou Zeus à banheira e deu-lhe um banho com o xampu que tinha na mochila. Depois, tomou um banho e vestiu as últimas roupas limpas que tinha. Sentado na cama, folheou a lista telefônica, procurando algo que lhe desse um sinal, mas não teve sorte. Deixou um recado a si mesmo para lavar roupa assim que tivesse um tempo e decidiu comer alguma coisa no pequeno restaurante que havia visto na mesma rua do hotel.

Quando chegou lá, não deixaram Zeus entrar, o que não o surpreendeu. Zeus deitou-se do lado de fora da porta de entrada e dormiu. Thibault comeu *cheeseburguer* e batatas fritas acompanhados de um *milk-shake* de chocolate, depois pediu um hambúrguer para viagem para Zeus. Na rua, observou

Zeus engolir o lanche em menos de vinte segundos para depois voltar a olhar para Thibault.

— Fico feliz que tenha gostado! Vamos.

Thibault comprou um mapa da cidade em uma loja de conveniências e sentou-se em um banco perto da praça da cidade — um daqueles jardins antigos que davam para quatro ruas alinhadas em lojas. Com grandes árvores e muita sombra em suas copas, um parque para as crianças brincarem e muitas flores, não parecia cheio de gente: havia um grupo de mães conversando enquanto seus filhos brincavam nos escorregadores ou nos balanços. Analisou os rostos das mulheres, certificando-se de que nenhuma delas era a que procurava e voltou a abrir o mapa antes que sua presença por ali as deixasse nervosas. Mães com crianças pequenas sempre se apavoram diante da presença de homens sozinhos supostamente fazendo nada no local. Ele não as culpava. Há muitos pervertidos à solta.

Ao estudar o mapa, orientou-se e tentou decidir o que faria em seguida. Não tinha ilusão de que seria fácil. Afinal de contas, não tinha muitas informações. Tudo o que tinha era a fotografia — nada de nome, nada de endereço. Não sabia onde trabalhava. Não havia número de telefone. Nem data. Apenas um rosto no meio da multidão.

Mas havia algumas pistas. Analisando os detalhes da fotografia, como tantas vezes havia feito, começou a pontuar o que realmente sabia. Sabia que ela havia sido tirada em Hampton. A mulher parecia ter 20 e poucos anos quando a foto foi tirada. Era atraente. Seu primeiro nome começava com a letra E. Emma, Elise, Eilleen, Emily, Erin, Erica... pareciam nomes prováveis, apesar de que no sul havia nomes como Erdine ou Elspeth. Ela tinha ido à feira com alguém que fora para o Iraque. Havia dado essa fotografia a essa pessoa e Thibault havia encontrado a foto em fevereiro de 2003, o que significava que a foto foi tirada antes. Sendo assim, a mulher estaria agora com quase 30 anos. Havia três árvores lado a lado, ao longe, na foto. Esses eram os detalhes que sabia. Os "fatos".

Depois vinham as suposições, começando por Hampton. Era um nome relativamente comum. Uma busca rápida na internet resultou em vários lugares. Condados e cidades: Carolina do Sul, Virginia, New Hampshire, Iowa, Nebraska, Georgia. E outras. Muitas outras. E, claro, Hampton, no condado de Hampton, na Carolina do Norte.

Embora ao fundo não aparecessem imagens de pontos de referência locais — nenhuma foto do Monticello na Virginia, por exemplo, nenhuma placa de "Bem-vindo a Iowa!" ao longe —, a fotografia trazia informações. Não sobre a mulher, mas sobre os dois jovens ao fundo, na fila da bilheteria. Dois deles tinham camisetas estampadas. Uma com a imagem do Homer Simpson, não ajudava em nada. A outra tinha a palavra Davidson estampada no peito, o que a princípio não parecia ter significado algum, mesmo tendo refletido muito sobre ela. Primeiramente supôs que fosse uma abreviatura de Harley-Davidson, a motocicleta. Foi preciso mais uma busca no Google para ajudá-lo. Descobriu que Davidson era o nome de uma escola de renome perto de Charlotte, na Carolina do Norte. Seletiva, desafiadora, voltada para as artes liberais. Uma resenha do catálogo da livraria da escola continha um modelo idêntico da camiseta.

Entretanto, isso não era uma garantia de que a foto havia sido tirada na Carolina do Norte. Alguém que estudava na escola poderia ter dado ao rapaz, ou talvez ele fosse um aluno de outro Estado, talvez apenas gostasse da cor, talvez fosse ex-aluno e tivesse mudado de cidade. Mas sem mais nada que o permitisse continuar, antes de sair do Colorado, Thibault resolveu dar um rápido telefonema para a Câmara de Comércio de Hampton, e soube que todo verão havia uma feira por lá. Outro bom sinal. Apesar de não ter um fato, já tinha um destino. Simplesmente "supunha" que aquele seria o lugar certo. Não sabia explicar o motivo, mas sentia que aquele era o lugar.

Havia outras suposições, mas lidaria com elas mais tarde. A primeira coisa que tinha de fazer era encontrar o local da feira. Tinha esperanças de que a feira acontecesse sempre no mesmo local e esperava que a pessoa que indicasse o caminho também pudesse responder a essa pergunta. O melhor lugar para encontrar esse tipo de pessoa era em uma das lojas da região. Nada de lojas de lembrancinhas ou de antiguidades, essas lojas frequentemente pertenciam a pessoas recém-chegadas que fugiam do norte em busca de uma vida mais calma e um clima mais agradável. Em vez disso, pensou que o melhor lugar seria uma loja de ferramentas. Ou um bar. Ou uma imobiliária. Imaginou que, assim que olhasse para o lugar, saberia ser aquele o lugar certo.

Queria ver o local exato em que a fotografia havia sido tirada. Não para ter uma impressão melhor da mulher. O local da feira não ajudaria em nada.

Queria saber se havia três árvores grandes juntas, árvores com as copas pontudas, que poderiam crescer em qualquer lugar.

# Capítulo 3

# Beth

Beth colocou sua garrafa de Coca *diet* de lado, feliz por Ben estar se divertindo na festa de aniversário de seu amigo Zach. Estava justamente pensando que não queria que ele tivesse de ir para casa do pai, quando Melody chegou e sentou-se na cadeira ao lado.

— Foi uma boa ideia, não acha? As arminhas de água são um sucesso — Melody sorriu, seus dentes clareados, talvez um pouco brancos demais, sua pele escura demais, como se ela tivesse acabado de sair de uma sessão de bronzeamento, o que era bem provável. Melody só se preocupava com sua aparência desde o ensino médio e ultimamente parecia mais do que obcecada com isso.

— Só espero que não mirem suas armas poderosas em nós.

— Melhor não. Falei para o Zach que, se ele fizesse isso, mandaria todo mundo embora — recostou-se na cadeira para sentar mais confortavelmente. — O que tem feito neste verão? Não tenho te visto por aí, nem retorna meus telefonemas.

— Eu sei. Desculpe. Tenho sido uma eremita neste verão. Tem sido difícil administrar os cuidados com a Nana, o canil e todo o treinamento. Não faço ideia do motivo pelo qual Nana o mantém há tanto tempo.

— Nana vai bem?

Nana era a avó de Beth. Ela a havia criado desde os 3 anos de idade, após seus pais terem morrido em um acidente de carro. Beth fez que sim com a cabeça. — Está melhorando, mas o acidente vascular deixou sequelas. O lado esquerdo de seu corpo ainda está muito fraco. Consegue dar conta de uma parte do treinamento, mas cuidar do canil e do treinamento está além das suas possibilidades. E você sabe como ela exige de si mesma. Sempre me preocupo com o fato de ela estar abusando.

— Percebi que ela voltou ao coral esta semana.

Nana era membro do coral da Primeira Igreja Batista há mais de trinta anos e Beth sabia que cantar no coral era uma de suas paixões. — Voltou semana passada, mas não sei dizer na verdade o quanto conseguiu cantar. Depois disso, tirou uma soneca de duas horas.

— O que vai acontecer quando as aulas recomeçarem?

— Não sei.

— Vai continuar dando aulas, não vai?

— Espero que sim.

— Você espera? As reuniões dos professores não começam na semana que vem?

Beth não queria pensar nisso, muito menos falar sobre isso, mas sabia que Melody tinha boas intenções. — Sim, mas não significa que estarei lá. Sei que será um problema para a escola, mas não posso deixar Nana sozinha o dia todo. Pelo menos por enquanto. E quem a ajudaria a cuidar do canil? Ela não tem como treinar os cachorros o dia todo.

— Você não pode contratar uma pessoa?

— Estou tentando. Eu te contei o que aconteceu no começo do verão? Contratei um cara que apareceu por lá umas duas vezes, depois desistiu assim que chegou o fim de semana. O mesmo aconteceu com o outro que contratei. Depois disso, ninguém mais se apresentou para o cargo. A placa "Precisa-se de ajudante" continua pendurada na janela.

— David sempre reclama de como bons empregados estão em falta.

— Fale para ele oferecer um salário-mínimo. Aí ele vai reclamar mesmo. Até mesmo alunos do ensino médio não querem limpar o canil. Dizem que é nojento.

— É nojento.

Beth riu. — Eu sei. Mas não tenho tempo. Duvido que alguma coisa mude até a semana que vem, e se não mudar, há coisas piores. Gosto de treinar os cães. Muitas vezes é mais fácil ensinar a eles do que aos alunos.

— Como os meus?

— Os seus eram fáceis. Pode acreditar.

Melody apontou para Ben. — Ele cresceu desde a última vez em que o vi.

— Quase 4 centímetros — disse, pensando ser gentil da parte de Melody ter percebido. Ben sempre tinha sido pequeno para sua idade, na foto da turma da classe estava sempre posicionado do lado esquerdo, na fila da frente. Já Zach, o filho de Melody, era totalmente o contrário, lado direito, fila de trás, sempre o mais alto da turma.

— Ouvi falar que Ben não vai jogar futebol no próximo semestre — disse Melody.

— Ele quer fazer algo diferente.

— Como o quê?

— Quer aprender a tocar violino. Vai ter aulas com a Sra. Hastings.

— Ela ainda dá aulas? Deve ter pelo menos uns 90 anos.

— Mas tem paciência com iniciantes. Ou pelo menos foi o que ela me disse. Esse é o principal motivo.

— Que bom para ele. Acho que vai se dar muito bem. Mas o Zach vai ficar chateado.

— Eles não iam ficar no mesmo time. Zach vai jogar no time principal, não vai?

— Se ele conseguir.

— Ele vai conseguir.

E ele conseguiria. Zach era daquelas crianças naturalmente confiantes, competitivas, que amadureciam cedo e levavam consigo para o campo outros jogadores menos talentosos. Como Ben. Até mesmo agora, correndo atrás dele com a arma de água pelo quintal, Ben não conseguia acompanhá-lo. Ano anterior, seu ex-marido ficava em pé na linha do campo, com uma expressão de raiva, mais um motivo para Ben não querer jogar.

— David vai ajudar o treinador novamente?

David era o marido da Melody e um dos dois pediatras da cidade. — Ele ainda não decidiu. Desde que Hoskins saiu, tem trabalhado mais. Ele odeia, mas o que pode fazer? Estão tentando contratar outro médico, mas não é fácil. Nem todo mundo quer vir trabalhar em uma cidade pequena, especialmente sendo o hospital mais próximo em Wilmington, a quarenta e cinco minutos de distância. Isso aumenta o horário de trabalho. David chega em casa depois das 20 horas grande parte da semana. Às vezes, até mais tarde.

Beth percebeu o tom preocupado na voz de Melody e imaginou se ela ainda estaria abalada com o caso que David havia confessado ter tido há um ano e meio. Beth sabia o suficiente para não tecer comentários sobre isso. Logo que ouviu os primeiros boatos, decidiu que só tocaria no assunto quando a iniciativa viesse de Melody. E se ela não quisesse falar sobre isso? Tudo bem, também. Isso não era da sua conta.

— E você? Tem saído com alguém?

Beth sorriu. — Não. Não, desde Adam.

— O que houve?

— Não faço ideia.

— Não posso dizer que tenho inveja de você. Nunca gostei de namorar.

— Ah, é. Mas pelo menos você era boa nisso. Eu sou péssima.

— Você está exagerando.

— Não estou mesmo. Mas isso não é grande coisa. Nem sei se ainda tenho energia sobrando para isso. Usar *lingerie,* fazer depilação, flertar, fingir que gosto dos amigos dele. Parece-me um esforço enorme.

Melody torceu o nariz. — Você não se depila?

— Claro que sim — depois, falou baixinho: — Pelo menos, quase sempre. Mas você está certa, não é fácil namorar. Especialmente para alguém da minha idade.

— Ah, me poupe. Você não tem nem 30 anos e é linda.

Beth sempre ouvia isso e não era imune ao fato de que os homens, mesmo os casados, sempre viravam a cabeça para vê-la passar. Nos seus três primeiros anos como professora, só teve uma reunião de pais cujo pai apareceu sozinho. Em todas as outras, as mães tinham ido. Lembrava-se de que, quando comentou isso com Nana, anos atrás, ela lhe disse: — Não querem você sozinha com seus maridos porque você é tão linda como uma roseira em flor.

Nana tinha um jeito peculiar de dizer as coisas.

— Você parece ter esquecido a cidade em que moramos — retrucou Beth. — Não há muitos homens solteiros na minha idade. E se estão solteiros, há um motivo para tal.

— Não é verdade.

— Talvez em uma cidade grande. Mas por aqui? Pode acreditar. Vivi toda minha vida aqui e, mesmo quando estava na faculdade, ia e voltava todos os dias e, nas poucas vezes em que me convidaram para sair, depois de três vezes paravam de telefonar. Não me pergunte o motivo. Mas isso não interessa. Tenho Ben e Nana. Não estou sozinha por aí, cercada por dúzias de gatos.

— Não mesmo. Está cercada de cães.

— Mas não são meus. São de outras pessoas. É diferente.

— Ah, é. Bem diferente — zombou Melody.

Do outro lado do quintal, Ben corria atrás do grupo com sua arma de água, dando o melhor de si para acompanhá-los, quando, de repente, tropeçou e caiu. Seus óculos saíram voando pelo gramado. Beth o conhecia bastante para saber que não poderia se levantar e ir até lá para ver se ele estava bem. Na última vez em que havia feito isso, percebeu como ele havia ficado visivelmente envergonhado. Tateou a grama até encontrar os óculos, levantou-se e voltou a correr.

— Como eles crescem depressa, não é? — disse Melody, interrompendo os pensamentos de Beth. — Sei que é clichê, mas é verdade. Lembro-me da minha mãe dizendo que isso ia acontecer e eu nem imaginava o que ela estava falando. Não podia esperar até que Zach ficasse um pouquinho mais velho. Tudo bem que naquela época ele tinha cólicas e eu não dormia mais do que duas horas por noite durante o mês. Mas agora, em um piscar de olhos, eles já vão começar o sexto ano.

— Calma! Ainda tem um ano pela frente.

— Eu sei. Mas mesmo assim fico nervosa.

— Por quê?

— Sabe como é... é uma idade difícil. As crianças entram em uma fase em que começam a entender o mundo dos adultos, sem terem a maturidade dos adultos para que possam lidar com tudo que se passa ao seu redor. Acrescente a isso todas as tentações, o fato de não te ouvirem mais como antes, o temperamento adolescente, e eu serei a primeira a admitir que não estou ansiosa por isso. Você é professora. Você sabe.

— É por isso que dou aulas para o segundo ano.

— Sábia escolha. Ficou sabendo do que houve com Elliot Spencer?

— Não estou sabendo sobre nenhum assunto ultimamente. Tenho sido uma eremita, lembra-se?

— Foi pego vendendo drogas.

— Mas ele só é alguns anos mais velho que o Ben.

— E ainda nem concluiu o ensino fundamental.

— Agora você está me deixando nervosa.

Melody revirou os olhos. — Não fique. Se meu filho fosse mais parecido com Ben, eu não teria motivos para ficar nervosa. Ben tem uma alma antiga. É sempre educado, sempre gentil, sempre o primeiro a ajudar as crianças mais novas. É solidário. Eu, em contrapartida, tenho Zach.

— Zach é maravilhoso também.

— Eu sei disso. Mas sempre foi mais difícil do que Ben. E Zach constantemente tem sido mais "maria vai com as outras" do que Ben.

— Você já viu os dois brincando? De onde estou sentada parece-me que quem está indo atrás dele é Ben.

— Você sabe do que estou falando.

Na verdade, ela sabia. Mesmo sendo muito jovem, Ben sempre quis escolher seu próprio caminho. O que era bom, tinha de admitir, porque ele frequentemente escolhia um bom caminho. Apesar de não ter muitos amigos, ele tinha muitos interesses próprios. Não se interessava muito por *video games* nem pela internet, e assistia a televisão de vez em quando, mas sempre acabava desligando após meia hora. Em vez disso, lia ou jogava xadrez (um jogo que parecia ter aprendido de forma intuitiva) em um joguinho eletrônico que havia ganho no Natal. Adorava ler e escrever e, embora gostasse dos cães do canil, a maioria deles ficava muitas horas lá dentro e tendia a ignorá-los. Passava muitas tardes jogando bolas de tênis que, quando muito, alguns deles iam buscar.

— Vai dar tudo certo!

— Espero que sim — disse Melody, colocando a bebida de lado. — É melhor eu ir pegar o bolo, não é? O Zach tem treino às 17 horas.

— Vai estar quente.

— Com certeza vai querer levar a arma de água para ensopar o treinador.

— Precisa de ajuda?

— Não, obrigada. Sente aí e relaxe. Eu já volto.

Beth observou Melody afastar-se, percebendo pela primeira vez o quanto ela havia emagrecido. Cinco a sete quilos a menos desde a última vez que a vira. Devia ser estresse, pensou. O caso de David tinha mexido com ela, mas, diferente de Beth quando passou pela mesma situação, Melody estava determinada a salvar seu casamento. Por outro lado, seus casamentos eram completamente diferentes. David havia cometido um grande erro e machucado Melody, mas, no geral, Beth sempre os considerou um casal feliz. Já o casamento de Beth tinha sido um fiasco desde o início. Do jeitinho que Nana havia previsto. Nana tinha a habilidade de avaliar as pessoas instantaneamente e encolhia os ombros quando não gostava de alguém. Quando Beth anunciou que estava grávida e que, em vez de ir para a faculdade, ela e seu ex planejavam se casar, Nana começou a encolher os ombros de uma forma tão intensa que mais parecia um tique nervoso. É claro que Beth a ignorou na época, pensando que ela não havia nem dado uma chance a ele. Ela nem o conhecia. O casamento poderia dar certo. Não mesmo! Nunca deu certo. Nana sempre foi educada e cordial quando ele estava por perto, mas os ombros só pararam de encolher quando Beth voltou para casa, há dez anos. O casamento durou menos de nove meses; Ben tinha cinco semanas. Nana estava certa o tempo todo.

Melody foi para dentro de casa e voltou um pouco depois com David logo atrás dela. Ele carregava pratos de papel e garfinhos, obviamente preocupado. Dava para ver os tufos de cabelo branco nas têmporas e as marcas de expressão na testa. Essas ela já tinha percebido na última vez em que o vira e imaginou ser mais um sinal do estresse pelo qual estava passando.

Às vezes Beth ficava imaginando como seria sua vida se fosse casada. Não com seu ex-marido, é claro. Esse pensamento lhe causava arrepios. Ter de lidar com ele de quinze em quinze dias já era suficiente, muito obrigada. Mas com outra pessoa. Alguém... melhor. Pelo menos teoricamente parecia uma boa ideia. Dez anos haviam se passado, tinha se adaptado à vida que levava e ter uma pessoa com quem pudesse compartilhar suas noites, após um dia de trabalho, não seria uma má ideia. Alguém que lhe fizesse uma massagem nas costas de vez em quando, e seria muito bom também passar um sábado inteiro de pijamas quando desse vontade. Algo que ela fazia às vezes. E Ben também. Eles chamavam de dias de preguiça. Eram os melhores. Às vezes passavam um dia desses sem fazer absolutamente nada, terminando por pedir uma *pizza* e assistir a um filme. Divino!

Além disso, se relacionamentos eram difíceis, casamentos eram ainda piores. Não eram apenas Melody e David que passavam por momentos delicados; parecia que a maior parte dos casais passava por isso. Território minado. Como é mesmo que Nana sempre diz? "Coloque duas pessoas diferentes, com expectativas diferentes, debaixo do mesmo teto e nem sempre haverá feijoada na Páscoa."

Exatamente. Mesmo sem saber ao certo de onde Nana tirava suas metáforas.

Olhou para o relógio e sabia que tinha de ir ver como Nana estava assim que a festa acabasse. Sabia que a encontraria no canil, sentada atrás da escrivaninha, ou cuidando dos cachorros. Nana era teimosa. E daí se a perna esquerda mal suportava o peso de seu corpo? "Minha perna esquerda não é perfeita, mas também não é de cera." Ou que ela pudesse cair e se machucar? "Não sou um vaso de porcelana." Ou que seu braço esquerdo estava basicamente inútil? "Contanto que consiga tomar sopa, não preciso mesmo dele."

Ela era uma pessoa única, um coração abençoado. Sempre foi assim.

— Mamãe?

Perdida em seus pensamentos, não percebeu que Ben se aproximava. Seu rosto cheio de sardas estava todo suado. A roupa estava ensopada e havia marcas do gramado em sua camiseta as quais tinha certeza que nunca mais sairiam.

— Oi, querido!

— Posso dormir na casa do Zach?

— Pensei que ele tivesse treino de futebol.

— Depois do treino. Algumas pessoas vão ficar e ele ganhou *Guitar Hero*[4] da mãe dele de presente de aniversário.

Beth sabia por que ele pedia isso.

— Hoje não dá. Você não pode. Seu pai vem te buscar às 17 horas.

— Você pode ligar para ele e perguntar?

— Posso tentar. Mas você sabe...

Ben concordou com a cabeça e, como sempre fazia quando isso acontecia, ficou com o coração partido. — É, eu sei.

O sol brilhava no para-brisas e parecia fazer assar dentro do carro, o que a fez desejar ter mandado consertar o ar-condicionado. Com a janela aberta, o cabelo batia em seu rosto e a fazia piscar, lembrando-lhe que precisava cortar os cabelos de verdade. Imaginou-se dizendo à cabeleireira: "Corte tudo, Terri. Me deixe parecida com um homem". Mas sabia que, quando chegasse lá, ia manter o corte de sempre. Era meio covarde para certas coisas.

---

4. *Guitar Hero* é um jogo de estilo musical desenvolvido pela Harmonix Music Systems e publicado pela RedOctane para o console Playstation 2. Tem um controle no formato de guitarra (semelhante à Gibson SG) que dá a sensação de estar tocando uma verdadeira guitarra. (N.T.)

— Parece que vocês se divertiram.

— Sim.

— Isso é tudo que consegue dizer?

— Só estou cansado, mamãe.

A mãe apontou para a sorveteria à frente. — Quer tomar um sorvete?

— Não é bom para mim.

— Ei, a mãe aqui sou eu. Eu é que tenho de dizer isso. Só estava pensando que, como está calor, talvez você quisesse.

— Não estou com fome. Acabei de comer bolo.

— Tudo bem. Como quiser. Mas não me culpe se chegar em casa e sentir que perdeu a oportunidade.

— Não vou.

— Ei, campeão. Está tudo bem?

Sua voz era quase inaudível com o vento. — Por que tenho de ir com o papai? Não vamos fazer nada de legal. Tenho de ir para a cama às 21 horas como se eu ainda estivesse no segundo ano ou algo assim. Eu nem estou com sono ainda. E, amanhã, ele fica o dia todo me dando coisas para fazer.

— Pensei que ele fosse te levar na casa do seu avô para o café da manhã, depois da igreja.

— Mesmo assim não quero ir.

"Também não quero que você vá", pensou. Mas o que ela poderia fazer?

— Por que você não leva um livro? Pode ler à noite, no quarto, e amanhã, quando se sentir chateado.

— Você sempre faz a mesma sugestão.

"Por que não sei mais o que posso sugerir", pensou. — Quer ir até a livraria?

— Não — ele disse, mas Beth percebeu que era da boca para fora.

— Então, venha comigo. Quero comprar um livro para mim.

— Está bem.

— Você sabe que eu sinto muito, não é?

— Eu sei.

Ir à livraria não ajudou muito a melhorar o humor de Ben. Apesar de ter escolhido dois livros de mistério dos *Hardy Boys*[5], ela percebeu o desânimo na hora de pagar. Voltando para casa, abriu um dos livros e fingiu lê-lo. Mas Beth sabia que ele estava apenas tentando evitar mais perguntas, ou que ela tentasse, com carinho forçado, fazer com que ele se sentisse melhor em relação ao fato de ter de passar a noite na casa do pai. Com 10 anos de idade, Ben já sabia muito bem prever o comportamento da mãe.

Beth detestava o fato de ele não gostar de ir para casa de seu pai. Observou-o entrar em casa, indo em direção ao seu quarto, sabendo que ia arrumar sua mala. Em vez de ir atrás dele, sentou-se na escada da varanda, desejando pela milésima vez ter um balanço ali. Ainda estava quente e, pela choradeira no canil, era óbvio que os cães também estavam incomodados com o calor. Tentou perceber se ouvia Nana fazendo algum barulho dentro de casa. Se ela estivesse na cozinha, teria ouvido quando Ben entrou. Nana era uma cacofonia ambulante. Não por causa do acidente vascular, mas porque fazia parte de sua personalidade. Ela gargalhava, batia nas panelas com a colher ao cozinhar, adorava beisebol e aumentava o rádio em um nível que arrebentava os tímpanos sempre que tocavam músicas do estilo das Big Bands[6]. “Música desse tipo não dá em árvores, sabia.” Antes do acidente, costumava usar galochas, macacões e um enorme chapéu de palha, andando para lá e para cá pelo quintal quase todos os dias, ensinando os cães a sentarem sobre as patas traseiras, a ficarem junto dela ou onde estavam.

Anos atrás, junto com seu marido, Nana ensinava os cães a fazer quase tudo. Juntos, haviam criado e treinado cães de caça, detectores de drogas para

5. *Hardy Boys* é como são chamados os irmãos adolescentes detetives amadores Frank e Joe Hardy, personagens fictícios americanos de histórias de mistério que apareceram em várias séries de livros para crianças e adolescentes, criados por Edward Stratemeyer. (N.T)

6. *Big Bands* é uma expressão da língua inglesa que indica um grande grupo instrumental associado ao *jazz*. Esse tipo de formação foi muito popular dos anos 20 aos anos 50, período que conhecido como a “era do swing”. É uma das formações musicais mais usadas pelos artistas de *jazz*. (N.T.)

a polícia, cães de guarda e de segurança doméstica. Esse tempo era passado, isso agora só acontecia ocasionalmente. Não porque ela não soubesse o que fazer, ela sempre tinha cuidado da maior parte dos treinos. Mas treinar um cão para segurança doméstica levava catorze meses, e, levando em conta que Nana se apaixonava até mesmo por um esquilo, ela sempre ficava de coração partido ao término do treinamento. E sem o avô por perto para lhe dizer: "Mas já está vendido, não há outra escolha". Nana achava mais fácil deixar de lado essa parte do contrato.

Em vez disso, atualmente Nana dirigia uma escola de obediência. As pessoas deixavam seus cães por algumas semanas — recrutamento de cães, ela dizia — e Nana os ensinava a sentar, deitar, ficar junto, atender aos chamados e sentar sobre as patas traseiras. Ordens simples, descomplicadas, que qualquer cão aprendia rapidamente. Normalmente havia de 15 a 20 cães em um treino de duas semanas, e eram necessários vinte minutos por dia para cada um deles. O cão perdia o interesse se os períodos de treino fossem mais longos. Até que não era tão ruim quando havia 15 cães por lá, mas manter 25 cães exigia longas horas de trabalho, levando em conta que cada um deles tinha de ter um tempo para passear. Além disso, havia a alimentação, a limpeza do canil, o relacionamento com os clientes e a documentação. Beth trabalhava de doze a catorze horas por dia durante todo o verão.

Elas estavam sempre ocupadas. Não era difícil treinar um cão. Beth ajudara Nana muitas vezes desde os 12 anos. E havia dúzias de livros sobre o assunto. Além disso, a clínica veterinária tinha aulas para cães e seus respectivos donos aos sábados pela manhã, a preços bem razoáveis. Beth sabia que a maioria das pessoas podia usar vinte minutos de seu tempo semanal para treinar seu cão. Mas as pessoas não faziam isso. Pelo contrário, vinham pessoas da Flórida e do Tennessee para que seus cães fossem treinados por quem soubesse fazê-lo. A reputação de Nana como grande treinadora era conhecida, mas tudo que fazia era ensiná-los a sentar, atender aos chamados, sentar sobre as patas e a ficar quietos. Não era algo científico. Contudo, as pessoas estavam sempre extremamente agradecidas. E sempre, sempre, maravilhadas.

Beth olhou para o relógio. Keith, seu ex-marido, logo chegaria. Apesar de ter problemas com ele, Deus sabia que eram problemas sérios, eles tinham a guarda compartilhada do filho, simples assim, e ela tentava fazer o melhor possível para que tudo desse certo. Dizia a si mesma que era importante para Ben passar algum tempo com seu pai. Meninos precisam da companhia dos pais, principalmente quando a adolescência está batendo à porta, além do que, isso ela tinha de admitir, ele não era má pessoa. Era imaturo, mas não era mau. Tomava umas cervejas de vez em quando, mas não era alcoólatra; não usava drogas; nunca havia sido agressivo com nenhum deles. Ia à igreja todos os domingos. Tinha um emprego fixo e pagava a pensão alimentícia em dia, ou melhor, sua família pagava. O dinheiro vinha de um fundo, um dos muitos que a família tinha iniciado ao longo dos anos. E, na maior parte do tempo, mantinha sua interminável fila de namoradas longe do filho durante os fins de semana em que estava com ele. Pois é, na maior parte do tempo. Tinha melhorado um pouco ultimamente, mas ela tinha plena certeza de que isso se devia mais ao fato de estar sem namorada no momento do que a um renovado compromisso de pai. Isso não era muito importante, exceto pelo fato de as namoradas estarem mais próximas da idade de Ben do que da dele e, via de regra, apresentarem um QI comparável ao de uma ostra. Ela não estava sendo rancorosa, até mesmo Ben tinha noção disso. Há alguns meses, ele teve de ajudar uma delas a preparar uma nova panela de macarrão com queijo depois de tê-lo queimado na primeira tentativa. A sequência de adicionar leite e manteiga, mexendo e misturando, extrapolava sua inteligência.

Contudo, não era isso o que mais incomodava Ben. Tudo bem com as namoradas — que por sinal o tratavam mais como um irmão mais novo do que como um filho. Nem eram as tarefas que o preocupavam. Não havia problema em varrer o quintal ou limpar a cozinha e colocar o lixo para fora. Sabia que seu ex-marido não estava fazendo o filho de criado. E era bom para ele ter tarefas; ele também as tinha quando ficava com ela no fim de semana. Não. O problema era a imaturidade de Keith, o desapontamento implacável em relação a Ben. Keith queria que ele fosse um atleta; em vez disso, o filho decide aprender a tocar violino. Queria alguém que saísse com ele para caçar; mas seu filho prefere ler. Queria que seu filho jogasse beisebol ou basquete, mas seu filho é desajeitado e tem a visão deficiente.

Ele nunca falou nada sobre isso com ela ou Ben, mas não era preciso. Estava muito evidente no desprezo com que assistia a Ben jogando futebol, na maneira como havia se recusado a cumprimentar o filho por ter vencido seu último torneio de xadrez e na forma como forçava Ben a ser alguém que ele não era. Isso deixava Beth louca e, ao mesmo tempo, partia seu coração, mas era muito pior para Ben. Ele havia tentado agradar ao pai por anos, mas isso só serviu para deixá-lo exausto. Ter aulas de beisebol. Nenhum problema, certo? Ben pode até acabar gostando e quem sabe fazer parte da Liga Infantil. Quando Keith sugeriu fazia todo sentido e Ben até se entusiasmou com a ideia, mas passou a odiar depois de um tempo. Quando conseguia pegar três bolas seguidas, seu pai queria que tivesse pego quatro. Quando melhorava, seu pai queria que fizesse mais ainda, que pegasse todas as bolas. E, depois, tinha de pegá-las correndo para frente. Depois correndo para trás. Deslizando. Mergulhando. Pegar a bola lançada pelo pai com toda sua força. E se deixasse cair? O mundo acabava. Seu pai não era do tipo que dizia: "Valeu, campeão, ou boa tentativa". Não. Era do tipo que gritava: "Vai, anda logo, para de fazer manha".

Ah, ela tentou falar com ele sobre isso. Falou até sentir-se enjoada. É claro que entrou por um ouvido e saiu pelo outro para ele. A velha história de sempre. Apesar da sua imaturidade — ou por causa dela —, Keith era teimoso e o dono da verdade em muitos assuntos, entre eles na maneira como Ben deveria ser criado. Queria um determinado tipo de filho, e, se Deus permitisse, um dia teria. Como era previsto, Ben começou a reagir conforme sua própria maneira passivo-agressiva. Começou a deixar cair todas as bolas lançadas pelo pai, mesmo as mais altas e mais fáceis, ao mesmo tempo em que fingia ignorar a frustração visivelmente crescente de seu pai, até que ele tirasse as luvas e as jogasse no chão, entrasse em casa e ficasse o resto da tarde de mau humor. Ben fingia nem perceber. Sentava-se debaixo de uma árvore e ficava lendo, até a mãe vir buscá-lo, horas mais tarde.

As brigas de Beth e seu ex não eram somente em relação a Ben; eles eram fogo e gelo. Ele era fogo, e ela, gelo. Keith ainda sentia atração por ela, o que a deixava ainda mais irritada. Ele tinha a maldita ideia de que ela ia querer alguma coisa com ele, mas isso estava além de sua vontade, entretanto isso não impedia suas tentativas. Na maior parte do tempo, não conseguia nem mesmo se lembrar dos motivos que um dia a levaram a se sentir atraída por ele. Conseguia se lembrar das razões por ter optado pelo casamento: ser jovem e estúpida eram as principais, além do detalhe de estar grávida e quase parindo, mas agora, ao olhar bem para ele, seus músculos se contraíam por dentro. Ele não fazia seu tipo. Na verdade, nunca tinha feito. Se toda a sua vida fosse uma fita de vídeo, seu casamento seria um dos momentos que apagaria com prazer. Com exceção de Ben, claro.

Gostaria que Drake, seu irmão mais novo, estivesse ali, e sentia a dor que sempre sentia ao pensar nele. Sempre que vinha, Ben o seguia como os cães seguiam Nana. Juntos, podiam passear para caçar borboletas ou passar horas na casa da árvore que seu avô havia feito, à qual só se tinha acesso por uma ponte capenga passando por cima de dois riachos da propriedade. Diferente de seu ex, Drake aceitava seu sobrinho como ele era, o que, em muitos aspectos, fazia dele mais pai de Ben do que o próprio pai tinha sido um dia. Ben o adorava e Beth amava Drake pela forma serena com que ele alimentava a autoconfiança de Ben. Lembrava-se de ter-lhe agradecido um dia, e tudo o que ele fez foi dar de ombros. “Eu gosto de estar com ele”, disse, sem acrescentar detalhes.

Sabia que tinha de ver como Nana estava. Levantou-se e viu a luz no escritório, mas duvidou que Nana estivesse cuidando da papelada. Era mais provável que estivesse andando pelo canil, por isso foi nessa direção. Esperava que Nana não tivesse enfiado na cabeça que tinha de levar um grupo de cães para passear. Ela não tinha como manter o equilíbrio, ou até mesmo segurar os animais se eles esticassem as coleiras, mas essa sempre fora a sua atividade predileta. Achava que a maioria dos cães não se exercitava o suficiente, e a propriedade era um excelente remédio para suprir tal carência. Com quase 70 acres, possuía várias clareiras delimitadas por matas virgens, com várias trilhas e dois pequenos riachos que desaguavam no South River. A propriedade, comprada quase de graça cinquenta anos atrás, tinha agora um bom valor. Pelo menos foi o que disse o advogado que veio sondar o interesse de Nana em vendê-la.

Beth sabia exatamente quem estava por trás disso. Nana também sabia, mas se fez de boba na frente do advogado. Ficou olhando para ele com os olhos bem abertos, focados no nada, derrubou as uvas que tinha nas mãos e murmurou palavras desconexas. Quando ele saiu, Beth e ela riram por horas.

Olhou pela janela do escritório e não viu Nana, mas ouviu a voz dela vindo da direção do canil.

— Quieta... vem aqui. Boa menina. Vem.

Beth viu Nana elogiando uma cadela da raça *shitzu* que vinha em sua direção. Parecia aqueles cães de brinquedo de corda, comprados no Wal-Mart.

— O que está fazendo, Nana? Não devia estar aqui fora.

— Ah, oi, Beth — Nana já não gaguejava mais, como fazia meses atrás.

Beth colocou as mãos na cintura. — Não devia estar aqui fora sozinha.

— Trouxe um celular. Se tivesse algum problema, poderia ligar.

— Você não tem celular.

— Tenho o seu. Tirei-o da sua bolsa hoje de manhã.

— Então, ia ligar para quem?

Ela parecia não ter pensado sobre isso e franziu a testa ao olhar para a cachorrinha. — Preciosa, está vendo o que eu tenho de aguentar? Não te falei que a mocinha aí é rápida como uma lebre?

Beth percebeu que ela ia mudar o assunto.

— Onde está Ben?

— Lá dentro, arrumando suas coisas. Vai passar o fim de semana com o pai.

— Aposto que está superfeliz com a ideia. Tem certeza de que não foi se esconder na casa da árvore?

— Pega leve. Ele ainda é o pai dele.

— Você é quem acha.

— Eu tenho certeza.

— Você tem certeza de que não saiu com mais ninguém naquela época? Nem sequer uma única noite com um empregado do hotel, com um caminhoneiro ou com alguém da escola? — perguntou, cheia de esperança. Ela sempre mostrava ter esperança quando tocava nesse assunto.

— Tenho certeza e já te disse isso um milhão de vezes.

Nana piscou. — Eu sei, mas estou sempre esperando que sua memória melhore.

— Mudando de assunto, há quanto tempo está aqui fora?

— Que horas são?

— Quase 16 horas.

— Então, faz umas três horas.

— Debaixo desse calor?

— Ei, não estou inválida. Foi só um incidente.

— Foi um acidente vascular cerebral.

— Mas não foi grave.

— Não consegue mexer o braço.

— Contanto que eu consiga tomar sopa, não preciso dele. Agora, deixe-me ver meu neto. Quero me despedir dele antes que vá embora — foram andando em direção ao canil. Preciosa atrás dela, ofegante, abanando o rabo. Linda cachorrinha.

— Acho que quero comida chinesa hoje à noite. Vai querer também?

— Não pensei nisso ainda.

— Então, pense.

— Tudo bem. Pode ser comida chinesa, mas não quero nada pesado. Nem frituras. Está muito calor para isso.

— Você não tem graça.

— Mas tenho saúde.

— É sempre a mesma história. Ah, e já que é tão saudável, você poderia levar a Preciosa ao canil 14? Tenho uma nova piada que quero contar ao Ben.

— Onde aprendeu essa piada?

— No rádio.

— É adequada?

— Claro que é. Quem você acha que eu sou?

— Sei exatamente quem você é e é por isso que pergunto. A piada é adequada?

— Dois canibais estão comendo um comediante, um vira para o outro e diz: — Você achou o gosto engraçado?

Beth sorriu. — Ele vai gostar.

— Que bom. Coitadinho! Precisa de alguma coisa que o anime.

— Ele está bem.

— É claro que está. E eu sou a rainha da Inglaterra, sabia?

Quando chegaram ao canil, Nana continuou em direção à casa, mancando mais do que estava de manhã. Estava melhorando, mas o caminho ainda era longo.

# Capítulo 4

# Thibault

Os Fuzileiros Navais baseiam-se no número 3. É uma das primeiras coisas que ensinam aos recrutas durante o treinamento básico. Isso torna as coisas fáceis de ser entendidas. Três fuzileiros formam uma unidade militar, três unidades formam um esquadrão, três esquadrões formam um pelotão, três pelotões formam uma companhia, três companhias formam um batalhão e três batalhões formam um regimento. Na teoria, pelo menos. Quando invadiram o Iraque, seu regimento tinha sido combinado com elementos de outras unidades, incluindo o Batalhão de Reconhecimento Blindado, Batalhões de Infantaria do 11º Regimento dos Fuzileiros Navais, o Segundo e o Terceiro Batalhões de Ataque Anfíbio, a Companhia B do Primeiro Batalhão de Engenharia de Combate e o Batalhão 115 de Apoio ao Serviço e ao Combate. Massivo. Preparado para tudo. Quase seis mil militares no total.

Conforme Thibault caminhava debaixo de um céu que começava a mudar de cor com a aproximação do crepúsculo, pensou novamente naquela noite, tecnicamente seu primeiro combate em território hostil.

Seu Regimento, Primeiro Batalhão do Quinto Regimento, foi a primeira unidade a atravessar o Iraque com a intenção de encontrar os campos de petróleo de Rumaylah. Todo mundo se lembra de que, durante a Guerra do Golfo, Saddam Hussein tinha incendiado a maioria dos postos de petróleo do Kuwait e ninguém queria que isso acontecesse novamente. Para encurtar a história, o batalhão, juntamente com outros, chegou a tempo. Apenas sete poços pegavam fogo quando o local foi considerado seguro. E, de lá, o esquadrão de Thibault foi mandado para o norte, para Bagdá, para ajudar a conquistar a capital. O Primeiro Batalhão do Quinto Regimento foi o mais condecorado dentre os fuzileiros. Sendo assim, foi escolhido para o ataque mais incisivo dentro do território inimigo da história do Corpo de Fuzileiros Navais. Sua primeira estada no Iraque havia durado pouco mais de quatro meses.

Após cinco anos, a maioria dos detalhes sobre a sua primeira estada era obscura. Havia cumprido a missão e teve de voltar para Pendleton. Não tocava no assunto. Tentava não pensar nele, com exceção de um detalhe: Ricky Martinez e Bill Kincaid, dois homens do esquadrão de Thibault que eram protagonistas de uma história da qual ele jamais se esqueceria.

Pegue três pessoas aleatoriamente, coloque-as juntas, e haverá diferenças. Até aí, nenhuma surpresa. E eles eram diferentes em princípio. Ricky tinha sido criado em um apartamento em Midland, no Texas, era ex-jogador de beisebol e fanático por levantamento de peso, chegando a competir no Minnesota Twins antes de se alistar; Bill tinha tocado trompete na banda da escola, era do norte de Nova York e tinha sido criado juntamente com cinco irmãs, em uma fazenda de laticínios. Ricky gostava de loiras, Bill, de morenas; Ricky mascava tabaco, Bill fumava; Ricky gostava de *rap* e Bill de música *country*. Isso não era problema para eles. Passaram pelo mesmo treinamento, comiam juntos e dormiam juntos. Falavam de esportes e de política. Conversavam sem parar, como se fossem irmãos e pregavam peças um no outro. Bill costumava acordar com uma sobrancelha raspada; na manhã seguinte era a vez de Ricky acordar com ambas raspadas. Thibault tinha aprendido a levantar ao mais leve som e, assim, suas sobrancelhas ficaram intactas. Riram dessas brincadeiras por meses. Uma noite, quando estavam os dois bêbados, fizeram tatuagens idênticas que proclamavam sua fidelidade aos fuzileiros.

Depois de tanto tempo juntos, chegaram a um ponto em que já podiam prever o que o outro ia fazer. Cada um, alternadamente, havia salvo a vida de Thibault, ou pelo menos havia evitado que ele tivesse se ferido gravemente. Bill havia agarrado o colete de Thibault quando ele estava prestes a sair em campo aberto; um pouco depois, um atirador de elite feriu dois homens próximos a eles. Na segunda vez, Thibault, distraído, quase foi atropelado por um Humvee que vinha a toda velocidade, guiado por um outro fuzileiro; dessa vez foi Ricky que agarrou seu braço, fazendo-o parar. Mesmo na guerra, as pessoas continuavam morrendo em acidentes de carro. É só se lembrar do caso Patton[7].

Depois da conquista dos postos de petróleo, chegaram à divisa de Bagdá com o resto da companhia. A cidade ainda não havia caído. Eram parte de um comboio, três homens no meio de centenas, fechando o cerco na cidade. Além do ronco dos motores dos veículos aliados, a cidade estava em silêncio. Ao ouvirem o som de tiros, vindo de uma rua paralela, o esquadrão de Thibault foi verificar.

Examinaram o cenário. Prédios de dois e três andares, geminados de ambos os lados em uma rua toda esburacada. Um cachorro vira-lata buscava algo em meio ao lixo. Um pouco mais adiante, um carro em chamas. Esperaram. Não viram nada. Esperaram mais um pouco. Não ouviram nada. Finalmente, Thibault, Ricky e Bill receberam ordens para atravessar a rua. De lá, o esquadrão começou a atravessar a rua, adentrando no desconhecido.

Quando ouviram novamente o som de tiros naquele dia, não era um só. Eram dezenas e depois centenas de balas automáticas, encurralando-os em um círculo de fogo. Thibault, Ricky e Bill e todo o resto do esquadrão, que havia ficado do outro lado da rua, estavam confinados aos batentes das portas, com poucos lugares para se esconder.

---

7. Caso Patton: Alusão ao polêmico General Patton, dos EUA, que faleceu pouco depois de sofrer várias fraturas em um misterioso acidente de carro em circunstâncias nunca reveladas. (N.T.)

A troca de tiros não durou muito tempo, as pessoas disseram depois. Durou tempo suficiente. O fogo caía em forma de cascata sobre eles, vindo dos andares mais altos. Thibault e seu esquadrão, instintivamente, apontaram suas armas para cima e dispararam mais de uma vez. Do outro lado da rua, dois de seus homens estavam feridos, mas os reforços não tardaram a chegar. Um tanque veio em seguida, com a infantaria logo atrás. O ar vibrou quando o canhão disparou, e os andares superiores de um prédio vieram abaixo, pó e estilhaços por toda a parte. Thibault ouvia gritos vindos de todos os lados e viu civis fugindo dos prédios para as ruas. A fuzilaria continuava; o vira-lata havia sido atingido e agonizava. Um outro fuzileiro tinha sido atingido na perna. Thibault, Ricky e Bill não podiam sair de onde estavam, presos pelo fogo constante que arrancava pedaços das paredes próximas a eles. Mesmo assim, continuavam disparando. O ar vibrou com mais uma explosão e outro prédio ruiu. O tanque aproximava-se deles. De repente, os disparos do inimigo começaram a vir de duas direções diferentes, e não de apenas uma. Bill olhou para ele e ele olhou para Bill. Eles sabiam o que tinha de ser feito. Era hora de sair de lá; se ficassem, morreriam. Thibault levantou primeiro.

Naquele momento, tudo ficou branco de repente, depois negro.

Em Hampton, cinco anos mais tarde, Thibault não conseguia se lembrar de todos os detalhes; nítida mesmo era a sensação de ter sido jogado em uma máquina de lavar. Caiu na rua após a explosão, seus ouvidos zuniam. Seu amigo Victor veio rapidamente em seu auxílio, assim como o médico assistente. O tanque continuava disparando e, aos poucos, a rua foi controlada.

Só soube dos detalhes depois do ocorrido, assim como soube que uma granada do tipo RPG havia causado a explosão. Um oficial lhe disse que o alvo da granada era o tanque e por pouco não o atingiu. Em vez disso, como se estivesse destinada a eles, voou na direção de Thibault, Ricky e Bill.

Thibault foi colocado em um Humvee e retirado do local. Milagrosamente, havia sofrido apenas ferimentos leves e, três dias depois, já estava de volta ao seu esquadrão. Ricky e Bill não voltaram. Foram enterrados depois com honras militares. Ricky estaria a uma semana de celebrar seu vigésimo segundo aniversário. Bill tinha 20 anos. Não seriam as primeiras nem as últimas baixas feitas pela guerra, que continuou.

Thibault esforçou-se para não pensar muito neles. Podia parecer insensibilidade, mas a guerra fazia sua mente se fechar para ocorridos daquele tipo. Pensar sobre a morte deles, sobre a ausência deles doía; assim, não pensava. E quase todo mundo no esquadrão fazia o mesmo. Concentrou-se no fato de ainda estar vivo. Concentrou-se em manter os outros em segurança.

Mas hoje sentia as agulhadas da memória, da perda, e não as enterrava. Permaneciam com ele ao percorrer as pacatas ruas da cidade, indo em direção às cercanias do outro lado. De acordo com as instruções recebidas na recepção do hotel, teria de ir para leste, pela estrada 54, caminhando pela grama, do lado de fora da estrada. Em suas viagens, havia aprendido a nunca confiar nos motoristas. Zeus caminhava atrás dele, muito ofegante. Parou e deu a ele toda a água que restava na garrafa.

Havia lojas dos dois lados da estrada. Uma loja de colchões, uma funilaria, uma brinquedoteca, um posto de gasolina que vendia comida fedida, embrulhada em filme plástico e duas fazendas caindo aos pedaços que pareciam não pertencer ao mesmo lugar. Era como se a modernidade tivesse florescido ao redor delas. Supôs que tivesse sido exatamente isso que acontecera. Imaginava quanto tempo as pessoas ainda aguentariam morar dessa forma ou o porquê de alguém querer morar em um lugar bem no meio de um centro comercial.

Os carros vinham de ambas as direções. As nuvens começavam a crescer, cinzas no céu. Sentiu o cheiro de chuva antes de receber o primeiro pingo, mas bastaram alguns passos para começar a maior chuvarada, que durou quinze minutos, porém as nuvens carregadas dirigiram-se para a costa, deixando apenas uma leve neblina. Zeus sacudiu seu pelo para retirar a água. Os pássaros cantaram novamente nas árvores enquanto um vapor subia da terra úmida.

Finalmente, chegou ao local da feira, mas estava deserto. Nada de mais, pensou, ao examinar o local. Só o básico: o estacionamento em uma área de cascalho à esquerda; uns celeiros antigos à direita; um vasto gramado para as atrações entre as duas áreas, tudo cercado por arame farpado.

Não precisou pular a cerca nem olhar para a fotografia. Já a tinha visto milhares de vezes. Continuou andando, orientando-se, e acabou encontrando a bilheteria. Atrás da bilheteira havia uma abertura em forma de arco onde se poderia instalar uma bandeira. Chegando lá, virou em direção ao norte, focando seu ângulo de visão entre a bilheteria e o arco, como na fotografia.

A base dos fuzileiros navais é o número três. Três homens formam uma unidade militar, três unidades formam um esquadrão, três esquadrões formam um pelotão. Ele havia ido três vezes ao Iraque. Olhando no relógio, percebeu que estava em Hampton há três horas, e lá na frente, exatamente onde deveriam estar, havia três árvores juntas.

Thibault voltou à estrada, sabendo que estava perto de encontrá-la. Estava chegando cada vez mais próximo desse momento.

Ela havia estado ali. Agora, ele tinha certeza disso.

Tudo de que precisava era de um nome. Atravessando o país a pé, teve muito tempo para pensar nisso e decidiu que havia três maneiras de enfrentar a situação. Primeiro, poderia entrar em contato com a associação local de veteranos e perguntar se havia alguém por lá que tinha ido ao Iraque. Segundo, poderia ir até a escola local e ver se havia cópias dos anuários de dez a quinze anos atrás. Poderia olhar as fotografias uma a uma. Ou, em terceiro lugar, poderia mostrar a fotografia e fazer perguntas.

As três alternativas tinham desvantagens e nenhuma tinha garantias. A associação dos veteranos não estava na lista telefônica. Um a zero. Como ainda estavam em férias, não acreditava que a escola estivesse aberta; mesmo que estivesse, talvez não fosse fácil ter acesso aos anuários. Dois a zero, pelo menos até agora. O que significava que a melhor alternativa era sair por aí perguntando se alguém a conhecia.

Porém, a quem perguntar?

Ficou sabendo pelo almanaque que em Hampton, Carolina do Norte, havia nove mil habitantes. Outros 13 mil moravam no condado de Hampton.

Gente demais. A maneira mais eficaz seria limitar a busca aos candidatos mais prováveis. Uma vez mais, começou com o que já sabia.

Ela parecia ter 20 e poucos anos quando tirou a fotografia, o que significava que agora estava perto dos 30. Talvez 30 e poucos. Obviamente, era atraente. Indo mais ao fundo, em uma cidade daquela proporção, supondo uma distribuição por faixa etária igualitária, significa que haveria cerca de 2.750 crianças entre recém-nascidos e 10 anos de idade, 2.750 pessoas entre 10 e 20 anos de idade, e 5.500 entre 20 e 30 anos de idade, a faixa etária dela. Grosso modo. Dentre os quais supôs ser metade homens e metade mulheres. As mulheres ficariam desconfiadas das suas intenções. Ele era um estranho. Estranhos eram perigosos. Duvidava que fornecessem muitas informações.

Talvez os homens ajudassem, dependendo de como ele fizesse a pergunta. Sabia, por experiência própria, que quase todos os homens prestavam atenção nas mulheres atraentes da sua idade, especialmente os solteiros. Quantos homens da faixa etária dela estariam solteiros no momento? Imaginou uns 30%. Poderia estar certo ou não, mas ia seguir esse caminho. Seriam mais ou menos 900 homens. Calculou que 80% desses homens costumavam morar na região na época da fotografia. Eram só suposições, mas Hampton parecia mais uma cidade de emigrantes do que de imigrantes. O que abaixava seu número para 720. Poderia ainda dividi-lo ao meio, concentrando-se nos homens solteiros entre 25 e 35 anos em vez de entre 20 e 40 anos. Isso resultaria em 360. Imaginou que uma boa parte desses homens a conhecia ou tinha tido contato com ela cinco anos atrás. Talvez tivessem feito o ensino médio juntos, talvez não — sabia que havia uma escola na cidade —, mas saberiam dizer se ela ainda estava solteira. É claro que era possível que ela não estivesse solteira — as mulheres das cidadezinhas do sul provavelmente se casam jovens, afinal de contas —, mas primeiro ia lidar com as suposições que já tinha feito. A frase no verso da fotografia — "Se cuida! E" — não soava romântica o suficiente para ser escrita a um namorado ou noivo. Não havia um "Eu te amo" nem um "Vou sentir saudades". Só uma inicial. Uma amiga.

De 22.000 para 360 candidatos em menos de dez minutos. Nada mau. E definitivamente um bom número para começar. Supondo, obviamente, que ela morava ali quando a fotografia foi tirada. Supondo que não esteve ali somente de passagem.

Sabia que essa era outra suposição importante. Mas tinha de começar de algum lugar e sabia que ela tinha estado ali uma vez. De um jeito ou de outro, encontraria a verdade, depois disso decidiria o próximo passo.

Onde os homens solteiros costumam ficar? Homens solteiros com quem fosse possível iniciar uma conversa? "Nos conhecemos há uns dois anos e ela me disse para telefonar se eu voltasse aqui, mas perdi o telefone dela e esqueci seu nome..."

Bares. Com salões de bilhar.

Em uma cidade daquele tamanho, duvidava que houvesse mais do que três ou quatro lugares que os homens da região frequentassem. Bares e salões de bilhar tinham a vantagem de vender bebida alcoólica e era sábado à noite. Estariam lotados. Imaginou que conseguiria uma resposta, de um jeito ou de outro, nas próximas vinte horas.

Olhou para Zeus. — Tudo indica que você vai ficar sozinho hoje à noite. Você podia ir comigo, mas não ia poder entrar e não sei quanto tempo eu vou demorar.

O cachorro continuou andando, com a cabeça baixa, a língua de fora, cansado e com muito calor. Zeus nem ligava.

— Vou ligar o ar-condicionado, está bem?

# Capítulo 5

# Clayton

Eram 21 horas de sábado e ele tinha de ficar preso em casa, cuidando do filho. Ótimo. Demais.

De que outra forma aquele dia poderia ter terminado? Primeiro, uma das garotas quase o havia pego tirando fotografias, depois roubaram a câmera fotográfica do departamento, e daí, Logan Thibault fura seus pneus. E o pior de tudo, teve de explicar ao seu pai sobre a perda da máquina e o furo dos pneus, o Sr. Delegado de Polícia. Como previsto, seu pai ficou louco da vida e não acreditou nem um pouco na história que ele havia inventado. Em vez disso, não parava de fazer perguntas. No fim das contas, Clayton já estava ficando com vontade de dar um fim no velhote. Seu pai podia ser um figurão para muita gente da região, mas isso não lhe dava o direito de tratá-lo como um imbecil. Mas Clayton manteve sua história — pensou ter visto alguém suspeito, decidiu averiguar e não percebeu que passou por cima de alguns pregos. Mas e a máquina fotográfica? Não pergunte para ele. Ele nem sabia que estava na viatura, para começo de conversa. Não era uma desculpa muito boa, mas dava para o gasto.

— Esse buraco parece ter sido feito por canivete — disse seu pai ao examinar o pneu.

— Já disse que foram pregos.

— Mas não há construções por lá.

— Também não sei como aconteceu. Só estou dizendo o que aconteceu!

— Cadê eles?

— Como é que eu vou saber? Joguei no meio do mato.

Seu pai não se convenceu com a história, mas Clayton sabia que não podia mudá-la. Teria de mantê-la sempre assim. As pessoas constantemente se enrolam nos detalhes ao recontar uma história. Essa é a regra básica nas salas de interrogatório da polícia.

Finalmente seu velho resolveu deixar para lá, e Clayton colocou os *steps* e guardou o carro na garagem para consertarem os pneus originais. Nisso, duas horas haviam passado e ele estava atrasado para o encontro com um tal Sr. Logan Thibault. Ninguém, mas ninguém mesmo poderia se meter com Keith Clayton, ainda mais um *hippie* vagabundo que pensou ter aprontado uma para ele.

Passou o resto da tarde dirigindo pelas ruas de Arden, perguntando se alguém o havia visto. Um cara como aquele não era de passar despercebido, ainda mais com o vira-lata ao seu lado. Sua busca não deu em nada, o que o deixou ainda com mais raiva, pois significava que Thibault tinha mentido bem na sua cara, e Clayton nem se deu conta disso na hora.

Mas ele ia encontrar o cara. Tinha certeza de que ia encontrá-lo, especialmente por causa da máquina fotográfica, ou melhor, por causa das fotografias. Especialmente as “outras” fotografias. A última coisa que queria ver acontecer era Thibault entrar na delegacia e colocar a belezinha em cima do balcão, pior ainda, ir direto para o jornal. A delegacia parecia dos males o menor, pois sabia que seu pai ia colocar uma pedra no assunto. Apesar de ficar furioso e provavelmente colocá-lo para fazer serviço burocrático por várias semanas, abafaria o caso. Seu pai não valia nada, mas para isso era bom.

Já o jornal... era outra história. É claro que o vovô ia mexer os pauzinhos e fazer o possível para tentar abafar a história por lá, mas seria muito difícil manter esse tipo de informação em completo sigilo. Era quente demais e ia se espalhar como fogo pela cidade toda, com ou sem um artigo anexo. Clayton já era tido como a ovelha negra da família e não queria dar ao vovô mais uma razão para rechaçá-lo. O vovô via sempre o lado negativo das coisas. Até hoje discordava do fato de ele e Beth terem se divorciado. Como se isso fosse da conta dele! Ele sempre falava do fato de Clayton não ter feito faculdade, quando a família se reunia. Com suas notas, teria entrado facilmente, mas não conseguia suportar a ideia de ficar mais quatro anos preso em uma sala de aula, portanto decidiu ser policial e ajudar seu pai. Isso foi o suficiente para tranquilizar o vovô. Parecia que tinha passado metade da sua vida tentando acalmá-lo.

Mas, nesse caso, não tinha escolha. Apesar de particularmente não gostar do vovô — ele era um batista do sul que ia à igreja todos os domingos e achava que beber e dançar eram pecados, coisas que Clayton considerava ridículas. Sabia o que o vovô esperava dele e vamos dizer que tirar fotos de estudantes nuas não estava em sua lista de coisas para fazer. Nem as outras fotos dele com outras damas em posições comprometedoras, que também estavam no cartão de memória da máquina. Era o tipo de coisa que causava uma séria decepção no vovô e ele não tinha muita paciência com quem o decepcionava, mesmo sendo da família. Especialmente sendo da família. A família Clayton vivia em Hampton desde 1753; e, em vários aspectos, eram o condado de Hampton. Entre os membros da família havia juízes, advogados, médicos, fazendeiros; até o prefeito havia casado com alguém da família, mas todo mundo sabia que quem sentava na cabeceira da mesa era o vovô. Vovô administrava tudo como um chefão da máfia, e a maioria das pessoas na cidade não se cansava de tecer elogios sobre a pessoa maravilhosa que ele era. Vovó gostava de acreditar que era por dar apoio a tudo, da biblioteca ao teatro, além da escola local, mas Clayton sabia que o verdadeiro motivo estava no fato de vovô ser dono de quase todos os prédios comerciais do centro da cidade, e também da madeireira, das duas marinas, das três lojas de carros, dos três complexos de armazém e do único condomínio de apartamentos da cidade, além de vastos terrenos agrícolas.

Tudo isso havia transformado sua família em extremamente milionária — e poderosa — e, como Clayton recebia a maior parte de seu dinheiro dos fundos de investimento da família, não queria ver um estranho lhe causando problemas na cidade.

Graças a Deus, Ben havia nascido durante o curto período em que ficou com Beth. Vovô tinha uma ideia fixa sobre linhagem familiar e, como Ben tinha o mesmo nome do vovô — uma ideia de mestre, como sempre dizia a si mesmo —, ele adorara o menino. Na maior parte do tempo, Clayton achava que vovô gostava mais de seu bisneto Ben do que de seu próprio neto.

Clayton sabia que Ben era um bom menino. Não era só vovô que achava isso — todo mundo pensava da mesma forma. E ele também gostava do menino, embora o achasse um chato às vezes. De onde estava olhando, na varanda da frente, viu pela janela que Ben havia acabado de limpar a cozinha e estava sentado no sofá. Sabia que devia ficar com ele, mas não estava pronto para isso. Não queria perder a calma e dizer algo de que pudesse vir a se arrepender mais tarde. Estava tentando melhorar nesse sentido; vovô tinha conversado com ele uns meses atrás sobre como era importante ser uma influência estável. Bobagem. O que ele deveria ter feito era ter conversado com Ben sobre fazer o que seu pai mandasse quando ele mandasse, pensou Clayton. Aquele menino já o tinha irritado hoje à noite, mas, em vez de perder a calma, lembrou-se do que o vovô havia dito, mordeu os lábios e saiu de perto.

Ultimamente, parecia que tudo que Ben queria fazer era irritá-lo. Mas não era culpa dele! Ele havia honestamente tentado desenvolver um bom relacionamento com o filho. Até que começaram bem. Falaram sobre a escola, comeram hambúrgueres e assistiram a um programa esportivo na televisão. Tudo ótimo. Mas, então, começou o show de horrores. Ele mandou Ben limpar a cozinha. Como se fosse pedir muito, certo? Clayton não tinha tido tempo para fazer isso na última semana e sabia que ele faria um bom trabalho. Ben disse que ia fazer, mas não saiu do lugar. O tempo passou e ele continuou sentado. Assim, Clayton pediu novamente e tinha certeza de que havia pedido gentilmente — embora não estivesse bem certo. Pareceu que Ben tinha virado os olhos e finalmente começou a caminhar bem lentamente. Essa foi a gota d'água. Odiava quando Ben revirava os olhos quando falava com ele, e Ben sabia muito bem disso. Era como se ele soubesse exatamente quais botões apertar, e passasse todo o seu tempo livre imaginando novos botões para apertar na próxima vez que encontrasse o pai. Sendo assim, Clayton achou melhor ficar na varanda.

Esse tipo de comportamento era fruto da mãe, disso não tinha dúvida. Era uma mulher maldita de tão bonita, mas não sabia nada sobre como transformar um menino em um homem. Não tinha nada contra seu filho ter boas notas, mas ele não poderia jogar futebol este ano porque ia aprender violino? Que porcaria é essa? Violino? Melhor seria vestir o menino de cor-de-rosa e ensiná-lo a andar a cavalo com as pernas para o lado. Clayton fez o possível para impedir esses absurdos, mas a verdade era que ele só ficava com o menino um dia e meio a cada duas semanas. Não era sua culpa se o menino segurava o taco de beisebol como uma menininha. Estava muito ocupado jogando xadrez. E que ficasse bem claro para todo mundo: nada nesse mundo o faria assistir a uma audição de violino.

Audição de violino. Pelo amor de Deus. O que está acontecendo com este mundo?

Voltou a pensar em Thibault e, por mais que quisesse acreditar que ele tivesse simplesmente saído da cidade, sabia que não era bem assim. Ele viajava a pé, não tinha como chegar à outra cidade ao anoitecer. Além do mais, algo o atormentara o dia todo e só havia descoberto o que era quando conseguiu se acalmar, ali na varanda: se Thibault estivesse falando a verdade sobre morar no Colorado — e não sabia se isso era verdade, mas supondo que fosse —, isso quer dizer que ele viajava do leste para o oeste. E qual o lugar mais próximo a leste? Não era Arden. Claro que não. Arden ficava a sudoeste de onde haviam se encontrado. O caminho para o leste o teria levado para a parte velha de Hampton. Ali mesmo, sua terra natal. O que significava, obviamente, que ele poderia estar a menos de quinze minutos de onde Clayton estava sentado.

Mas onde estava Clayton? Procurando pelo homem? Não, servindo de babá do próprio filho.

Olhou novamente o filho pela janela. Estava sentado no sofá, lendo, a única coisa que gostava de fazer. Ah, com exceção do violino. Balançou a cabeça negativamente, tentando notar se o menino tinha herdado algum gene que fosse seu. Não era provável. Era o garotinho da mamãe da cabeça aos pés. O filho da Beth.

Beth...

É, o casamento não tinha dado certo. Mas ainda existia algo entre eles. Sempre existiria. Ela podia ser teimosa e cheia de dar sermões, mas ele sempre tomaria conta dela, não só por causa de Ben, mas por ter sido a mulher mais bonita com quem havia dormido na vida. Bonita naquela época e talvez ainda mais bonita agora. Muito mais bonita do que as estudantes que havia visto hoje de manhã. Estranho. Era como se Beth tivesse chegado à idade ideal, e de alguma forma tivesse parado de envelhecer a partir daí. Sabia que a beleza não duraria para sempre. A lei da gravidade eventualmente viria cobrar seu preço, mas, mesmo assim, não conseguia parar de pensar em dar uma rapidinha com ela. Em nome dos velhos tempos e para ajudá-lo a... relaxar.

Pensou em ligar para Angie. Ou talvez Katie. Uma tinha 20 anos e trabalhava na loja de animais, a outra era um ano mais velha e limpava os banheiros do hotel Stanford Inn. As duas tinham um corpo bonito e pegavam fogo quando se tratava de... relaxar. Sabia que Ben não ia se importar se ele chamasse uma delas, mas, provavelmente, teria de convencê-las primeiro. As duas tinham ficado bem bravas na última vez em que ficaram juntos. Teria de pedir desculpas e jogar seu charme, mas não sabia se estava disposto a vê-las mascando chicletes enquanto não paravam de falar sobre a MTV ou o *National Inquirer*. Às vezes elas davam trabalho demais.

Então, isso estava fora de cogitação. Assim como ir atrás de Thibault. Não poderia ir atrás dele no dia seguinte também, pois o vovô queria a família toda reunida depois da igreja. Mas, como Thibault viajava com um cachorro e uma mochila, era bem provável que não conseguisse carona.

Aonde conseguiria chegar até a tarde do dia seguinte? Trinta quilômetros? Quarenta, no máximo? Não seria muito mais que isso, o que significava que ele continuaria por perto. Pediria às delegacias vizinhas que mantivessem os olhos abertos. Não havia muitas estradas de saída do condado e imaginava que, se fizesse uns telefonemas aos estabelecimentos comerciais da região, alguém avistaria o indivíduo. E, quando isso acontecesse, estaria a caminho. Thibault jamais deveria ter se metido com Keith Clayton.

Perdido em seus pensamentos, Clayton não ouviu a porta da frente abrir.

— Papai?

— Sim?

— Telefone para você.

— Quem é?

— É o Tony.

— Só podia ser.

Levantou-se da cadeira e ficou imaginando o que Tony queria. Que fracassado! Esquelético e cheio de espinhas, era um daqueles caras que grudavam em policiais, tentando rastejar o suficiente para conseguir fingir ser um deles. Provavelmente, queria saber onde Clayton estava e o que ia fazer mais tarde, porque não queria ficar sozinho. Desculpa esfarrapada.

Enquanto andava, sua cerveja acabou e jogou a lata no lixo, ouvindo-a cair no fundo, depois pegou o telefone no balcão.

— Alô?

Dava para ouvir um som disforme de música *country* ao fundo, tocada em um toca-discos, além de conversa em voz alta, indistinta. Não sabia o que pensar sobre o telefonema daquele fracassado.

— Oi, estou no Salão de Bilhar Decker's e tem um cara estranho aqui e achei que você deveria saber.

Clayton ligou as antenas. — Tem um cachorro ao lado dele? Está de mochila? Meio sujo, como se tivesse passado um tempo no meio do mato?

— Não.

— Tem certeza?

— Claro que sim. Está jogando sinuca no salão dos fundos. Mas, escuta! Quero te falar que ele tem uma fotografia da sua ex-mulher.

Pego de surpresa, Clayton tentou mostrar desinteresse. — E daí?

— Achei que gostaria de saber.

— E por que eu ia me importar com isso?

— Sei lá.

— É claro que não. Idiota.

Desligou o telefone pensando que o cara devia ter salada de batatas no lugar do cérebro, e olhou para a cozinha com orgulho. Mais limpa que isso impossível. Como sempre, o menino havia feito um excelente trabalho. Ele quase deu um grito para dizer o que sentia, mas, em vez disso, ao olhar para Ben, percebeu novamente como ele era pequeno. Uma parte com certeza era genética, estirões precoces ou tardios e tudo o mais, mas a outra parte tinha a ver com a saúde geral. Comer corretamente, fazer exercícios, descansar bastante. Coisas básicas que qualquer mãe ensina a seu filho. E as mães estão certas. Se não comermos o suficiente, não temos como crescer. Se não fizermos exercícios suficientes, nossos músculos não se desenvolvem. E quando é que uma pessoa cresce? À noite. Quando o corpo se regenera. Quando as pessoas sonham.

Sempre duvidava se Ben dormia o suficiente na casa da mãe. Clayton sabia que ele comia — havia comido o hambúrguer com fritas — e sabia que o menino era ativo, portanto era a falta de sono que o impedia de crescer. Os meninos não querem ficar baixinhos, certo? Claro que não. Além disso, Clayton queria ficar um pouco sozinho. Queria fantasiar sobre o que ia fazer com Thibault na próxima vez que o encontrasse.

Pigarreou. — Ei, Ben. Já está meio tarde, não está?

# Capítulo 6

# Thibault

Voltando do salão de bilhar, Thibault lembrou-se da sua segunda ida ao Iraque.

Foi em Fallujah, na primavera de 2004. O Primeiro Batalhão do Quinto Regimento, junto com outras unidades, foi enviado para pacificar a violência crescente que se seguiu à queda de Bagdá, um ano antes. Os civis sabiam o que esperar e começaram a fugir da cidade, bloqueando as estradas. Talvez um terço da cidade foi evacuado dentro de um dia. Auxílio aéreo foi enviado, e depois os fuzileiros. Avançavam quarteirão por quarteirão, casa por casa, cômodo por cômodo, em um dos combates mais intensos desde o início da invasão. Em três dias foi possível controlar um quarto da cidade, mas o grande número de baixas civis levou a um cessar-fogo. Foi decidido abandonar a operação e a maioria das forças bateu em retirada, incluindo a companhia de Thibault.

Mas nem toda a companhia se retirou.

No segundo dia da operação, na parte industrial da cidade, Thibault e seu pelotão receberam ordens para investigar um prédio em que supostamente havia um depósito de armas. Não sabiam dizer, porém, exatamente qual o prédio; era qualquer uma das 12 estruturas dilapidadas, geminadas, perto de um posto de gasolina, que formavam um semicírculo. Thibault e seu pelotão foram em direção a esses prédios, procurando manter-se bem longe do posto de gasolina. Metade foi pela direita e a outra metade foi pela esquerda. Em um minuto, tudo estava calmo e, em seguida, o tumulto começou. De repente, o posto de gasolina explodiu. As chamas subiam em direção ao céu; a explosão, de estourar os tímpanos, levou metade dos homens ao chão. Thibault sentiu-se tonto; sua visão periférica escureceu e todo o resto estava obscuro. Subitamente, uma chuva de fogo jorrava das janelas, dos telhados e das carcaças dos carros abandonados nas ruas.

Thibault viu-se no chão ao lado de Victor. Mais dois homens do pelotão, Matt e Kevin — cujos apelidos eram Mad Dog e K-Man —, respectivamente, estavam com eles e foi aí que o treinamento falou mais alto, assim como o espírito de irmandade. Apesar do ataque, apesar do medo, apesar da morte iminente, Victor levantou sua arma e ficou de joelhos, apontando para o inimigo. Atirou uma vez, duas vezes, movimentos calmos e concentrados, impassível. Mad Dog pegou sua arma e imitou a atitude do companheiro. Foram levantando um a um, um a um formaram uma equipe de atiradores. Atirar. Proteger-se. Prosseguir. Só que não dava para prosseguir. Um fuzileiro caiu, em seguida outro. Depois, o terceiro e o quarto.

Na hora em que os reforços chegaram, já era tarde. Mad Dog tinha sido atingido na artéria femoral; apesar de terem feito um torniquete, a hemorragia o levou à morte em minutos. Kevin levou um tiro na cabeça e morreu na hora. Outros dez ficaram feridos. Só alguns escaparam ilesos, dentre eles, Thibault e Victor.

No salão de bilhar, um dos jovens com quem havia falado o fez lembrar de Mad Dog. Poderiam ter sido irmãos, mesma altura, mesmo peso, mesmo jeito de falar e, por um instante, Thibault pensou se não seriam mesmo irmãos, mas disse a si mesmo que isso não seria possível.

Sabia que seu plano era arriscado. Em cidades pequenas, os estranhos são sempre suspeitos, e, no fim da noite, viu o cara magrelo, de pele ruim, telefonando perto dos banheiros, olhando para ele nervosamente enquanto falava ao telefone. Antes de telefonar, também estava nervoso, e Thibault concluiu que ou ele foi telefonar para a mulher da fotografia, ou para alguém próximo a ela. Sua suspeita se confirmou quando Thibault saiu. Como era previsto, o homem o seguiu até a porta para ver que caminho ia fazer, por isso Thibault foi na direção totalmente oposta, e depois voltou.

Quando chegou a um salão de bilhar de quinta categoria, passou pelo bar e foi direto para as mesas de sinuca. Não levou muito tempo para identificar homens da faixa etária de seu interesse; a maioria parecia ser solteira. Pediu para jogar também e ouviu um resmungo como resposta. Mostrou-se simpático, pagou umas rodadas de cervejas e perdeu algumas partidas para que os demais começassem a aceitá-lo. De forma casual, começou a perguntar sobre a vida social da cidade. Perdia algumas tacadas e os cumprimentava por seus acertos.

Começaram a fazer perguntas sobre ele. De onde era? O que estava fazendo ali? Rodeou e hesitou, murmurando algo sobre uma garota, e mudou de assunto. Deixou a curiosidade de todos satisfeita. Pagou mais uma rodada de cerveja e eles começaram a perguntar novamente, então, relutante, contou sua história: disse que havia ido à feira com uma amiga há anos e havia conhecido uma garota. Eles se deram bem. Ficou falando sobre como ela era maravilhosa e que havia dito para procurá-la se algum dia aparecesse por lá novamente. E era isso que queria fazer, mas o problema é que não conseguia se lembrar do nome dela.

— Não se lembra do nome dela?

— Não. Nunca fui bom em guardar nomes. Levei uma tacada de beisebol na cabeça quando era criança e não tenho memória boa — disse, encolhendo os ombros, sabendo que iam rir dele, e riram. — Mas tenho uma fotografia — disse, como se só tivesse pensado nisso naquele momento.

— Está com você?

— Acho que sim.

Revirou os bolsos e pegou a fotografia. Os homens reuniram-se ao seu redor. Um pouco depois, um deles balançou a cabeça negativamente.

— Deu azar. Ela não está disponível.

— É casada?

— Não, mas garanto que não sai com ninguém. O ex dela não deixa, e, pode acreditar em mim, você não ia querer se meter com ele.

Thibault engoliu em seco. — Quem é ela?

— Beth Green. É professora na escola de Hampton e mora com a avó no Canil Sunshine.

Beth Green. Ou, mais precisamente, Thibault pensou, Elizabeth Green. "E".

Foi quando conversavam que percebeu que um dos caras a quem havia mostrado a fotografia tinha saído de fininho.

— Então, acho que não tive sorte — disse, guardando a fotografia.

Ficou mais meia hora para apagar qualquer suspeita. Conversou sobre assuntos gerais. Percebeu que o estranho de pele ruim tinha telefonado, mas também notou decepção em sua expressão. Como uma criança que é castigada por ser dedo-duro. Bem feito. Mesmo assim, Thibault ficou com a sensação de que ainda se encontrariam. Pagou mais cervejas, perdeu mais algumas rodadas, olhando para a porta de vez em quando para ver se ninguém entrava. Ninguém entrou. Sendo assim, ergueu os braços e disse que o dinheiro havia acabado. Hora de ir embora. A noite custou um pouco mais de 100 dólares. Asseguraram-lhe que seria bem-vindo a qualquer hora.

Ele mal os ouviu. Tudo o que conseguia pensar é que agora tinha um nome para dar àquele rosto, e o próximo passo seria encontrá-la.

# Capítulo 7

# Beth

Domingo.

Depois da igreja, deveria ser um dia de descanso, para se recuperar e carregar as baterias para a semana seguinte. Era um dia para se passar em família, preparar um assado na cozinha e caminhar, relaxantemente, à beira do rio. Talvez, até agarrar-se a um bom livro, tomando uns goles de vinho ou um banho de espuma na banheira.

O que não queria fazer era passar o dia todo limpando cocô de cachorro no gramado de treinamento dos cães, nem limpando as casinhas dos cachorros, ou treinando uma dúzia deles, um após o outro, muito menos sentar em um escritório claustrofóbico recebendo pessoas, vindo buscar seus cachorrinhos de estimação, relaxados em casinhas com ar condicionado. Mas, obviamente, era exatamente isso o que ela estava fazendo desde que tinha voltado da igreja pela manhã.

Dois cães já haviam sido entregues, porém mais quatro ainda estavam agendados para aquele dia. Nana tinha sido muito gentil deixando todas as fichas arrumadas antes de entrar em casa para assistir ao jogo. O Atlanta

Braves jogava contra o Mets, e Nana não só tinha uma fervorosa paixão pelo Atlanta Braves, que Beth achava ridícula, como também amava toda e qualquer parafernália relacionada ao time. O que obviamente explicava as xícaras de café do Atlanta Braves empilhadas em cima do balcão, as bandeiras do Atlanta Braves penduradas nas paredes, o calendário de mesa do Atlanta Braves e o abajur do Atlanta Braves perto da janela.

Mesmo com a porta aberta, era sufocante dentro do escritório. Era um daqueles dias quentes e úmidos de verão, ótimos para nadar no rio, mas inadequados para qualquer outra atividade. Sua camisa estava ensopada de suor e, como estava de *shorts*, as pernas grudavam no forro de vinil da cadeira. Cada vez que mexia as pernas, ouvia o som delas se desgrudando, como se estivesse tirando a fita adesiva de uma caixa de papelão. Nojento!

Apesar de Nana achar imperativo que os cães se mantivessem frescos, nunca havia se preocupado em ampliar os cabos do ar-condicionado até o escritório. "Se sentir calor, apenas deixe a porta que dá para os canis aberta." Era o que ela sempre dizia, ignorando o fato de que, diferente dela, a maioria das pessoas normais não suportava o barulho de latido de cachorro o dia todo. E hoje havia dois tagarelinhas: dois cães da raça *terrier,* Jack e Russel, que não paravam de latir desde que Beth tinha chegado. Beth imaginava que deviam ter latido a noite toda, pois a maioria dos outros cachorros estava meio rabugenta. A cada minuto, os outros cães pareciam se unir em um coro nervoso, o som cada vez mais intenso e agudo, como se o único desejo de cada um fosse mostrar ao vizinho do lado que conseguia ecoar seu desprazer em um tom mais alto. Isso significava que não haveria chance nenhuma de ela abrir a porta para refrescar o escritório.

Pensou em ir buscar um copo de água gelada em casa, mas tinha a estranha sensação de que, assim que saísse do escritório, os donos da *cocker spaniel* viriam buscá-la do treinamento de obediência. Tinham telefonado há meia hora, dizendo que estavam a caminho. "Em dez minutos estaremos aí" — e eram daquele tipo de pessoa que se chateava se sua *cocker spaniel* tivesse de passar um minuto a mais do que o necessário no canil, considerando que já tinha ficado ali por duas semanas.

Mas eles já haviam chegado? Claro que não!

Seria bem mais fácil se Ben estivesse por perto. Viu-o na igreja de manhã, tão triste quanto ela já esperava junto com o pai. Como sempre, não se divertiu nem um pouco. Ele telefonou para ela antes de dormir dizendo que Keith havia ficado quase a noite toda sentado na varanda enquanto ele limpava a cozinha. Ela tentava imaginar qual seria o problema. Por que será que ele não poderia curtir a presença do filho? Ou sentar-se com ele para conversar? Ben era o menino mais fácil de se levar, ela não estava sendo parcial ao dizer isso. Tudo bem, estava sendo um pouco parcial, mas, sendo professora, passava boa parte do tempo com outras crianças e sabia o que estava falando. Ben era esperto. Tinha senso de humor. Era naturalmente gentil. Era educado. Ben era maravilhoso, e o fato de Keith não se dar conta disso a deixava louca.

Ela queria muito mesmo estar dentro de casa fazendo... alguma coisa. Qualquer outra coisa. Até lavar roupa era melhor que aquilo. Ali onde estava, ficava com muito tempo disponível para pensar. Não só em Ben, mas também em Nana. E se ia dar aula neste ano ou não. E até mesmo no estado lastimável em que sua vida amorosa se encontrava, o que sempre a deixava deprimida. Pensou que seria maravilhoso encontrar alguém com quem pudesse sair para jantar ou ir ao cinema. Um homem normal, alguém que se lembrasse de esticar o guardanapo sobre as pernas em um restaurante e, de vez em quando, segurasse a porta para ela passar. Não era pedir muito, era? Não tinha mentido para Melody quando disse que a cidade não oferecia muitas escolhas, e era a primeira a admitir-se uma pessoa exigente, mas, com exceção do curto período em que saiu com Adam, havia passado quase todo fim de semana em casa no último ano; 49 de 52 fins de semana. Com certeza, ela não era assim tão exigente. Acontece que Adam tinha sido o único a convidá-la para sair e, por um motivo que ela não conhecia, de repente parou de procurá-la. Isso praticamente era o resumo da sua vida amorosa nos últimos anos.

Mas tudo bem! Tinha sobrevivido todo aquele tempo sozinha e ia continuar prosseguindo. Além disso, esse fato não a incomodava a maior parte do tempo. Se não estivesse tão miseravelmente quente, duvidava que estivesse se preocupando com isso no momento. O que definitivamente significava que precisava de um refresco. Senão, logo ia começar a divagar sobre o passado, algo que não queria mesmo fazer. Pegou o copo vazio e decidiu ir buscar água gelada, trazendo uma toalhinha para sentar em cima.

Ao se levantar da cadeira, deu uma olhada pelo caminho de cascalho e escreveu um bilhete dizendo que estaria de volta em dez minutos. Colou-o na porta da frente do escritório. Lá fora, o sol queimava, fazendo-a correr para debaixo da sombra da magnólia e para o caminho de cascalho que dava para a casa em que havia crescido. Tinha sido construída em 1920, imitando uma casa de fazenda ampla e baixa, cercada por uma vasta varanda, com figuras entalhadas nas calhas. O quintal dos fundos, escondido do canil e do escritório por altas cercas vivas, era coberto pela sombra de carvalhos gigantes e possuía uma série de terraços que transformavam qualquer refeição ali em um imenso prazer. Na época, deveria ter sido um lugar deslumbrante, mas, como acontecia com muitas propriedades rurais de Hampton, o tempo e a natureza conspiravam contra ela. Atualmente, a varanda estava caindo aos pedaços, o assoalho rangia, e, quando batia um vento forte, os papéis voavam de cima do balcão até mesmo com a porta fechada. E não era diferente dentro de casa: a estrutura era sólida, mas o lugar precisava de uma reforma, especialmente a cozinha e os banheiros. Nana sabia disso e às vezes tocava no assunto, mas os projetos eram sempre deixados para lá. Mesmo assim, Beth tinha de admitir que o lugar possuía um encanto próprio. Não só o quintal dos fundos, que era um verdadeiro oásis, mas a parte interna também. Durante anos, Nana frequentou lojas de antiguidades, e gostava de tudo que fosse francês e do século 19. Também havia passado boa parte de seus fins de semana em casas cujas famílias estavam vendendo seus bens pessoais, inspecionando velhos quadros. Tinha um talento para escolher quadros e desenvolveu um bom relacionamento com alguns proprietários de galerias por todo o sul. Havia quadros em quase todas as paredes da casa. Só de curiosidade, uma vez Beth pesquisou no Google o nome de dois pintores e soube que havia obras expostas no Metropolitan Museum of

Art, em Nova York e na Biblioteca Huntington, em San Marino, Califórnia. Quando mencionou o que havia acabado de descobrir, Nana sorriu e disse: — É como saborear um champanhe, não é? — Nana vivia usando de metáforas engraçadas para disfarçar seu instinto apurado.

Assim que chegou à varanda da frente e abriu a porta, Beth sentiu uma onda de ar fresco, tão agradável que ficou parada à entrada da porta, curtindo aquela sensação.

— Feche a porta — gritou Nana por cima dos ombros. — Está deixando o ar fresco sair — virou-se na cadeira, olhando Beth de cima a baixo. — Parece que você está com calor.

— Estou com calor.

— Creio que o escritório esteja uma fornalha hoje.

— Você crê?

— Creio que deveria ter aberto a porta que dá para o canil, como eu falei. Mas essa sou eu. Bem, entre e se refresque um pouco.

Beth apontou para a televisão. — Como está indo o Braves hoje?

— Parece um maço de cenouras.

— Isso é bom ou mau?

— Cenoura sabe jogar beisebol?

— Acho que não.

— Então, você já sabe a resposta.

Beth sorriu ao ir para a cozinha. Nana ficava meio irritada sempre que o Braves estava perdendo.

Pegou uns cubos de gelo do refrigerador. Depois de jogá-los no copo, encheu-o de água e tomou um longo e satisfatório gole. Percebeu que também estava com fome, pegou uma banana na fruteira e voltou para a sala de estar. Jogou-se no braço do sofá, sentindo o suor evaporar em meio ao ar frio, com o olhar atento em Nana e no jogo ao mesmo tempo. Uma parte dela queria perguntar quantos *touchdowns* tinham sido marcados, mas sabia que o humor de Nana não estava para isso. Pelo menos não no dia em que o Braves jogava como um maço de cenouras. Olhando no relógio, soube que tinha de voltar para o escritório.

— Foi um prazer estar com você, Nana.

— O prazer foi meu, querida. Tente não passar tanto calor.

— Farei o melhor que puder.

Beth fez o mesmo caminho na volta ao escritório e percebeu, desapontada, que não havia carro algum no estacionamento, o que significava que os donos ainda não haviam chegado. Entretanto, havia um homem vindo em direção à entrada, com um pastor-alemão ao seu lado. Espirais de poeira levantavam atrás deles, e a cabeça do cão estava baixa, com a língua de fora. Beth ficou pensando por que estariam fora de casa em um dia como aquele. Até mesmo os animais preferiam ficar dentro de casa. Lembrou-se de que aquela deveria ser a primeira vez que alguém vinha a pé trazer seu animal para o canil. E não parava por aí, mas quem quer que fosse, não tinha marcado hora. As pessoas que deixavam seus animais ali sempre marcavam hora.

Imaginou que chegariam juntos, acenou e ficou surpresa quando o homem parou para encará-la. O cão fez a mesma coisa, até ficou de orelhas em riste. A primeira coisa que lhe veio à cabeça foi que ele se parecia com Oliver, o pastor-alemão que Nana trouxe para casa quando ela tinha 13 anos. Tinha as mesmas manchas pretas e marrons, o mesmo jeito de inclinar a cabeça, a mesma postura intimidadora diante de estranhos. Não que ela tivesse sentido medo de Oliver alguma vez. Durante o dia era mais de Drake do que dela, mas Oliver dormia ao lado da cama de Beth toda noite, sentindo a presença reconfortante dela.

Presa nas lembranças de Drake e Oliver, ela não se deu conta de que o homem ainda não havia saído do lugar. Nem tinha dito nada. Estranho. Talvez esperasse encontrar Nana. Como o rosto dele estava na sombra, não dava para saber bem o que pensava, mas isso não importava. Quando chegou até a porta, tirou o bilhete e abriu o escritório, acreditando que o homem fosse entrar quando se sentisse pronto. Deu a volta no balcão e sentou-se na cadeira de vinil, foi aí que percebeu ter esquecido de trazer a toalha. Já era esperado.

Pensando ser melhor deixar a documentação pronta para o estranho deixar seu cachorro, tirou uma ficha do armário e prendeu-a na prancheta.

Procurou uma caneta na gaveta e colocou tudo em cima do balcão, na mesma hora em que o estranho e seu cão entraram no escritório. O homem sorriu, seus olhares se encontraram, foi uma das poucas vezes na vida em que Beth sentiu uma completa incapacidade de encontrar palavras.

Não era pelo fato de ele estar olhando para ela, mas sim pelo modo como olhava para ela. Por mais louco que pudesse parecer, ele a olhava como se a tivesse reconhecido. Mas ela tinha certeza de que nunca o tinha visto antes. Ela se lembraria dele, mesmo porque a forma como ele parecia dominar o ambiente, a fazia lembrar um pouco de Drake. Assim como Drake, devia ter mais de 1,80 metro de altura, braços musculosos e ombros largos. Tinha marcas de expressão duras, ressaltadas pela calça *jeans* tingida e a camiseta.

Mas as semelhanças paravam por aí. Os olhos de Drake eram de um tom castanho-claro, os do estranho eram azuis; Drake sempre deixou os cabelos curtos, os cabelos do estranho eram compridos, uma aparência quase selvagem. Ela percebeu que, apesar de ter vindo a pé, ele parecia estar menos suado que ela.

De repente, sentiu-se envergonhada e virou-se bem na hora em que o estranho dava uma passo em direção ao balcão. Observou-o pelo canto do olho e viu-o erguer a palma da mão ligeiramente na direção do cachorro. Tinha visto Nana fazer o mesmo milhares de vezes, e o cão, atento ao mais simples movimento, ficou onde estava. O cachorro já estava bem treinado, o que provavelmente significava que ele queria hospedá-lo por algum tempo.

— Seu cachorro é muito bonito — disse Beth, aproximando o formulário na direção dele. O som da sua própria voz havia quebrado o silêncio constrangedor. — Já tive um pastor-alemão. Como ele se chama?

— Este é Zeus. E obrigado.

— Olá, Zeus.

O cachorro inclinou sua cabeça para o lado.

— Só preciso que você preencha o formulário. E se tiver uma cópia dos registros veterinários, seria ótimo. Ou poderia nos fornecer o telefone do veterinário.

— Como?

— A ficha veterinária. Você está aqui para hospedar o Zeus, não está?

— Não. Na verdade, vi a placa na janela. Estou procurando trabalho e queria saber se o cargo ainda está disponível.

Beth não estava esperando por isso e tentou se recompor.

— Ah!

— Sei que deveria ter telefonado primeiro, mas estava passando por aqui e pensei se não seria melhor me apresentar pessoalmente e ver se poderia preencher uma ficha de inscrição. Mas, se preferir, posso voltar amanhã.

— Não, não é isso. Estou só surpresa. As pessoas geralmente não aparecem aos domingos para se candidatar para um emprego — explicou. Na verdade, elas não aparecem em nenhum outro dia da semana também, mas deixou esse comentário para lá. — Tenho uma ficha em algum lugar por aqui — disse e virou para o armário atrás dela. — Só me dê um segundo para encontrá-la — abriu a gaveta e começou a procurar no meio dos arquivos. — Qual o seu nome?

— Logan Thibault.

— É francês?

— Por parte de pai.

— Não o vi por aqui antes.

— Sou novo na cidade.

— Achei! — disse ao pegar a ficha de inscrição. — Aqui está ela.

Colocou a ficha e uma caneta na frente dele, em cima do balcão. Enquanto ele escrevia o nome, percebeu que a pele dele era meio áspera, o que a levou a crer que ele havia passado muito tempo debaixo do sol. Na segunda linha da ficha, fez uma pausa e olhou para cima, cruzando seus olhares pela segunda vez. Beth sentiu um leve rubor no pescoço e tentou esconder ajeitando a camisa.

— Não sei qual endereço escrever. Como disse, acabei de chegar e estou no Holiday Motor Court. Mas posso pôr o endereço da minha mãe, no Colorado. Qual você prefere?

— Colorado?

— É, eu sei. Meio longe daqui.

— O que te trouxe aqui?

"Você", pensou. "Vim encontrar você". — Parece uma boa cidade e pensei em tentar a sorte por aqui.

— Você não tem família aqui?

— Ninguém.

— Ah! — bonito ou não, a história dele tinha alguma coisa estranha e Beth sentia seu sexto sentido começando a dar sinal de vida. Tinha mais alguma coisa que não batia na história dele, ela não conseguia tirar isso da cabeça; levou alguns minutos para entender o que era, mas, quando entendeu, deu um passo para trás, procurando aumentar a distância entre eles. — Se você acabou de chegar à cidade, como ficou sabendo que estávamos contratando no canil? Eu não coloquei anúncio no jornal nesta semana.

— Eu vi a placa.

— Quando? — perguntou, com os olhos semicerrados. — Eu vi quando você chegou e só dava para ver a placa aproximando-se da porta do escritório.

— Eu vi hoje, um pouco mais cedo. Estávamos caminhando pela estrada e Zeus ouviu os cães latindo. Veio nessa direção e, quando vim atrás dele, vi a placa. Não havia ninguém por perto, então pensei em voltar mais tarde para ver se dava mais sorte.

A história era plausível, mas ela sentia que ele estava mentindo ou escondendo algo. E por que teria estado ali antes? Estaria espionando o local?

Ele pareceu perceber a preocupação dela e deixou a caneta de lado. Tirou o passaporte do bolso e mostrou para ela. Abriu-o na direção dela e ela olhou para a foto e depois para ele. Reconheceu que o nome estava certo, mas ainda não foi suficiente para acalmar seu sexto sentido. As pessoas que costumavam passar por Hampton não desenvolviam a ideia excêntrica de ficar por lá. Charlotte, sim. Raleigh, bem possível. Greensboro, com certeza. Mas Hampton? Nem pensar.

— Entendi — disse, com uma vontade súbita de encerrar a conversa. — Continue preenchendo e deixe seu endereço para correspondência, além de sua experiência profissional. Afinal, tudo aquilo de que preciso é de um telefone de contato e ligarei se for preciso.

Ele não parava de olhar para ela. — Mas você não vai ligar.

Era esperto, pensou. E direto. O que significava que teria de ser também. — Não.

Ele concordou. — Certo. Eu também não ligaria se fosse me basear somente no que eu disse até agora. Entretanto, antes de tirar conclusões precipitadas, posso dizer algumas coisas?

— À vontade!

Seu tom deixava claro que nada que ele fosse acrescentar a deixaria interessada.

— Sim, estou temporariamente morando em um hotel, mas pretendo encontrar um lugar para morar por aqui. Também quero encontrar um emprego — disse, sem desviar o olhar. — Agora, sobre mim: me formei em 2002, na Universidade do Colorado, em antropologia. Depois disso, alistei-me no Corpo de Fuzileiros Navais e fui liberado com honras há dois anos. Nunca fui preso, nem acusado de crime algum, nunca usei drogas e jamais fui demitido por incompetência. Estou disposto a passar por um teste toxicológico, e, se você achar necessário, pode pedir um atestado de antecedentes para confirmar o que eu disse. Ou, se achar mais fácil, pode ligar para meu antigo comandante e ele vai confirmar tudo o que falei. E, embora a lei não exija que eu responda a perguntas desse tipo, não tomo nenhum tipo de medicação, ou seja, não sou esquizofrênico, bipolar ou maníaco. E realmente tinha visto a placa hoje cedo.

Ela imaginava que ele ia dizer tudo isso, mas com certeza ele a havia pego desprevenida.

— Entendi — disse novamente, concentrando-se no fato de ele ter sido militar.

— Continua sendo uma perda de tempo preencher a ficha?

— Ainda não decidi — intuitivamente, sentiu que ele estava dizendo a verdade dessa vez, mas continuava convencida de que ele ainda escondia alguma coisa. Mordeu a bochecha. Precisava de um ajudante. O que era mais importante: saber o que ele estava escondendo ou contratar um novo empregado?

— Por que você quer trabalhar aqui? — a pergunta pareceu suspeita até para ela. — Com um diploma, provavelmente conseguiria um emprego melhor na cidade.

Apontou para Zeus. — Gosto de cachorros.

— O salário é baixo.

— Não preciso de muito.

— A jornada de trabalho é longa.

— Imaginei que fosse.

— Já trabalhou em um canil antes?

— Não.

— Entendi.

Ele sorriu. — Você fala muito isso.

— Eu falo — disse. “Lembrete para si mesma: parar de falar isso”. — E você tem certeza de que não conhece ninguém na cidade?

— Absoluta.

— Acabou de chegar em Hampton e decidiu ficar.

— Isso mesmo.

— Onde está o seu carro?

— Não tenho carro.

— Como veio para cá?

— Andando.

Beth piscou, sem entender nada. — Você está me dizendo que andou do Colorado até aqui?

— Sim.

— Não acha isso estranho?

— Suponho que dependa do motivo.

— E qual o seu motivo?

— Gosto de andar.

— Entendi — não conseguiu pensar em nada novo para dizer. Pegou a caneta enquanto pensava em algo. — Acredito que não seja casado — disse.

— Não sou.

— Tem filhos?

— Não. Somos só eu e Zeus. Mas minha mãe ainda é viva lá no Colorado.

Sentindo-se meio perdida e confusa, afastou os cabelos suados que caíam à testa. — Eu ainda não entendi direito. Você atravessa o país, chega a Hampton, diz que gostou do lugar e agora quer trabalhar aqui?

— Exatamente isso.

— Não tem mais nada a acrescentar?

— Mais nada.

Ela abriu a boca para dizer algo, mas mudou de ideia. — Espere um pouco, tenho de falar com uma pessoa.

Beth conseguia resolver muitas situações, mas aquela extrapolava seu discernimento. Por mais que tentasse entender, ela não conseguia engolir o que ele havia lhe dito. Uma parte até que fazia sentido, mas no geral parecia... estranho. Se ele estava falando a verdade, ele era bem esquisito; se estava mentindo, suas mentiras é que eram esquisitas. De qualquer forma, ele era estranho. Por isso, tinha achado melhor falar com Nana. Se alguém conseguisse analisar aquele homem, esse alguém seria Nana.

Infelizmente, quando chegou perto de casa, percebeu que o jogo ainda não havia acabado. Ouviu os comentaristas discutindo sobre o fato de os Mets deverem substituir ou não seu lançador. Quando abriu a porta, ficou surpresa ao ver a cadeira de Nana vazia.

— Nana?

Nana colocou a cabeça na porta da cozinha. — Estou aqui. Estava preparando uma limonada. Quer um pouco? Consigo fazer com uma mão só.

— Na verdade, preciso falar com você. Você tem um minutinho? Eu sei que o jogo ainda não acabou...

Nana deu de ombros. — Ah, já me enchi do jogo. Pode desligar a Tv. O Braves não ganhou e a última coisa que estou com vontade de ouvir são as desculpas deles. Odeio desculpas. Eles não tinham nenhum motivo para perder e sabem muito bem disso. O que está acontecendo?

Beth entrou na cozinha e inclinou-se no balcão. Nana serviu-se de um pouco de limonada. — Está com fome? Posso fazer um sanduíche.

— Acabei de comer uma banana.

— É muito pouco. É por isso que está fina como um taco de golfe.

Deus te ouça, pensou Beth. — Talvez mais tarde. Tem uma pessoa interessada na vaga de ajudante. Ele está aqui, agora.

— Está falando do moço bonito com o pastor-alemão? Imaginei que ele tivesse vindo para isso. Como ele é? Diga-me que ele sempre sonhou em limpar canis.

— Você o viu?

— Claro.

— Como sabia que ele estava interessado na vaga?

— E por que mais você ia querer falar comigo?

Beth balançou a cabeça. Nana estava sempre um passo a sua frente. — Bem, acho melhor você falar com ele. Não sei bem que ideia faço dele.

— O cabelo dele tem alguma influência nisso?

— Como assim?

— O cabelo. Você não acha que ele fica meio parecido com o Tarzan?

— Eu nem reparei.

— Claro que reparou, querida. Você não consegue mentir para mim. Qual é o problema?

Rapidamente, Beth resumiu a entrevista. Quando ela acabou, Nana não disse nada.

— Ele veio a pé do Colorado?

— Foi o que ele disse.

— E você acreditou nele?

— Nessa parte? — perguntou, hesitante. — Sim, acho que ele está falando a verdade sobre isso.

— É uma longa caminhada.

— Eu sei.

— Quantos quilômetros?

— Sei lá. Muitos.

— Meio estranho, não acha?

— Acho. E tem mais uma coisa.

— O quê?

— Ele era fuzileiro naval.

Nana suspirou. — Por que você não fica aqui? Eu vou falar com ele.

Nos dez minutos que se seguiram, Beth ficou olhando por detrás das cortinas da janela da sala de estar. Nana não ficou no escritório para entrevistá-lo. Em vez disso, sentaram-se em um banco de madeira à sombra da magnólia. Zeus, cochilando aos pés deles, de vez em quando levantava as orelhas para espantar as moscas. Beth não conseguia entender o que eles conversavam, mas Nana franziu a testa em alguns momentos, o que poderia indicar que a entrevista não estivesse indo muito bem. No fim, Logan Thibault e Zeus foram embora pelo caminho de cascalho, retornando à estrada principal, e Nana os observava com uma expressão de preocupação.

Beth pensou que Nana fosse voltar para casa, mas, em vez disso, ela começou a caminhar em direção ao escritório. Foi então que percebeu a caminhonete Volvo entrando no acesso ao canil.

A *cocker spaniel.* Tinha se esquecido completamente da entrega, mas era óbvio que Nana ia cuidar disso. Beth aproveitou o tempo para se refrescar, vestir uma roupa limpa e fresca e tomar outro copo de água gelada.

Da cozinha, ouviu a porta da frente ranger e Nana entrar.

— Como foi?

— Foi bem.

— O que você achou?

— Foi... interessante. Ele é inteligente e educado, mas você está certa, com certeza ele está escondendo algo.

— Então, como nós ficamos nessa história? Coloco outro anúncio no jornal?

— Vamos ver o que vai dar primeiro.

Beth achou não ter entendido o que Nana disse. — Está dizendo que vai contratá-lo?

— Não. Estou dizendo que já o contratei. Ele começa quarta-feira, às 8 horas.

— Por que fez isso?

— Confio nele — deu um sorriso triste, como se soubesse exatamente o que Beth estava pensando. — Mesmo sendo um ex-fuzileiro.

# Capítulo 8

# Thibault

Thibault não queria retornar ao Iraque, porém, uma vez mais, em fevereiro de 2006, o Primeiro Batalhão do Quinto Regimento foi convocado. Dessa vez, o regimento foi enviado para Ramadi, capital da província de Al Anbar, cuja região do sudoeste era conhecida como o Triângulo da Morte. Thibault ficou sete meses por lá.

Carros-bomba e bombas de fabricação caseira. Dispositivos simples, mas assustadores: geralmente uma carapaça de morteiro com um fusível acionado via telefone celular. Mesmo assim, na primeira vez em que Thibault dirigiu um Humvee e passou por cima de um desses, sabia que a situação poderia ter sido pior.

— Ainda bem que eu ouvi a bomba — disse Victor mais tarde. Victor e Thibault quase sempre faziam as rondas juntos nessa última missão. — Significa que ainda estou vivo.

— Nós dois estamos vivos — corrigiu Thibault.

— Mas seria melhor se não passasse por mais nenhuma dessas.

— Se nós dois não passássemos.

Mas não era fácil desviar das bombas. Na ronda do dia seguinte, foram atingidos por outra. Uma semana depois, o Humvee em que estavam foi atingido por um carro-bomba, mas essa não foi uma ação inesperada. Humvees geralmente eram atingidos por esses dois tipos de bomba em quase todas as rondas. A maior parte dos fuzileiros poderia sinceramente afirmar ter sobrevivido a duas ou três bombas antes de voltar a Pendleton. Alguns chegaram a sobreviver a quatro ou cinco. O sargento sobreviveu a seis. Aquele lugar funcionava dessa maneira e quase todo mundo tinha ouvido falar em Tony Stevens, um fuzileiro da Vigésima Quarta Unidade Expedicionária de Fuzileiros Navais, que havia sobrevivido à explosão de nove bombas. Um dos principais jornais da região havia escrito um artigo sobre ele, intitulado "Um fuzileiro de muita sorte". Ninguém tinha interesse em quebrar o seu recorde.

Mas Thibault quebrou. Quando foi embora de Ramadi, já tinha sobrevivido a 11 explosões. Mas havia uma explosão em especial que não parava de assombrar seus pensamentos.

Foi a explosão número oito. Victor estava com ele. A mesma velha história de sempre com um fim muito pior. Eram quatro Humvees em comboio fazendo ronda em uma das principais ruas da cidade. Um RPG atingiu o Humvee da frente e causou poucos danos, felizmente, mas foi o suficiente para fazer o comboio parar por algum tempo. Dos dois lados da rua havia carros estacionados caindo aos pedaços e enferrujados. Os tiros começaram. Thibault saiu do carro para ter um ângulo de visão melhor. Victor veio atrás dele. Protegeram-se do fogo e prepararam suas armas. Vinte segundos mais tarde, um carro-bomba explodiu, levando-os ao chão e destruindo o Humvee que os abrigava há pouquíssimos segundos. Três fuzileiros foram mortos; Victor ficou inconsciente. Thibault levou-o de volta ao comboio e retornou à zona de segurança.

Foi nessa ocasião que Thibault começou a ouvir rumores. Percebeu que os outros fuzileiros de seu pelotão começaram a agir de uma forma diferente quando ele estava por perto, como se acreditassem que, de alguma maneira, Thibault fosse imune aos perigos da guerra. Os outros poderiam morrer, mas ele não. Pior que isso, os fuzileiros pareciam suspeitar de que, como Thibault tinha uma sorte especial, os que faziam ronda com ele é que perdiam totalmente a sorte. Não era sempre visível, mas não dava para negar a mudança dos membros de seu pelotão em relação a ele. Ficou em Ramadi por mais dois meses depois da morte dos três fuzileiros. Os últimos ataques de bombas a que sobreviveu só pareciam intensificar os rumores. Os outros fuzileiros começaram a evitá-lo. Apenas Victor parecia tratá-lo como antes. Quando a missão em Ramadi estava chegando ao fim, de guarda em um posto de gasolina, ele percebeu as mãos de Victor tremerem ao acender um cigarro. Acima de suas cabeças havia um céu carregado de estrelas cintilantes.

— Está tudo bem?

— Estou pronto para voltar para casa. Já fiz minha parte.

— Não vai voltar no ano que vem?

Victor deu uma longa tragada. — Minha mãe quer que eu fique em casa e meu irmão arrumou um emprego para mim. Construção de telhados. Acha que me darei bem construindo telhados?

— Acho. Você será um ótimo construtor.

— Minha namorada, Maria, está esperando por mim. Eu a conheço desde os 14 anos.

— Eu sei. Você já me disse.

— Vou casar com ela.

— Você também já me disse.

— Quero que você vá ao casamento.

Em razão da luz do cigarro de Victor, ele percebeu um leve sorriso. — Eu não perderia esse momento por nada.

Victor deu outra longa tragada e ficaram em silêncio, pensando sobre o futuro, que parecia algo bem longínquo.

— E você? Vai ficar?

Thibault balançou a cabeça negativamente. — Não. Para mim, chega.

— O que vai fazer quando sair daqui?

— Não sei. Vou ficar um tempo sem fazer nada, talvez vá pescar em Minnesota. Vou procurar algum lugar fresco e verde em que eu possa somente sentar em um barquinho e relaxar.

Victor suspirou. — Parece muito bom.

— Quer vir comigo?

— Quero.

— Então, eu te ligo quando tiver tudo planejado — prometeu Thibault.

— Estarei lá — disse, sorrindo. Victor pigarreou. — Sabe de uma coisa? Você se lembra do tiroteio em que Jackson e os outros morreram depois da explosão do Humvee?

Thibault pegou uma pedrinha e jogou-a ao longe. — Sim.

— Você salvou a minha vida.

— Não. Não salvei. Só tirei você de lá.

— Thibault, eu fui atrás de você. Quando você saiu do Humvee, eu ia ficar, mas quando vi você sair, sabia que não tinha escolha.

— Do que você está falando?

— Da fotografia. Sei que ela está com você. Peguei carona na sua sorte e me salvei.

No começo, Thibault não entendeu, mas, quando finalmente se deu conta do que Victor estava dizendo, balançou a cabeça, sem conseguir acreditar. — Victor, é só uma fotografia.

— Ela dá sorte — insistiu Victor, aproximando-se de Thibault. — Você é um homem de sorte. E quando terminar sua missão por aqui, deveria ir procurar a mulher da fotografia. Sua história com ela ainda não acabou.

— Não...

— Ela me salvou.

— Mas não salvou os outros. Muitos outros.

Todos sabiam que o Primeiro Batalhão do Quinto Regimento havia sofrido mais baixas no Iraque do que qualquer outro batalhão do Corpo de Fuzileiros Navais.

— Porque é a você que ela protege. E quando saí do Humvee, acreditei que também ia me proteger, da mesma forma que você sempre acreditou que te protege.

— Não acredito.

— Então, meu amigo, por que ela está sempre com você?

Era sexta-feira, seu terceiro dia de trabalho no canil, e, embora Thibault tivesse ocultado a maioria dos detalhes de seu passado, estava sempre consciente de que a fotografia continuava em seu bolso. Assim como nunca havia deixado de pensar no que Victor tinha dito aquele dia.

Estava passeando com um mastim por uma trilha arborizada, fora do campo de visão do escritório, mas ainda dentro da propriedade. O cachorro era enorme, mas não era tão grande como um dogue alemão, e a cada dez segundos queria lamber a mão de Thibault. Era dócil.

Já tinha aprendido bem as rotinas fundamentais de sua função: alimentar e exercitar os cães, limpar os canis e agendar as visitas. Simples. Tinha quase certeza de que Nana estava pensando em chamá-lo para ajudá-la no treinamento com os cães. Um dia antes, ela havia pedido que ele observasse seu trabalho com um dos cães, o que o fez se lembrar do treinamento de Zeus: ordens claras e simples, comandos visuais, guia firme pela coleira e muitos elogios. Quando acabou, pediu que caminhasse com ela enquanto devolvia o cão ao canil.

— Você acha que consegue fazer esse tipo de trabalho? — Nana perguntou.

— Acho que sim.

Deu uma olhada por cima do ombro para Zeus que vinha atrás deles. — Foi assim que treinou Zeus?

— Foi.

Ao ser entrevistado por Nana, Thibault fez dois pedidos. Primeiro, gostaria de poder trazer Zeus para trabalhar com ele. Ele explicou que, depois de passarem tanto tempo juntos, Zeus não ia reagir bem a longas separações diurnas. Felizmente, Nana entendeu. — Trabalhei muitos anos com pastores, sei bem o que você quer dizer. Desde que ele não atrapalhe, para mim está tudo bem.

Zeus nunca atrapalhava. Thibault logo aprendeu a não levar Zeus para dentro das casinhas dos canis enquanto alimentava ou limpava os animais, pois sua presença deixava alguns nervosos. Fora isso, Zeus estava totalmente adaptado. Ele o seguia quando Thibault exercitava os outros cães no campo de treinamento e ficava na varanda, na porta do escritório, quando Thibault cuidava da papelada. Sempre que um cliente chegava, ficava alerta, como havia sido treinado. Isso era o suficiente para fazer alguns clientes recuarem, mas um simples "está tudo bem" bastava para deixá-lo à vontade.

O segundo pedido que fez a Nana foi para começar na quarta-feira, assim ele teria algum tempo para colocar a vida em ordem, pedido que ela também aceitou. No domingo, ao sair do canil, comprou um jornal e começou a procurar uma casa para alugar. Não foi uma tarefa difícil, pois só havia quatro casas disponíveis e ele imediatamente já eliminou as duas maiores, pois não precisava de um lugar tão grande.

Ironicamente, as duas opções que restavam ficavam do outro lado da cidade. A primeira que viu era uma casa de fundo, mais velha, passando o centro da cidade, com vista para o South River. Boas condições. Bom bairro. Mas não era para ele. Não gostava de casas geminadas. Já a segunda, era perfeita. Ficava no fim de uma rua de terra, por volta de quatro quilômetros do trabalho, em uma área rural que fazia fronteira com o parque nacional. Podia ir para o canil pelo meio da mata. Não encurtaria muito o caminho, mas daria a Zeus a possibilidade de uma boa corrida. Casa térrea, estilo rústico do sul, devia ter pelo menos uns 100 anos, mas estava em bom estado de conservação. Esfregou a sujeira das janelas com as mãos e deu uma olhadinha dentro. Precisava de uma arrumada, mas nada que impedisse sua mudança. A cozinha era bem antiga, tinha um fogão a lenha em um canto, provavelmente a única fonte de aquecimento da casa. O piso de madeira estava gasto e manchado, os armários deveriam estar lá desde a construção, mas tudo isso parecia agregar valor à casa em vez de depreciá-la. E o melhor é que ela parecia ter somente o básico como mobília: sofá e mesa de cabeceira, abajur e até uma cama.

Thibault ligou para o telefone que constava no anúncio e, duas horas depois, ouviu o carro do proprietário chegar. Conversaram um pouco sobre assuntos gerais e ele descobriu que o homem havia passado vinte anos no exército, os últimos sete em Fort Bragg. A casa era do pai dele, que havia falecido há dois meses. Isso era bom, pois Thibault sabia que casas vazias eram como carros, se não fossem usados regularmente, começavam a entrar em crescente decadência, portanto a casa ainda deveria estar em boas condições. O depósito e o aluguel lhe pareceram um pouco altos, mas ele precisava de um lugar para morar com urgência. Pagou o depósito e mais dois meses adiantados. A expressão de surpresa do dono da casa mostrou que não esperava receber uma quantia tão alta em dinheiro.

Thibault dormiu na casa na segunda-feira de manhã, colocando o saco de dormir em cima do colchão; na terça-feira, foi até a cidade e encomendou um novo colchão, que ficaram de entregar no mesmo dia à noite, depois comprou outros produtos. Voltou para casa com a mochila cheia de lençóis, toalhas e materiais de limpeza. Foi mais duas vezes à cidade para abastecer a geladeira e comprar pratos, copos e talheres, juntamente com um saco de 25 quilos de comida para cachorro. No fim do dia, desde a sua saída do Colorado, desejou pela primeira vez que tivesse um carro.

Desde que havia começado, na quarta-feira, havia passado a maior parte do tempo com Nana, conhecendo todos os espaços da casa. Mal viu Beth, ou Elizabeth, como gostava de pensar nela; ela saía de manhã para trabalhar e só voltava no fim da tarde. Nana havia falado qualquer coisa sobre reunião de professores, o que fazia sentido, já que as aulas começariam na semana seguinte. Com exceção de um cumprimento ocasional, a única vez em que haviam conversado foi quando ela o chamou de lado no primeiro dia para pedir que tomasse conta de Nana. Entendeu o que ela quis dizer. Era óbvio que Nana tinha sofrido um acidente vascular cerebral. Durante as sessões de treinamento da manhã, ela parecia respirar com mais dificuldade do que o normal e, ao voltar para casa, mancava mais. Isso o deixava nervoso.

Gostava de Nana. Tinha um jeito de falar que era só dela. Isso o divertia, e o fazia imaginar o quanto não passava de atuação. Excêntrica ou não, era inteligente; isso era inquestionável. Frequentemente tinha a sensação de que ela o estava analisando, mesmo em conversas corriqueiras. Tinha uma opinião sobre tudo e não tinha medo de expressá-la. Nunca hesitava em falar de si mesma. Contou-lhe sobre o marido e sobre o canil, sobre os treinamentos feitos no passado, sobre alguns lugares que tinha visitado.

Também perguntou sobre ele, que obedientemente respondeu a suas perguntas sobre sua família e sobre sua criação. Estranhamente, porém, ela nunca perguntava nada sobre o serviço militar ou se ele tinha ido ao Iraque, o que parecia incomum. Mas ele não forneceu essas informações voluntariamente, até mesmo porque também não queria falar nesse assunto.

A maneira como Nana cuidadosamente evitava o assunto — e a lacuna de quatro anos em sua vida — dava a entender que ela sabia o motivo de sua reticência. E talvez que sua estada no Iraque tivesse algo a ver com o fato de ele estar ali, agora.

Senhora esperta.

Seu horário oficial de trabalho era das 8 às 17 horas. O horário extraoficial era das 7 às 19 horas. Não gostava de sair sabendo que tinha deixado alguma coisa inacabada. Convenientemente, isso lhe dava uma chance de ver Elizabeth voltar do trabalho. A proximidade gera familiaridade que, por sua vez, gera confiança. E sempre que a via, lembrava a si mesmo que estava ali por ela.

Fora isso, as demais razões por estar ali eram de certa forma vagas. Tudo bem. Estava lá, mas por quê? O que ele queria dela? Algum dia contaria a ela a verdade? Aonde é que aquilo o levaria? Na caminhada do Colorado para lá, pensava muito sobre isso, supôs que encontraria as respostas quando encontrasse a mulher da fotografia. Mas, agora que a havia encontrado, estava tão longe da verdade quanto na época em que havia partido.

Sabia mais, porém, sobre ela. Sabia que tinha um filho, por exemplo. Isso foi uma pequena surpresa, pois não tinha pensado nessa possibilidade. Seu nome era Ben. Parecia um garoto legal, pelo pouco que pôde observar. Nana havia dito que Ben jogava xadrez, mas não falou mais nada. Ben o observava por detrás da cortina ou ficava olhando na direção de Thibault e Nana quando conversavam. Mas mantinha distância. Imaginava se ele o evitava por uma decisão sua ou da mãe.

Provavelmente da mãe.

Sabia que não tinha causado uma primeira boa impressão. A forma como havia paralisado na primeira vez em que a vira não tinha ajudado muito. Sabia que ela era atraente, mas a foto desbotada não havia capturado o calor do sorriso dela ou a forma séria como ela o examinava, como se procurasse falhas ocultas.

Perdido em seus pensamentos, chegou à área de treinamento principal, atrás do escritório. O mastim respirava com dificuldade, e Thibault o levou de volta ao canil. Disse para Zeus sentar e ficar onde estava e colocou o mastim na casinha. Encheu a vasilha de água e fez o mesmo com algumas outras que estavam vazias, depois foi ao escritório pegar o almoço que havia trazido. Então, foi para o riacho.

Gostava de comer ali. A água cristalina e a sombra do carvalho, com seus galhos baixos cobertos de musgo, emprestavam ao lugar um cenário pré-histórico que tanto ele como Zeus aprovavam. Viu que havia uma casa da árvore no meio das árvores, junto à margem, que parecia ter sido construída com restos de madeiras, como se a pessoa que a fizera não tivesse muita noção do que estava fazendo. Como sempre, Zeus entrou na água com as quatro patas, refrescando-se, depois enfiou a cabeça na água e começou a latir. Cachorro maluco.

— O que ele está fazendo? — alguém perguntou.

Thibault virou-se e viu Ben em pé na clareira. Deu de ombros. — Não faço a mínima ideia. Acho que está latindo para os peixes.

Ele ajeitou os óculos. — Ele sempre faz isso?

— Sempre que vem aqui.

— Estranho.

— Também acho.

Zeus percebeu que Ben estava lá e certificou-se de que não havia ameaça evidente, assim, voltou a mergulhar a cabeça e a latir. Ben não saiu do lugar. Sem saber o que dizer em seguida, Thibault continuou comendo seu sanduíche.

— Vi você vir aqui ontem — disse Ben.

— Viu?

— Eu segui você.

— Seguiu?

— Minha casa da árvore fica ali — disse, apontando com a mão. — É meu esconderijo secreto.

— É bom ter um esconderijo. Quer se sentar?

— Não posso chegar tão perto.

— Por quê?

— Minha mãe disse que você é um estranho.

— É sempre bom ouvir a mãe.

Ben pareceu satisfeito com a resposta, mas não sabia ao certo como agir em seguida. Olhava de Thibault para Zeus, refletindo, e acabou decidindo sentar em uma árvore próxima de onde estava, mantendo-se distante dos dois.

— Você vai trabalhar aqui?

— Estou trabalhando aqui.

— Não foi isso que quis dizer. Quis dizer se você vai desistir.

— Não planejo isso — Thibault ergueu a sobrancelha. — Por quê?

— Porque os dois últimos que vieram desistiram. Não gostavam de limpar cocô.

— Não é todo mundo que gosta.

— Você se incomoda?

— Na verdade, não.

— Não gosto do cheiro — disse Ben, fazendo caretas.

— A maioria das pessoas não gosta. Eu tento ignorar o cheiro.

Ajeitou novamente os óculos. — De onde você teve a ideia de dar a ele o nome de Zeus?

Thibault não conseguiu esconder o sorriso. Havia se esquecido do quanto as crianças podem ser curiosas. — Ele já tinha esse nome quando eu o comprei.

— E por que não mudou o nome dele?

— Não sei. Nunca pensei nisso.

— A gente tinha um pastor-alemão. O nome dele era Oliver.

— É mesmo?

— Ele morreu.

— Sinto muito.

— Não faz mal. Ele já estava velho.

Thibault terminou seu sanduíche, colocou o papel-filme de volta na mochila e abriu um pacote de nozes que tinha trazido. Viu que Ben estava olhando e ofereceu a ele.

— Você quer nozes?

Ben balançou a cabeça. — Não posso aceitar comida de estranhos.

— Está certo. Quantos anos você tem?

— Dez. E você?

— Vinte e oito.

— Você parece mais velho.

— Você também.

Ben sorriu. — Meu nome é Ben.

— Prazer em conhecê-lo, Ben. Eu sou Logan Thibault.

— Você veio mesmo a pé do Colorado até aqui?

— Quem falou isso para você?

— Ouvi minha mãe conversando com a Nana. Disseram que a maioria das pessoas normais teria vindo de carro.

— Elas têm razão.

— Não ficou com dor nas pernas?

— No começo, sim. Mas, depois de um tempo, fui me acostumando a caminhar. Zeus também. Na verdade, acho que ele gostou da caminhada. Sempre havia algo novo a ser visto, e milhões de esquilos para correr atrás.

Ben fez uma cara séria, balançando os pés para frente e para trás. — Zeus apanha coisas lançadas?

— Ele é campeão nisso. Mas só por um tempo. Logo se cansa. Por quê? Quer lançar um pauzinho para ele?

— Posso?

Thibault fechou as mãos em concha e chamou Zeus; o cachorro saiu correndo da água, parou um pouco distante deles e sacudiu seu pelo. Ficou olhando para Thibault.

— Pega um pau.

Zeus imediatamente levou o focinho à grama e começou a farejar entre os galhos caídos. Encontrou um pauzinho e o levou para Thibault.

Thibault balançou a cabeça negativamente. — Maior — disse, e Zeus olhou para ele de uma forma ressentida. Soltou o pauzinho e foi procurar outro. — Ele fica excitado quando brinca, e se o pau for pequeno demais, quebra-o ao meio. Ele sempre faz isso — explicou Thibault.

Ben concordou, com ar solene.

Zeus voltou com um pau maior e o levou para Thibault. Ele limpou os galhos remanescentes, deixando-o mais liso e o devolveu para Zeus.

— Leve-o para o Ben.

Zeus não entendeu o comando e inclinou a cabeça para o lado, com as orelhas em riste. Thibault apontou para Ben. Ben — repetiu. — Pau.

O cão foi na direção de Ben, com o pau na boca, e o colocou aos pés do menino. Farejou Ben, aproximou-se mais e permitiu que ele o acariciasse.

— Ele sabe o meu nome.

— Agora sabe.

— Para sempre?

— Provavelmente. Agora que te farejou.

— Como ele aprende tão rápido?

— Ele é assim. Está acostumado a aprender coisas rapidamente.

Zeus chegou ainda mais perto e deu uma lambida no rosto de Ben; depois saiu, olhando de Ben para o pau, e do pau para Ben.

— Ele está pedindo para você lançar.

Ben apanhou o pau e pareceu pensar no que deveria fazer em seguida.

— Posso lançar na água?

— Ele vai adorar.

Ben o atirou no riacho. Zeus entrou na água e começou a nadar. Depois de encontrar o pau, parou um pouco distante de Ben, sacudiu a água do pelo, chegou mais perto e deixou o pau cair próximo a ele.

— Eu o treinei para sacudir a água antes de se aproximar. Não gosto de ficar todo molhado — disse Thibault.

— Legal!

Thibault sorriu e Ben voltou a lançar o pau.

— Que mais ele sabe fazer?

— Muitas coisas. Por exemplo... ele é ótimo em brincar de esconde-esconde. Se você se esconder, ele te encontra rapidinho.

— Posso fazer isso qualquer hora dessas?

— Quando quiser.

— Maneiro. Ele também ataca?

— Sim. Mas na maior parte do tempo é dócil.

Quando terminou o almoço, Thibault ficou olhando Ben lançar o pau. No último lançamento, Zeus não voltou para perto de Ben, em vez disso, foi para perto da clareira, deitou-se e começou a morder o pau, apoiando uma pata sobre ele.

— Significa que parou de brincar. Mas você tem um bom braço. Por um acaso joga beisebol?

— Joguei no ano passado. Mas não sei se vou jogar neste ano. Quero aprender a tocar violino.

— Eu tocava violino quando era criança.

Ben fez uma cara de surpresa. — Mesmo?

— Piano também. Aos 8 anos.

Deitado de lado, Zeus levantou os olhos e ficou alerta. Um pouco depois, Thibault ouviu passos de alguém no caminho e a voz de Elizabeth por entre as árvores.

— Ben?

— Estou aqui, mamãe!

Thibault levantou a mão para Zeus. — Está tudo bem.

— Até que enfim te achei. O que está fazendo aqui fora?

Sua expressão amigável congelou assim que viu Thibault, e ele conseguiu perfeitamente ler a mente dela: “O que meu filho está fazendo no meio da mata com um homem que mal conheço?” Thibault não viu necessidade de se defender. Não havia feito nada de errado. Assim, apenas acenou com a cabeça.

— Olá.

— Oi — disse, com cautela, com Ben já correndo para ela.

— Você tinha de ver o que o cachorro dele consegue fazer. Ele é superesperto. Muito mais do que o Oliver era...

— Que ótimo — disse, colocando o braço ao redor dos ombros dele. — Vamos para casa? O almoço está na mesa.

— Ele me conhece e tudo o mais...

— Quem?

— O cachorro. Zeus. Ele sabe o meu nome.

Ela se virou para Thibault. — Sabe?

— Sim.

— Que... bom.

— Você não vai acreditar! Sabia que ele tocava violino?

— Zeus?

— Não, mamãe. O Sr. Thibault. Quando era criança. Ele tocava violino.

— É mesmo? — ela pareceu surpresa com a notícia.

— Minha mãe era fanática por música. Queria que eu interpretasse Shostakovich, mas eu não era tão talentoso assim. Se bem que conseguia interpretar Mendelssohn razoavelmente.

Ela forçou um sorriso. — Entendi.

Apesar do aparente desconforto dela, Thibault riu.

— O que foi? — ela perguntou, obviamente lembrando-se do primeiro encontro que tiveram.

— Nada.

— Qual o problema, mamãe?

— Nenhum, mas da próxima vez que vier para cá, você tem de me avisar, está bem?

"Para eu poder ficar de olho em você", ela não disse. "Para que saiba que está seguro." Thibault entendeu o recado, mesmo que Ben não tivesse entendido.

— É melhor voltar para o escritório — disse Thibault, levantando-se e recolhendo os restos de seu almoço. — Preciso ver se o mastim tem água suficiente. Estava com muito calor e deve ter bebido toda a água. Tchau, Ben. Tchau para você também. Zeus! Vamos!

Zeus saiu correndo de onde estava e ficou ao lado de Thibault; um pouco depois, pararam no fim do caminho.

— Até logo, Sr. Thibault — disse Ben.

Thibault virou-se e, voltando um pouco para trás: — Foi muito bom conversar com você, Ben. Ah! E não me chame de Sr. Thibault. Só Thibault, está bem?

Assim, deu meia-volta e, sentindo o peso do olhar de Elizabeth, desapareceu de vista.

# Capítulo 9

# Clayton

Naquela noite, Keith Clayton estava deitado na cama, fumando um cigarro, um tanto feliz por Nikki estar tomando banho. Gostava da sua aparência depois do banho. Essa imagem afastava a ideia de preferir que ela pegasse suas coisas e fosse embora.

Era a quarta vez, nos últimos cinco dias, que ela havia resolvido passar a noite. Ela era caixa da loja Quick Stop, onde ele comprava Doritos, e há pouco mais de um mês começou a se perguntar se deveria convidá-la para sair ou não. Ela não tinha dentes muito bons e a pele era toda esburacada, mas tinha um corpo fenomenal, o que já era bom demais, pois aquilo de que ele precisava mesmo era reduzir o estresse.

O fato de ter visto Beth trazer Ben no domingo anterior tinha causado esse estresse. Estava usando *shorts* e camiseta regata, parou na varanda e acenou para Ben, mostrando seu sorriso de Farrah Fawcett. Mesmo que o cumprimento tivesse sido para Ben, fez com que ele percebesse que estava mais bonita a cada dia.

Se soubesse que isso fosse acontecer, talvez não tivesse concordado com o divórcio. Sendo assim, saiu de lá pensando em como ela estava linda e acabou indo parar na cama com Nikki um pouco mais tarde.

Na verdade, não queria voltar com a Beth. Não tinha a menor chance de isso acontecer. Primeiro, ela era exigente demais, e tinha uma tendência a discutir quando tomava uma decisão que o deixava louco. Já sabia disso há muito tempo e, toda vez que a via, sempre se lembrava disso. Assim que se divorciaram, a última coisa que queria era pensar nela, e não pensou; por um bom tempo. Vivia sua vida, divertia-se com várias garotas e tudo indicava que jamais se arrependeria. Com exceção do filho, é claro. Quando Ben tinha 3 ou 4 anos, começou a ouvir boatos de que Beth estava namorando, e isso o deixou incomodado. Uma coisa era ele namorar... mas a coisa mudava totalmente de figura quando se tratava de Beth namorar. A última coisa que queria era ver um cara qualquer dando uma de pai de Ben. Além disso, percebeu que não gostava da ideia de pensar em Beth na cama com outro homem. Era algo que não conseguia engolir. Conhecia os homens e sabia o que queriam, e Beth era bem ingênua nesse sentido, até porque ele tinha sido seu primeiro parceiro. E era melhor que fosse assim, que ele, Keith Clayton, fosse o único homem a ter levado Beth para cama, o que era ótimo, pois estabelecia as prioridades dela. Ela estava criando o filho deles, e, apesar de Ben ser meio mariquinha, Beth estava fazendo um bom trabalho. Além disso, ela era uma boa pessoa, e a última coisa que merecia era um homem que a decepcionasse. Ela sempre precisaria que ele tomasse conta dela.

Mas na outra noite...

Ficou imaginando se ela não estaria usando aquelas roupas provocativas só porque sabia que ia vê-lo. Isso não seria demais? Alguns meses atrás, ela até o convidou para entrar enquanto Ben estava arrumando suas coisas. Tudo bem que estava chovendo pra caramba e Nana ficou olhando de cara feia para ele o tempo todo, mas Beth foi absolutamente simpática, o que o levou a pensar se ele não a teria subestimado. Ela tinha necessidades; todo mundo tem. E que mal poderia haver se ele a ajudasse a satisfazê-las de vez em quando? Eles já tinham se visto sem roupa antes mesmo, e até tinham um filho juntos. Como é mesmo que se chama isso atualmente? Amigos com privilégios? Com certeza, poderia se imaginar vivendo uma situação dessas com Beth. Contanto que ela não falasse muito nem alimentasse muitas expectativas. Apagando o cigarro, ficou imaginando como poderia propor esse esquema para ela.

Diferente dele, sabia que ela estava sozinha há muito tempo, muito mesmo. Alguns caras tentaram se engraçar para perto dela, mas ele sabia como lidar com esse tipo de gente. Lembrou-se do papinho que teve com Adam uns meses antes. O cara do *blazer* por cima da camiseta, se achando o garanhão de Hollywood. Garanhão ou não, ele perdeu a cor quando Clayton se aproximou da janela do carro, depois de mandá-lo encostar ao voltar para casa. Era a terceira vez que tinha saído com a Beth. Clayton sabia que os dois tinham tomado uma garrafa de vinho no jantar, pois ficou vigiando os dois do outro lado da rua, e, quando Clayton mandou fazer o teste do bafômetro, com o aparelho que tinha preparado para esse tipo de ocasião, o cara ficou branco.

— Tomou umas a mais, não é mesmo? — perguntou Clayton, fazendo cara de dúvida, quando o homem jurou que só tinha tomado um copo de vinho. Quando pegou as algemas, pensou que o cara fosse desmaiar ou fazer xixi nas calças, o que quase o fez cair na gargalhada.

Mas não caiu. Em vez disso, preencheu a papelada, bem lentamente, antes de passar um sermão nele — o mesmo que passava em qualquer um que se mostrava interessado em Beth. Que ele e Beth já tinham sido casados, que tinham um filho, e que era muito importante que ele entendesse que seu dever era zelar pela segurança deles. E que a última coisa de que Beth precisava era uma pessoa que desviasse sua atenção da criação do filho ou se envolver com alguém que só estivesse interessado em usá-la. Não era porque eles tinham se divorciado que ele tinha deixado de se preocupar com ela.

É claro que o cara entendeu o recado. Todos entendiam. Não só por causa da família Clayton e de suas relações, mas também pelo fato de ele prometer desaparecer com o teste do bafômetro e com a papelada se o cara prometesse deixá-la em paz e não mencionasse a conversa entre eles com mais ninguém. Porque se ela ficasse sabendo disso, não seria nada bom. Poderia causar problemas ao menino, sabe? E ele não tratava bem ninguém que causasse problemas para seu filho.

É claro que, no dia seguinte, estacionou o carro da polícia bem em frente ao trabalho de Adam para vê-lo sair. Assim que ele o viu brincando com o bafômetro, perdeu a cor novamente. Mesmo antes de ir embora, Clayton sabia que ele tinha entendido bem o recado, e, da próxima vez que o encontrou, estava acompanhado de uma ruiva que trabalhava no mesmo escritório de contabilidade que ele. O que provava que Clayton teve razão o tempo todo, obviamente: o cara não tinha intenção de um relacionamento duradouro com Beth. Era só um fracassado desejando levar alguém para a cama.

Bem, esse alguém não seria a Beth.

Beth faria um escândalo se descobrisse o que ele andava fazendo, mas, felizmente, ele não precisava fazer isso com muita frequência. Só de vez em quando, e a coisa ia funcionando bem.

Tudo ia funcionando muito bem, na verdade. Até o fiasco das fotografias das estudantes tinha terminado bem também. Nem a câmera nem o cartão de memória tinham aparecido na mesa do delegado ou nos jornais desde o fim de semana anterior. Não tinha conseguido encontrar aquele *hippie* fracassado na segunda-feira de manhã porque teve de despachar uns papéis para o condado, mas descobriu que ele havia se hospedado no Holiday Motor Court. Infelizmente, ou felizmente, supôs, ele já havia ido embora e não tinha sido visto desde então, o que muito provavelmente indicava que já deveria estar bem longe dali.

No geral, estava tudo bem. Muito bem. Especialmente a ideia que tivera em relação a Beth — um esquema de amigos com privilégios. Não seria demais? Levou as mãos à nuca e encostou no travesseiro quando Nikki saiu do banheiro enrolada na toalha, deixando um rastro de vapor atrás dela. Ele sorriu.

— Vem aqui, Beth.

Ela congelou. — Meu nome é Nikki.

— Eu sei disso. Mas hoje quero te chamar de Beth.

— Do que você está falando?

Os olhos dele brilhavam. — Cale a boca e venha para cá, está bem?

Depois de hesitar um pouco, Nikki aproximou-se da cama com relutância.

# Capítulo 10

# Beth

Talvez o tivesse julgado mal. Pelo menos em relação ao trabalho. Nas últimas três semanas, Logan Thibault tinha sido o empregado perfeito. Mais que perfeito até. Não tinha faltado uma vez sequer, e ainda chegava cedo para alimentar os cães — algo que Nana sempre fazia antes do acidente — e saía mais tarde, após varrer o chão do escritório. Uma vez, até o viu usando limpa-vidros para limpar as janelas do escritório. Os canis estavam mais limpos do que nunca, a grama do campo de treinamento estava aparada e, sempre que podia, ele procurava organizar os arquivos do escritório na parte da tarde. Beth sentiu-se meio culpada ao entregar-lhe seu primeiro pagamento. Ela sabia que o salário mal dava para viver. Mas, quando entregou o cheque a ele, o que ele fez foi sorrir e dizer: "Obrigado! Que bom!"

Tudo o que conseguiu responder foi um tímido: "De nada."

Além desse dia, quase nunca se viam. As aulas já haviam começado há três semanas e Beth ainda estava tentando pegar o ritmo da escola novamente, o que a levava a ficar muitas horas confinada em seu pequeno escritório em casa, atualizando planos de aula e corrigindo lições de casa. Por outro lado, Ben, assim que chegava em casa, pulava do carro para ir brincar com Zeus. Observando pela janela, ele parecia considerar o cachorro o seu novo melhor amigo, e o cão parecia sentir o mesmo por ele. Assim que o carro apontava no caminho de entrada da casa, o cachorro começava a procurar um pau, e vinha logo cumprimentar Ben assim que a porta do carro se abria. Ben saía do carro, e Beth, subindo os degraus da varanda, já conseguia ouvir o filho rindo enquanto ele e o cão corriam pelo gramado. Logan — o nome parecia combinar mais com ele do que Thibault, apesar do que havia dito no riacho — também os observava, com um leve sorriso no rosto, voltando em seguida para suas atividades.

Apesar do que sua intuição lhe dizia, gostava do sorriso dele, da forma como se dava bem com Nana e com Ben. Sabia que às vezes a guerra conseguia afetar a mente dos soldados, fazendo com que sua adaptação à vida civil fosse mais difícil, mas ele não aparentava ter síndrome de estresse pós-traumático. Parecia praticamente normal — fora o fato de ter atravessado o país a pé —, o que poderia ser uma indicação de que talvez ele nunca tivesse saído do país a trabalho. Nana havia jurado que não tinha perguntado isso a ele ainda. O que era bem estranho, em se tratando de Nana, mas isso era uma outra história. O importante é que ele parecia estar se adaptando ao pequeno negócio de família melhor do que o esperado. Há alguns dias, assim que Logan terminou seu horário de trabalho, ouviu Ben sair correndo em direção ao seu quarto, voltando para fora logo em seguida. Olhando pela janela, percebeu que tinha ido buscar a bola de beisebol em seu quarto para jogar com Logan no gramado. Ela os observou lançarem a bola um para o outro, com Zeus dando o melhor de si para pegar todas as bolas perdidas primeiro que Ben.

Ah! Se seu ex pudesse ver como Ben irradiava alegria quando podia jogar sem ser criticado ou pressionado.

Ela não estava surpresa com o fato de Nana e Logan estarem se dando bem, mas a frequência com que ela falava dele à noite e a forma animada com que comentava algo sobre ele a surpreendiam. "Você ia gostar dele", ou então, "Será que ele conheceu Drake?" — era a sua maneira de dizer que Beth deveria fazer um esforço maior para se aproximar dele. Nana até deu permissão para que ele começasse a treinar os cães, algo que nunca havia dado a empregado algum. Sempre que podia, mencionava alguma coisa interessante sobre ele — que ele havia dormido ao lado de uma família de tatus no norte do Texas, por exemplo, ou que uma vez havia sonhado em trabalhar para o Projeto de Pesquisa Koobi Fora[8], no Quênia, investigando a origem do homem. Quando comentava sobre esses assuntos, não havia como negar sua fascinação por Logan e seus projetos.

O melhor de tudo era que a situação do canil estava começando a se acalmar. Depois de um longo e agitado verão, seus dias estavam entrando em um certo ritmo, o que explicava por que Beth olhava Nana com apreensão enquanto ouvia suas novidades durante o jantar.

— Como assim você vai visitar sua irmã?

Nana colocou um pouco de manteiga na tigela de camarões com aveia que estava a sua frente. — Não visito minha irmã desde o acidente, e quero saber como ela está. Ela é mais velha que eu, como você sabe. E como você está trabalhando e Ben está na escola, acho que é a melhor época para eu ir.

— E quem vai cuidar do canil?

— Thibault. Ele já domina tudo por aqui, até o treinamento. Disse que não haveria problema algum em trabalhar um pouco a mais. E se ofereceu para me levar até Greensboro, assim você não tem de se preocupar com isso. Já está tudo arranjado. Ele até disse que vai organizar todos os arquivos para mim — pegou um camarão e o mastigou com prazer.

— Ele sabe dirigir?

— Disse que sim.

— Mas não tem carteira de motorista.

8. Koobi Fora é um sítio arqueológico localizado no Quênia, junto ao lago Turkana. Em Koobi Fora foram encontrados numerosos restos de fósseis humanos, entre eles o primeiro *Homo habilis*. (N.T.)

— Ele disse que vai ao Departamento de Trânsito tirar uma. Por isso saiu mais cedo hoje. Liguei para o Frank e ele disse que poderia ajudá-lo com o exame hoje mesmo.

— Ele nem tem carro...

— Vai com o meu caminhão.

— Como ele foi até lá?

— Dirigindo.

— Mas ele está sem habilitação!

— Pensei que já tinha explicado — Nana lançou-lhe um olhar como se subitamente achasse que ela tivesse problemas mentais.

— E o coral? Você acabou de voltar!

— Não tem problema. Já avisei a diretora musical que vou passar uns dias com a minha irmã e ela disse que tudo bem. Na verdade, ela achou uma ótima ideia. É claro que faço parte do coral há bem mais tempo que ela, portanto ela nem poderia mesmo falar não.

Beth balançou a cabeça, tentando não mudar o rumo da conversa. — Desde quando você vem planejando tudo isso? Essa visita, quero dizer.

Nana comeu mais um camarão e fingiu pensar sobre a pergunta. — Desde quando ela me telefonou convidando, é claro.

— Quando ela te telefonou? — Beth pressionou.

— Hoje de manhã.

— Hoje de manhã? — pelo canto do olho, Beth notou Ben prestando atenção nas duas como se fosse um espectador durante uma partida de tênis. Lançou-lhe um olhar de repreensão antes de se voltar para Nana. — Tem certeza de que é uma boa ideia?

— É mamão com açúcar — disse, dando a entender que queria dar o assunto por encerrado.

— O que você quer dizer com isso?

— Quero dizer que vou visitar minha irmã. Ela está chateada e precisa de mim. Ela pediu que eu vá e eu disse que sim. Muito simples.

— E vai ficar quanto tempo? — perguntou Beth, tentando controlar o pânico que crescia em seu interior.

— Acho que uma semana.

— Uma semana?

Nana olhou para Ben. — Acho que sua mãe está precisando limpar os ouvidos, ela fica repetindo tudo o que eu falo como se não estivesse me ouvindo.

Ben sorriu e enfiou outro camarão na boca. Beth ficou encarando os dois. Pensou que, às vezes, jantar com os dois não era tão diferente do que ficar na lanchonete da escola ao lado dos seus alunos do segundo ano.

— E os seus remédios?

Nana colocou mais camarões com aveia na tigela. — Vou levar. Tomarei meus comprimidos lá da mesma maneira que os tomo aqui.

— E se acontecer alguma coisa com você?

— Provavelmente, estarei bem melhor lá, não é mesmo?

— Como você diz uma coisa dessas?

— Agora que as aulas começaram, você e Ben ficam fora a maior parte do tempo e eu fico aqui sozinha. Thibault não tem como saber caso alguma coisa aconteça comigo. Mas, em Greensboro, minha irmã estará comigo. E, acredite se quiser, ela tem até telefone. Parou de se comunicar por meio de sinais de fumaça no ano passado.

Ben riu novamente, mas sabia que era melhor não dizer nada. Em vez disso, ficou rindo da sua própria tigela.

— Mas você não sai do canil desde que o vovô morreu...

— Por isso mesmo — Nana cortou a conversa.

— Mas...

Nana pegou a mão de Beth e fez um carinho. — Eu sei que você está preocupada por não ter a minha mente brilhante a lhe fazer companhia por uma semana, mas isso lhe dará uma chance de se aproximar de Thibault. Ele virá neste fim de semana também, para ajudar você com as tarefas do canil.

— Neste final de semana? Quando você vai?

— Amanhã.

Beth soltou um grito. — Amanhã?

Nana piscou para Ben. — Viu o que disse? Precisa limpar o ouvido!

Depois de lavar a louça, Beth foi para a varanda da frente passar alguns minutos sozinha. Sabia que Nana já tinha tomado sua decisão e que sua preocupação era exagerada. Acidente vascular ou não, Nana sabia cuidar de si mesma, e a tia Mimi ia adorar passar um tempo com ela. Atualmente, tia Mimi tinha dificuldades até para ir à cozinha e talvez essa fosse a última chance de Nana passar uma semana com ela.

Mas o que a deixou preocupada foi o tipo de conversa que tiveram, não a viagem em si. O pequeno combate verbal travado durante o jantar dava sinais de que dali para frente, Beth passaria a desempenhar um novo papel — um papel para o qual não se sentia totalmente preparada. Ser a mãe de Ben era fácil. Seu papel e suas responsabilidades eram bem definidos. Mas fazer a mesma coisa com Nana? Nana sempre foi tão cheia de vida, tão cheia de energia, que Beth pensou ser inconcebível a ideia de Nana um dia vir a diminuir o ritmo. E ela estava indo bem, muito bem de fato, mesmo após o acidente. Mas como seria se Nana resolvesse fazer algo que Beth considerasse realmente contrário aos interesses de Nana? Algo simples... como, dirigir à noite, por exemplo? Nana já não enxergava tão bem quanto antes, e como ela ia reagir quando Nana insistisse em ir de carro até a venda depois do trabalho?

Sabia que ia lidar com essas situações quando chegasse a hora, mas isso a deixava temerosa. Já tinha sido bem difícil controlar Nana durante todo o verão, e mesmo com os problemas físicos de Nana sendo aparentes até mesmo para ela. Como seria quando Nana se recusasse a admiti-los?

Seus pensamentos foram interrompidos ao avistar o caminhão de Nana vindo lentamente em direção à casa, parando perto da entrada dos fundos do canil. Logan saiu e foi até a caçamba. Ela o observou colocar no ombro um saco de 25 quilos de comida para cachorro e entrar no canil. Quando voltou, Zeus estava a sua espera, cheirando sua mão. Beth imaginou que ele devia ter deixado o cão no escritório para poder ir até a cidade.

Levou mais alguns minutos para terminar de descarregar o carro e, quando terminou, foi em direção à casa. A noite já começava a cair. Dava para ouvir o eco abafado de trovões ao longe, e Beth percebeu que os grilos davam início à canção que anunciava a noite. Suspeitava de que a tempestade não chegasse até lá, pois, com exceção de algumas chuvas esparsas, aquele tinha sido um verão bem seco. Mas o ar vindo do oceano trazia um aroma de madeira e sal, o que trouxe à tona lembranças antigas da praia. Lembrava-se dos caranguejos-aranha fugindo das luzes das lanternas que ela, Drake e vovô seguravam; o rosto de sua mãe iluminado pelo brilho da pequena fogueira que seu pai havia preparado; os *marshmallows* de Nana pegando fogo enquanto ela os preparava para o doce *s'mores*[9]. Era uma das poucas lembranças que tinha de seus pais e nem sabia ao certo o quanto eram verdadeiras. Como era muito pequena, suspeitava de que as suas lembranças haviam se misturado às de Nana. Nana havia lhe contado sobre aquela noite tantas vezes, talvez por ter sido a última noite em que todos estavam juntos. Os pais de Beth morreram em um acidente de carro poucos dias depois.

— Você está bem?

Dispersa em suas lembranças, Beth não havia percebido que Logan estava na varanda. Suas feições pareciam mais suaves do que se lembrava à luz do cair da noite.

— Sim, estou bem — disse, ajeitando a blusa. — Estava só pensando.

— Estou com a chave do caminhão. Queria entregá-la antes de ir para casa.

Quando ele entregou a chave a ela, sabia que poderia simplesmente agradecer e dizer boa noite, mas, talvez por ainda estar chateada com a decisão de Nana de viajar sem ao menos tê-la consultado, ou talvez por querer tomar suas próprias decisões a respeito de Logan, pegou a chave e correspondeu ao olhar dele. — Obrigada! Foi um longo dia, hein?

Se ele ficou surpreso com seu comentário, não mostrou nada.

— Não foi tão ruim. Fiz um monte de coisas.

— Como reaver o direito de dirigir legalmente?

Ele sorriu. — Entre outras coisas.

---

9. *S'mores* é um típico doce norte-americano feito com biscoitos, bolachas *cream crackers* e *marshmallow*. (N.T.)

— O breque está funcionando bem?

— Só está rangendo um pouco.

Beth sorriu pensando nisso. — Aposto que o examinador adorou!

— Com certeza. O sorriso dele dizia tudo.

Ela riu e então nenhum dos dois disse nada. No horizonte, relâmpagos brilhavam. Levou algum tempo até ouvirem o som do trovão e dava para ver que a tempestade ainda estava distante. No silêncio, percebeu que Logan olhava para ela novamente com uma expressão de *déjà vu*. Ele logo pareceu notá-lo e virou o olhar rapidamente. Beth seguiu seu olhar e viu que Zeus ia em direção às árvores. O cão ficou parado, olhando para Logan como se dissesse: "Quer dar um passeio?" para enfatizar ainda mais sua vontade, ele latiu e Logan balançou a cabeça.

— Espere um pouco! — virou-se para Beth e disse: — Ficou preso por algumas horas e agora quer passear.

— Ele já não está fazendo isso?

— Não, ele quer ir passear comigo. Ele não pode me perder de vista.

— Nunca.

— É mais forte que ele. É um pastor e eu sou seu rebanho.

Beth ergueu a sobrancelha. — Rebanho pequeno.

— É, mas está aumentando. Ele está bem apegado a Ben e a Nana.

— A mim não? — ela fingiu-se magoada.

Logan deu de ombros. — Você não atirou um pau para ele ir buscar.

— Isso é tudo que preciso fazer?

— Ele se contenta com pouco.

Ela riu novamente. Não esperava que ele tivesse senso de humor.

— Quer passear com a gente? Para Zeus é o mesmo que atirar um pau.

— Ah, é? — disse, em uma tentativa de ganhar tempo.

— Não faço as regras. Só as conheço. E detestaria que você se sentisse fora do rebanho.

Hesitou um pouco antes de aceitar o fato de que ele estava apenas sendo simpático. Olhou por cima do ombro. — Talvez seja melhor avisar Ben e Nana que vou com você.

— Pode avisar, mas não vamos longe. Zeus só quer ir ao riacho se molhar um pouco na água, antes de voltarmos para casa. Senão, sente muito calor — girou os calcanhares, com as mãos no bolso. — Vamos?

— Sim, vamos.

Desceram da varanda e seguiram pelo caminho de cascalho. Zeus na frente deles. Caminhavam lado a lado, mantendo a distância suficiente para não se tocarem acidentalmente.

— Nana me falou que você é professora.

Beth concordou com a cabeça. — Segundo ano.

— Como são seus alunos este ano?

— Parece-me um bom grupo. Pelo menos, até agora. E já tenho sete mães que se ofereceram para o trabalho voluntário, o que é sempre um bom sinal.

Passaram ao lado do canil e seguiram pela trilha estreita que levava ao riacho. O sol já havia se escondido atrás das árvores, deixando a trilha escura. Trovões foram ouvidos novamente enquanto caminhavam.

— Há quanto tempo dá aulas?

— Há três anos.

— Você gosta?

— A maior parte do tempo. Trabalho com muitas pessoas, isso facilita o trabalho.

— Mas?

Ela pareceu não entender a pergunta. Ele enfiou as mãos nos bolsos e continuou.

— Há sempre um "mas" quando falamos de nossos trabalhos. Como, por exemplo, gosto do meu trabalho e meus colegas são ótimos, mas... alguns se vestem como super-heróis durante os fins de semana e não consigo parar de pensar se talvez não batam muito bem da bola.

Beth riu. — Não, eles são ótimos. E adoro ser professora. Só que, de vez em quando, aparece algum aluno com um histórico familiar complicado e não há nada que possamos fazer por ele. É o suficiente para deixar o coração partido, às vezes — disse e continuou caminhando em silêncio. — E você? Gosta de trabalhar aqui?

— Gosto — sua resposta pareceu sincera.

— Mas?

Ele balançou a cabeça. — Sem mas.

— Isso não é justo. Eu falei a verdade para você.

— É claro, mas você não estava conversando com a neta da sua chefe. E falando nela, você tem ideia da hora em que ela pretende sair amanhã?

— Ela não te falou?

— Não. Pensei em perguntar a ela quando fosse devolver a chave.

— Ela não falou nada, mas tenho certeza de que vai querer treinar e exercitar os cachorros antes de ir, para que eles não fiquem muito inquietos.

Estavam bem próximos do riacho e Zeus mergulhou, espalhando água e latindo. Logan e Beth ficaram vendo sua brincadeira até que Logan apontou para um galho mais baixo. Beth sentou-se ao lado dele, novamente tomando cuidado para manter a distância necessária.

— Qual a distância de Greensboro? — ele perguntou.

— Cinco horas entre ir e voltar. Quase todo o trajeto é pela interestadual.

— Você tem alguma ideia de quando ela pretende voltar?

Beth deu de ombros. — Ela me disse uma semana.

— Ah... — Logan mostrou-se reflexivo.

Tudo arranjado, uma ova, pensou Beth. Logan sabia menos do que ela. — Estou sentindo que Nana não te deu muitos detalhes, não é?

— Só me disse que iria e que eu ia dirigir seu carro, então seria melhor estar com a habilitação em dia. Ah, também me disse que eu ia trabalhar no próximo fim de semana.

— Era de se imaginar. Veja... eu posso cuidar disso se tiver outras coisas para fazer.

— Sem problemas. Não tinha nada planejado. E há algumas coisas em que ainda não tive a chance de dar uma olhada. Algumas coisinhas que precisam de conserto.

— Como instalar um ar-condicionado no escritório do canil?

— Estava pensando em coisas como a pintura das portas e batentes e ver o que preciso fazer para abrir a janela do escritório.

— A que foi pintada fechada? Boa sorte. Meu avô tentou consertá-la durante muitos anos. Uma vez, ele ficou um dia inteiro com uma navalha e acabou se enchendo de band-aids por semanas. Mesmo assim, ela não abriu.

— Assim você não está me ajudando nada!

— Só estou tentando te avisar. É engraçado porque foi meu avô o culpado pela pintura dessa forma, e ele tinha um depósito lotado com todo o tipo de ferramenta que você possa imaginar. Era o tipo de pessoa que achava que podia consertar qualquer coisa, mas o resultado nunca saía conforme o planejado. Era mais um visionário do que alguém ligado a detalhes práticos. Você já viu a casa da árvore de Ben e a ponte?

— De longe — Logan admitiu.

— Um exemplo do que estou falando. Meu avô passou a maior parte do verão para fazê-la e até hoje tenho de me encolher sempre que Ben vai até lá. Não faço a mínima ideia de como ela está se aguentando até hoje. Fico com medo, mas Ben adora ir até lá, especialmente quando está nervoso ou chateado com alguma coisa. Ele diz que é seu esconderijo. Vai muito até lá — quando ela ficou em silêncio, Logan percebeu sua preocupação, mas logo passou, e ela continuou. — De qualquer forma, vovô era especial. Era todo coração e alma, e nos deu a infância mais idílica que você possa imaginar.

— Nos deu?

— Meu irmão e eu — disse, olhando fixamente para as árvores e para os reflexos prateados das folhas à luz do luar. — A Nana te contou o que aconteceu com os meus pais?

— Rapidamente. Sinto muito.

Beth esperou, imaginando se Logan ia dizer mais alguma coisa, mas ele ficou em silêncio. — Como foi? — perguntou. — Atravessar o país a pé?

Logan fez uma pausa antes de responder. — Foi... tranquilo. Ia aonde queria, quando queria, sem pressa de chegar lá.

— Você faz até parecer terapêutico.

— E acho que foi — disse, com um triste sorriso no rosto, que logo se desfez. — De certo modo.

Assim que disse isso, a luz do cair da noite refletiu-se em seus olhos, fazendo-os parecer que mudavam de cor. — Encontrou o que procurava? — ela perguntou, com uma expressão séria.

Logan fez uma pausa. — Sim, encontrei.

— E?

— Ainda não sei.

Beth pensou na resposta, sem ter muita certeza se tinha entendido. — Veja bem, não me leve a mal, mas não consigo ver você ficando muito tempo em algum lugar.

— Diz isso porque eu vim a pé do Colorado?

— Em grande parte, sim.

Ele riu. Pela primeira vez, Beth tomou consciência de que há muito tempo não tinha uma conversa dessas. Fluía com facilidade e naturalidade. Com Adam, a conversa não era fácil, exigia um enorme esforço de ambas as partes. Ainda não estava certa sobre o que sentia em relação a Logan, mas o certo é que finalmente estavam se dando bem. Ela pigarreou. — Bem, quanto a amanhã, pensei se não seria melhor irem com o meu carro e eu fico com o caminhão para ir trabalhar. Ainda estou preocupada com o breque.

— Tenho de admitir que não me sinto muito seguro também. Mas acho que posso consertar. Não até amanhã, mas até o fim de semana.

— Você também conserta carros?

— Sim. Mas é fácil consertar breques. Só preciso trocar as pastilhas. É bem provável que o disco esteja em ordem.

— Há alguma coisa que você não saiba fazer? — perguntou, demonstrando-se apenas um pouco admirada.

— Sim.

Ela riu. — Que bom! Mas tudo bem, vou falar com Nana e tenho certeza de que não haverá problemas se forem com meu carro. Não confio no breque para uma rodovia. E pode deixar que dou uma olhada nos cães assim que chegar da escola, está bem? Tenho certeza de que Nana não deve ter falado sobre nada disso com você. Mas vamos fazer dessa maneira.

Logan concordou e nessa hora Zeus saiu da água. Sacudiu o pelo e, depois, chegou mais perto para cheirar Beth, em seguida lambeu suas mãos.

— Ele gosta de mim.

— Provavelmente está só sentindo seu gosto.

— Engraçadinho — era o tipo de coisa que Drake teria dito, o que lhe deu novamente uma vontade repentina de ficar sozinha. Levantou-se. — É melhor voltarmos. Tenho certeza de que devem estar imaginando por onde ando.

Logan percebeu que as nuvens continuavam engrossando. — Sim, tenho de ir também. Quero chegar em casa antes da chuva que se aproxima.

— Quer uma carona?

— Obrigado! Mas não precisa. Gosto de andar.

— Sério? Nem imaginava! — disse, com um leve sorriso. Voltaram para casa pelo mesmo caminho e, quando chegaram ao trecho de cascalho, Beth tirou as mãos dos bolsos e despediu-se com um aceno.

— Obrigada pela caminhada, Logan.

Esperava que ele fosse corrigi-la, como havia feito com Ben, que lhe pedisse para chamá-lo de Thibault, mas ele não o fez. Em vez disso, ergueu o queixo ligeiramente e sorriu.

— Eu que agradeço, Elizabeth.

Beth sabia que a tempestade seria breve, apesar de estarem precisando desesperadamente de chuva. O verão tinha sido muito quente e seco e parecia que o calor não diminuiria nunca. Ao sentar-se, ao som dos últimos pingos de chuva no telhado, viu-se pensando em seu irmão.

Antes de Drake partir, havia dito que o que mais sentiria falta seria do som da chuva batendo no telhado. Ela se perguntava se ele sempre sonhava com as tempestades de verão da Carolina do Norte naquela terra seca em que tinha ido parar. Esse pensamento fazia com que se sentisse vazia e triste novamente.

Nana estava em seu quarto, arrumando as malas para a viagem, animada como não a via há anos. Ben, por outro lado, estava cada vez mais desanimado, o que significava que estava pensando no fato de ter de passar grande parte do fim de semana na companhia de seu pai. O que também significava que ela passaria o fim de semana sozinha em casa, algo que aconteceria pela primeira vez em muito tempo.

Logan, porém, estaria lá.

Dava para entender por que Nana e Ben haviam se apegado a ele. Ele tinha uma confiança silenciosa, rara nos dias de hoje. Só quando voltou para casa é que percebeu que descobriu muito pouco sobre ele que fosse diferente do que havia dito na entrevista inicial. Imaginava se ele sempre havia sido tão reservado assim, ou se o tempo no Iraque tinha feito isso com ele.

Concluiu que ele tinha ido para lá. Não, ele não havia falado nada sobre isso, mas percebeu algo em seu olhar quando mencionou seus pais; sua resposta simples indicava que estava familiarizado com a tragédia, além de uma aceitação como sendo um aspecto inevitável da vida.

Não sabia se isso a fazia se sentir melhor ou pior em relação a ele. Assim como Drake, era fuzileiro naval. Mas Logan estava ali e Drake havia morrido, e essa era uma, entre uma série de outras razões, pela qual não saberia dizer se algum dia poderia olhar para ele de coração aberto.

Olhando para as estrelas que surgiram após a tempestade, sentiu a perda de Drake como uma nova ferida reaberta. Desde a morte de seus pais, eram inseparáveis, chegaram até a dormir na mesma cama durante um ano. Ele era apenas um ano mais novo que ela, e ela se lembrava muito bem do primeiro dia em que o havia levado à escola. Havia prometido que ele iria fazer muitos novos amigos e que ela estaria esperando na porta, na hora da saída, só para fazê-lo parar de chorar. Ao contrário de muitos irmãos, nunca foram rivais. Na época de escola, ela era sua maior fã e ele sempre lhe dava o maior apoio. Não perdia um jogo dele — futebol, basquete e beisebol — e sempre dava seu apoio quando ele precisava. De sua parte, ele era o único que não se abalava com suas constantes mudanças de humor adolescente. A única vez em que não estiveram de acordo teve a ver com Keith, mas, ao contrário de Nana, Drake não expôs seus sentimentos. Mas sabia o que ele sentia e, quando ela e Keith se separaram, encontrou o apoio necessário em Drake, ajudando-a a encontrar seu caminho como mãe solteira. E sabia que havia sido Drake quem havia evitado que Keith fosse bater na sua porta de madrugada nos meses seguintes. Ele era a única pessoa conhecida que Keith tinha medo de enfrentar.

Então, Drake já havia amadurecido. Não tinha sido apenas um excelente atleta em praticamente todos os esportes, como também lutava boxe desde os 12 anos de idade. Aos 18 já havia ganho três vezes o campeonato Golden Gloves, na Carolina do Norte, e treinava regularmente com as tropas baseadas em Fort Bragg e Camp Lejeune. Foi por causa do tempo que passou com eles que Drake começou a pensar em se alistar.

Nunca tinha sido um aluno brilhante e desistiu da faculdade apenas um ano depois de ter entrado. Beth foi a única pessoa com quem conversou sobre sua vontade de se alistar. Ficou orgulhosa com sua decisão de servir o país, seu coração quase explodiu de amor e admiração quando o viu de uniforme azul. Apesar de ter ficado assustada quando ele foi enviado para o Kuwait, e depois para o Iraque, não conseguia deixar de acreditar que ele ia se sair muito bem. Mas Drake Green nunca voltou para casa.

Mal conseguia se lembrar dos dias que se seguiram à notícia da morte de seu irmão, e ainda não gostava de pensar nisso. Sua morte havia deixado um vazio que nunca mais seria totalmente preenchido. Mas o tempo amenizava a dor. Logo após sua morte, não pensava ser possível, mas hoje, ao pensar em Drake, concentrava-se principalmente nos momentos felizes. Mesmo quando ia ao cemitério para conversar com ele, não mais sentia a agonia das visitas iniciais. Atualmente, sua tristeza era maior que sua raiva.

Mas, naquele momento, sentia uma raiva real, depois de reconhecer que também havia gostado de Thibault, assim como Nana e Ben, talvez por ter se sentido tão à vontade perto dele, como só havia se sentido até hoje ao lado de Drake.

E também tinha o seguinte: só Drake não a chamava por seu apelido. Nem seus pais, nem Nana, nem o vovô, ou qualquer um de seus amigos a chamavam de qualquer outro nome que não fosse Beth. Até mesmo Keith; honestamente, até duvidava que ele soubesse o verdadeiro nome da mulher com quem havia se casado. Apenas Drake lhe chamava de Elizabeth e apenas quando estavam sozinhos. Era o segredo deles, um segredo só dos dois, e nunca imaginou como soaria vindo da boca de uma outra pessoa.

Mas, de alguma forma, Logan tinha pronunciado da maneira certinha.

# Capítulo 11

# Thibault

No outono de 2007, depois de sair do Corpo de Fuzileiros Navais, Thibault foi encontrar Victor em Minnesota, um lugar em que nenhum dos dois jamais havia estado. Não poderia ter sido ocasião melhor para os dois. Victor estava casado há seis meses, e Thibault tinha sido padrinho. Essa foi a única ocasião em que haviam se visto depois da dispensa. Quando Thibault telefonou sugerindo a viagem, suspeitou de que passar um tempo sozinho, na companhia dele, era exatamente aquilo de que Victor estava precisando.

No primeiro dia, sentaram-se em um pequeno bote no lago e foi Victor quem quebrou o silêncio.

— Você tem tido pesadelos?

Thibault balançou a cabeça negativamente. — Não. E você?

— Sim.

Era o típico clima de outono e uma leve cerração flutuava acima da água. Mas o céu estava claro e Thibault sabia que a temperatura ia subir e a tarde seria maravilhosa.

— Os mesmos de antes?

— Pior — enrolou a linha e a lançou novamente. — Eu vejo pessoas mortas — disse, com um leve sorriso irônico, marcado pela expressão de fadiga em seu rosto. — Como naquele filme do Bruce Willis, *Sexto sentido*.

Thibault concordou com a cabeça.

— Mais ou menos como no filme — fez uma pausa, e continuou, melancólico. — Em meus sonhos, revivo tudo o que passamos, mas há mudanças. Na maioria, os tiros me atingem e eu grito, pedindo ajuda, mas ninguém vem e percebo que todos estão feridos. Sinto que estou morrendo lentamente — esfregou os olhos e continuou. — Por pior que seja, é ainda mais desagradável quando os vejo durante o dia, os mortos, quero dizer. Vou à mercearia e eles estão lá, bloqueando os corredores. Ou estão no chão, sendo atendidos pelos paramédicos. Mas nunca dizem nada, só ficam olhando para mim, como se fosse minha culpa de eles estarem feridos, ou morrendo. Fico pensando se não estou ficando louco.

— Já conversou com alguém sobre isso?

— Não. Só com a minha mulher. Mas sempre que toco no assunto, ela fica assustada e não para de chorar. Portanto, resolvi não dizer mais nada.

Thibault ficou em silêncio.

— É que ela está grávida, sabe?

Thibault sorriu, procurando mostrar que esse fato era uma esperança. — Parabéns!

— Obrigado. É menino. Vou dar-lhe o nome de Logan.

Thibault ajeitou-se no barco e balançou a cabeça em agradecimento. Sinto-me honrado.

— Às vezes, a ideia de ser pai me assusta. Tenho medo de não ser um bom pai — ficou encarando a água.

— Você vai ser um ótimo pai.

— Talvez.

Thibault esperou.

— Não tenho mais paciência. Tantas coisas me deixam nervoso. Coisinhas, detalhes sem a menor importância, mas, não sei por que razão, ganham importância. E por mais que tente controlar a raiva, há momentos em que ela acaba saindo. Ainda não me causou nenhum problema, mas não sei até quando terei autocontrole. Isso também acontece com você?

— Às vezes.

— Mas nem sempre?

— Não.

— Achei que não. Esqueço que as coisas funcionam de forma diferente para você. Por causa da fotografia, quero dizer.

Thibault balançou a cabeça. — Não é verdade. Não tem sido fácil para mim. Não consigo nem andar na rua sem olhar por cima dos ombros, ou sem ficar olhando pela janela para ter certeza de que ninguém tem uma arma apontada para mim. E, muitas vezes, mal consigo conversar sobre assuntos cotidianos com as pessoas. Não me interesso pelas outras pessoas. Quem trabalha onde, quanto ganha, o que está passando na televisão, quem está saindo com quem. Minha vontade é dizer: "Pouco me importa".

— Você nunca foi bom em falar sobre assuntos gerais.

— Obrigado.

— Mas é normal olhar por cima do ombro. Eu também faço isso.

— Também.

— Mas nada de armas até agora.

— Isso é bom, não é? — disse, abafando o riso.

Tentando mudar de assunto, perguntou em seguida: — Como vai a construção de telhados?

— É muito quente no verão.

— Como no Iraque?

— Não. Nada é tão quente quanto o Iraque. Mesmo assim, é bem quente. Fui promovido. Sou chefe de equipe agora.

— Que bom! E como vai a Maria?

— Com a barriga cada vez maior, mas está feliz. E ela é a minha vida. Tenho muita sorte de estar casado com ela — balançou a cabeça, com a expressão maravilhada.

— Fico feliz.

— Não há nada melhor que o amor. Você devia experimentar.

Thibault deu de ombros. — Quem sabe um dia.

• • • • ❖ • • • •

Elizabeth.

Percebeu sua expressão mudar levemente quando a chamou de Elizabeth, como se sentisse uma emoção que não tinha como identificar. O nome captava muito mais sua essência do que simplesmente Beth. Tinha uma elegância que combinava com sua forma graciosa de andar, e, apesar de não ter planejado chamá-la dessa forma, pareceu sair da sua boca como se ele não tivesse outra opção.

Voltando para casa, viu-se relembrando a naturalidade com que conversaram sentados lado a lado. Era mais descontraída do que havia imaginado, mas dava para perceber que, assim como Nana, ainda não tinha muita certeza sobre o que pensar a respeito dele. Mais tarde, deitado em sua cama, contemplando o teto, ficou imaginando o que ela pensaria sobre ele.

Na sexta-feira de manhã, antes de levar Nana a Greensboro, no carro de Elizabeth, Thibault certificou-se de que tudo estava em ordem. Zeus foi no banco de trás, com a cabeça para fora a maior parte do tempo e as orelhas para trás, intrigado pela constante mudança de aromas e cenários. Thibault não esperava que Nana fosse permitir que Zeus os acompanhasse, mas foi ela quem o colocou para dentro do carro. — Beth não vai se importar. Além disso, minha mala cabe no porta-malas.

O caminho de volta a Hampton pareceu mais rápido e, quando chegou, ficou feliz por ver Ben em casa, atirando uma bola no ar. Zeus correu atrás dela, como era de se esperar, com as orelhas para trás e a língua de fora. Quando Thibault se aproximou, viu Elizabeth sair na varanda e teve a certeza repentina de que aquela era a mulher mais bonita que havia visto em toda a sua vida. Estava de camiseta e *shorts*, que revelavam as pernas bem torneadas. Ela acenou para eles assim que os viu, e ele fez o máximo que pôde para não encará-la.

— Oi, Thibault! — disse Ben do jardim. Estava correndo atrás de Zeus, que levava a bola à boca, sempre à frente de Ben, por mais que ele corresse.

— Olá, Ben! Como foi a escola?

— Um tédio! Como foi o trabalho?

— Uma maravilha!

Ben continuou correndo. — Que bom!

Desde que as aulas tinham começado, todos os dias diziam as mesmas frases um para o outro. Thibault balançava a cabeça, achando graça, na mesma hora em que Elizabeth saiu da varanda.

— Oi, Logan.

— Oi, Elizabeth.

Encostou-se no corrimão com um leve sorriso no rosto. — Como foi a viagem?

— Não foi tão ruim.

— Mas deve ter sido estranha.

— Como assim?

— Quando foi a última vez que dirigiu por cinco horas?

Thibault coçou a nuca. — Sei lá. Faz muito tempo.

— Nana disse que você estava meio inquieto ao dirigir, como se não conseguisse encontrar uma posição confortável — moveu a cabeça para trás. — Acabei de falar com ela ao telefone. Já ligou duas vezes.

— Está entediada?

— Não, a primeira vez ligou para falar com Ben. Para ver como foi seu dia na escola.

— E?

— Ele lhe disse que foi um tédio.

— Pelo menos, é consistente.

— Com certeza, mas gostaria que dissesse algo diferente. Do tipo "aprendi muitas coisas e me diverti muito" — sorriu. — O sonho de toda mãe, certo?

— Se você diz que é, eu acredito.

— Está com sede? Nana deixou uma limonada preparada. Ela fez hoje, antes de sair.

— Adoraria, mas acho melhor dar uma olhada na água dos cachorros primeiro.

— Já fiz isso — disse, enquanto segurava a porta aberta para ele entrar. — Venha. Não vai demorar nada, está bem?

Thibault subiu a escada, limpou os pés e entrou. Deu uma olhada na sala e notou o mobiliário antigo e os quadros originais pendurados na parede. "Uma sala de estar típica das propriedades rurais", pensou, bem diferente do que havia imaginado.

— Sua casa é adorável.

— Obrigada — colocou a cabeça na porta da cozinha. — Ainda não tinha entrado aqui?

— Não.

— Pensei que tivesse. Fique à vontade.

Voltou à cozinha, e Thibault deu uma volta pela sala, prestando atenção na coleção de Hummels arrumada nas prateleiras da estante da sala de jantar. Sorriu. Sempre gostou desse tipo de coisa.

Em cima da lareira, havia várias fotografias e ficou examinando uma a uma. Duas ou três eram de Ben, incluindo uma em que estava sem alguns dentes da frente. Ao lado delas, havia uma foto de Elizabeth de toga e beca, ao lado dos avós, e um retrato de Nana e seu marido. No canto, percebeu a foto de um jovem fuzileiro vestido de azul, em posição de descanso.

"O jovem fuzileiro que havia perdido a foto no Iraque?", pensou Thibault.

— Esse é Drake — disse Beth atrás dele. — Meu irmão.

Thibault se virou. — Mais novo ou mais velho?

— Um ano mais novo.

Entregou o copo de limonada a ele sem dizer mais nada, e Thibault percebeu que ela não queria falar no assunto. Deu um passo em direção à porta da frente.

— Vamos sentar lá fora. Fiquei trancada o dia todo, e, além disso, quero dar uma olhada em Ben.

Elizabeth sentou-se nos degraus. O sol brilhava por entre as nuvens, mas a sombra da varanda os protegia. Elizabeth prendeu um cacho do cabelo atrás da orelha. — Desculpe. É o melhor que tenho a oferecer. Tento convencer Nana a comprar cadeiras de balanço, mas ela acha rural demais.

Ao longe, Ben e Zeus corriam pelo gramado, Ben ria ao tentar tirar o pau da boca de Zeus. Elizabeth sorriu. É tão bom vê-lo gastando tanta energia. Teve sua primeira aula de violino hoje, por isso ainda não tinha se exercitado depois da escola.

— Ele gostou?

— Sim. Pelo menos disse que sim. Você gostava, quando era criança?

— A maior parte do tempo. Pelo menos, até ficar mais velho.

— Deixe-me ver se adivinho. Depois você se interessou por garotas e esportes?

— Não se esqueça de incluir os carros.

— Típico. Mas normal. Só estou feliz por ter sido escolha dele. Sempre gostou de música e essa professora é ótima. Tem toda a paciência do mundo.

— Isso é bom. E vai ser bom para ele.

Ela fingiu examiná-lo. — Não sei por quê, mas vejo você mais como uma pessoa que toca guitarra do que violino.

— Por que vim a pé do Colorado?

— E também por causa do cabelo.

— Usei corte de militar por anos.

— E depois seu barbeador elétrico resolveu fazer greve, certo?

— Algo do tipo.

Ela sorriu e pegou o copo. No silêncio que se seguiu, Thibault admirou a vista. Do outro lado do quintal, passarinhos surgiam das árvores, voando juntos antes de pousarem do lado oposto. Nuvens carregadas passavam por cima deles, mudando de forma enquanto se moviam pela brisa da tarde, e dava para perceber que Elizabeth estava olhando para ele.

— Não sente necessidade de falar o tempo todo, não é?

— Não — sorriu.

— A maioria das pessoas não sabe apreciar o silêncio. Não conseguem parar de falar.

— Eu falo. Mas primeiro quero ter algo a dizer.

— Não vai ser fácil em Hampton. A maioria das pessoas daqui fala sobre a família, vizinhos, o tempo, sobre a equipe da escola ter a chance de ganhar o campeonato de futebol ou não.

— É mesmo?

— Pode ser bem entediante.

Ele concordou. — Entendo — terminou sua limonada e perguntou: — Então, qual a sua opinião sobre o time de futebol deste ano?

Ela riu. — É assim mesmo! — pegou o copo dele. — Quer mais?

— Não, obrigado. Foi muito refrescante.

Beth colocou o copo dele ao lado do seu. — Feita em casa. Foi a própria Nana que espremeu os limões.

Ele concordou. — Percebi que seu antebraço é forte como o do Popeye.

Ela passou os dedos na borda do copo, admitindo secretamente para si mesma que gostava do seu senso de humor. — Bem, então acho que seremos só eu e você neste fim de semana.

— E o Ben?

— Vai para a casa do pai amanhã. Ele vai de quinze em quinze dias.

— E?

Beth suspirou. — Mas não quer ir. Nunca quer ir.

Thibault concordou, observando Ben à distância.

— Nada a dizer? — disse, provocando.

— Não sei bem o que deveria dizer.

— Mas se tivesse dito alguma coisa...

— Teria dito que Ben deve ter provavelmente um bom motivo para não querer ir.

— E eu teria dito que você tem razão.

— Vocês dois não se dão bem? — perguntou Thibault com cuidado.

— Na verdade, nos damos bem. Não é nada maravilhoso, só para você saber. Mas tudo bem. Ben e o pai é que não se dão bem. Meu ex tem problemas com ele. Acho que ele queria um outro tipo de filho.

— Então, por que você o deixa ir? — focou o olhar nela com uma intensidade surpreendente.

— Porque não tenho escolha.

— Sempre há uma escolha.

— Não neste caso. Temos a guarda compartilhada, e se tentasse brigar com ele por isso, pode ser que o tribunal decida a favor dele. No mínimo, Ben provavelmente teria de ficar com ele mais tempo do que já fica.

— Isso não parece justo.

— E não é. Mas, por enquanto, não há muito que possa fazer, além de pedir a Ben que tente tirar o melhor proveito da situação.

— A história me parece um pouco mais complicada do que se apresenta.

Ela riu. — Você nem imagina.

— Quer falar sobre isso?

— Na verdade, não.

Qualquer desejo que Thibault tivesse de pressionar foi contido ao ver Ben vir em direção à varanda. Estava molhado de suor, o rosto todo vermelho, os óculos meio tortos. Zeus vinha logo atrás, ofegante.

— Oi, mamãe!

— Oi, querido. Se divertiu?

Zeus lambeu a mão de Thibault e deitou-se ao lado dele.

— Zeus é demais. Você viu a gente brincando com a bola?

— Claro — disse, trazendo Ben para perto de si. — Você está quente. É melhor beber água.

— Eu vou. Zeus e Thibault vão jantar com a gente?

— Não falamos sobre isso.

Ben ajeitou os óculos, nem ligando para o fato de estarem tortos. — Teremos tacos hoje. São maneiros. É a mamãe que faz o molho e todo o resto.

— Tenho certeza de que são — disse Thibault, mantendo um tom neutro.

— Vamos falar sobre isso, está bem? — disse enquanto retirava a grama da camiseta dele. — Agora, vá beber água e não se esqueça de lavar as mãos.

Ben sorriu. — Quero brincar de esconde-esconde com Zeus. Thibault disse que eu podia.

— Como já disse, vamos falar sobre isso.

— Zeus pode entrar em casa comigo? Ele também está com sede.

— Vamos deixá-lo aqui fora, está bem? Vamos pegar um pouco de água para ele. O que aconteceu com seus óculos?

Tirou-os de Ben, ignorando seus protestos. — Só vai demorar um segundo — dobrou a armação e examinou-a uma vez mais, dobrando-a mais um pouco antes de devolvê-la a Ben. — Experimente-os agora.

Ben olhou para Thibault e depois para os óculos, mas ele fingiu não prestar atenção. Em vez disso, acariciou Zeus que estava deitado aos seus pés. Elizabeth deu um passo para trás para ver melhor.

— Perfeito!

— Está bem — Ben subiu a escada e bateu a porta com força. Elizabeth voltou-se para Thibault.

— Acho que o deixei envergonhado.

— É para isso que servem as mães.

— Obrigada — disse, sem esconder o tom de sarcasmo. — Agora, me diga, que história é essa de brincar de esconde-esconde com Zeus?

— Ah, falei isso para ele outro dia, à beira do riacho. Ele perguntou o que Zeus conseguia fazer e disse que sabia fazer isso. Mas não precisamos fazer isso hoje à noite.

— Por mim, tudo bem — disse, pegando o copo de limonada. Ficou rodando os cubos de gelo, refletindo, até que finalmente virou-se para ele. — Gostaria de ficar para jantar?

Eles se entreolharam. — Sim, eu gostaria muito.

— Só teremos tacos.

— Eu ouvi. E obrigado. Para mim é um banquete. Mas deixe-me dar um pouco de água para esse rapaz. E ele deve estar com fome também. Você se importaria se eu desse um pouco de comida do canil para ele?

— Claro que não. Tem bastante. Vi alguém descarregando um monte de sacos ontem.

— Quem poderia ser?

— Sei lá. Acho que um preguiçoso de cabelos compridos.

— Pensei que fosse um veterano com nível universitário.

— É a mesma coisa — levantou-se, pegando os copos. — Vou ver se Ben se lavou mesmo. Costuma esquecer-se de fazer isso. Até daqui a pouco.

No canil, Thibault colocou água e comida nas tigelas de Zeus, e depois sentou-se, esperando. Zeus fez tudo com calma, bebia um pouco de água, dava umas bocadas na comida, como se perguntasse: "Está olhando por quê?" Thibault ficou em silêncio, sabia que ele comeria ainda mais devagar se falasse qualquer coisa.

Em vez disso, resolveu dar uma olhada nos outros canis, apesar de Elizabeth ter dito que já tinha feito isso, certificando-se de que todos os cães tinham água suficiente. Todos tinham. Nem estavam se mexendo muito. Bom sinal. Apagou a luz do escritório e fechou a porta antes de voltar para a casa. Zeus atrás dele, com o focinho no chão.

Mandou Zeus parar e ficar ali quando chegou à porta. Depois, abriu a porta de tela.

— Olá?

— Entre. Estou na cozinha.

Thibault entrou e foi em direção à cozinha. Elizabeth estava de avental, junto ao fogão, dourando a carne moída. No balcão, ao seu lado, havia uma garrafa de Michelob *light*.

— Onde está Ben? — Thibault perguntou.

— Tomando banho. Deve descer daqui a pouco — acrescentou tempero especial para taco e água à carne e lavou as mãos. Depois de secá-las no avental, pegou sua cerveja. — Quer uma? Sempre tomo cerveja para acompanhar os tacos.

— Eu adoraria.

Elizabeth tirou uma cerveja da geladeira e entregou a ele. — É *light*. Só temos desse tipo.

— Obrigado.

Encostou-se no balcão e observou a cozinha. De certa forma, lembrava-lhe a casa que havia alugado. Armários originais, pia de aço inoxidável, equipamentos antigos, e uma pequena sala de jantar ao lado da janela, mas tudo em um estado de conservação melhor, com toques femininos aqui e ali. Flores em um vaso, fruteira, cortinas nas janelas. Aconchegante.

Elizabeth tirou alface e tomates da geladeira e um pedaço de queijo *cheddar*, colocando tudo em cima do balcão. Acrescentou pimentão e cebola e colocou tudo em cima da tábua, depois pegou uma faca e um ralador de queijo na gaveta. Começou a descascar e picar a cebola, com movimentos rápidos e ágeis.

— Quer uma mãozinha?

Lançou-lhe um olhar cético. — Não me diga que além de treinar cães, consertar carros e ser músico, você é um experiente chefe de cozinha?

— Não iria tão longe. Mas não sou um perdido na cozinha. Preparo meu jantar toda noite.

— Ah, é? O que preparou ontem à noite?

— Sanduíche de peru no pão integral. Com picles.

— E na noite anterior?

— Sanduíche de peru no pão integral. Sem picles.

Ela riu. — Qual foi o último prato quente que preparou?

Ele fingiu tentar se lembrar. — Hum... feijão com salsicha. Na segunda-feira.

Ela fingiu estar espantada. — Certo. Você sabe ralar queijo?

— Nisso, posso dizer que sou especialista.

— Ótimo. Há uma tigela no armário, embaixo do liquidificador. E não precisa ralar tudo. Ben geralmente come dois tacos, eu só como um. Os demais serão só para você.

Thibault colocou a cerveja em cima do balcão e pegou a tigela no armário. Lavou as mãos na pia e desembrulhou o pedaço de queijo. Espreitava Elizabeth enquanto trabalhava. Depois de preparar a cebola, cuidou do pimentão. Em seguida, dos tomates. Movimentava a faca com destreza e precisão.

— Faz isso tão depressa.

Respondeu sem quebrar o ritmo dos movimentos. — Houve uma época em que sonhei ter meu próprio restaurante.

— Quando foi isso?

— Quando eu tinha 15 anos. Até pedi uma faca *Ginsu* de presente de aniversário.

— Quer dizer aquela faca que anunciavam em propagandas de televisão durante a madrugada, nas quais o cara do comercial a usava para cortar uma lata?

— Essa mesmo!

— Você ganhou?

— É a faca que estou usando agora.

Ele sorriu. — Nunca conheci uma pessoa que admitiu ter comprado uma dessas.

— Agora conhece. Sonhava em abrir um lugar maravilhoso em Charleston ou Savannah e apresentar meu próprio programa de culinária na televisão. Sei que é loucura. Mas, de qualquer forma, fiquei treinando a utilização da faca o verão todo. Cortava tudo o mais rápido que podia, até ficar tão rápida como o homem da propaganda. Havia potes de *Tupperware* cheios de abobrinha, cenoura e abóboras, que pegava no jardim. Nana ficava louca, pois significava que iríamos ter ensopado de verão para o jantar praticamente todos os dias.

— O que é ensopado de verão?

— Qualquer mistura de legumes servida com espaguete ou arroz.

Thibault sorriu enquanto colocava o queijo ralado de lado.

— E depois, o que aconteceu?

— O verão acabou e os legumes também.

— Ah! — disse, imaginando como ela poderia ser tão linda usando um avental.

— Certo — disse, tirando outra panela, debaixo do fogão. — Deixe-me fazer o molho.

Colocou uma grande quantidade de molho de tomate e acrescentou as cebolas, o pimentão, um pouco de *Tabasco*, sal e pimenta. Misturou tudo e deixou em fogo médio.

— A receita é sua?

— É da Nana. Ben gosta muito de comida apimentada, assim ela inventou essa receita.

Quando terminou de ralar o queijo, embrulhou-o novamente e perguntou: — O que mais?

— Não falta muito. Só tenho de picar a alface. Ah, e aquecer as casquinhas no forno. Vou deixar a carne e o molho no fogo um pouco.

— Que tal eu preparar as casquinhas?

Ela lhe deu uma folha de papel vegetal e ligou o forno. — Deixe as casquinhas um pouco espalhadas. Três para nós e quantas quiser para você. Mas ainda não as coloque no forno. Faltam alguns minutos e Ben gosta delas assim que saem do forno.

Thibault fez como ela pediu e ela terminou de preparar a alface ao mesmo tempo. Elizabeth colocou três pratos no balcão. Pegou novamente a cerveja e apontou para a porta.

— Vamos lá fora. Quero mostrar uma coisa para você.

Ele a seguiu, mas logo parou quando viu o deque coberto. Rodeado por uma cerca viva, com várias trilhas de pedra entrelaçando-se por entre os vários canteiros circulares de tijolos, cada um com seu próprio arbusto; no centro do jardim, como marco de referência, havia uma fonte com três saídas de água, alimentando um enorme lago de carpas.

— Uau! É maravilhoso!

— E você nem imaginava que estava aqui, não é? É espetacular, mas devia vê-lo na primavera. Todos os anos, Nana e eu plantamos milhares de tulipas, narcisos e lírios, e eles começam a florescer logo depois das azaleias e dos arbustos. De março até julho, este jardim é um dos lugares mais bonitos da Terra.

— E ali? Atrás da cerca baixa?

— É lá que ficam nossos ilustres legumes e verduras.

— Nana nunca falou nada sobre jardinagem.

— Não falaria. Era uma coisa dela e do vovô. Era o segredinho deles. Como o canil é bem ali, queriam fazer daqui um tipo de oásis em que pudessem fugir do trabalho, dos cães, de seus donos... até dos empregados. Claro que eu e Drake, depois Ben e eu, podíamos fazer parte, mas, na maior parte do tempo, era um lugar deles. Foi o único projeto em que o vovô realmente se sobressaiu. Depois que ele morreu, Nana decidiu mantê-lo em memória dele.

— É incrível — disse.

— Não é mesmo? Não era tão fantástico quando a gente era criança. A menos que estivéssemos plantando alguma coisa, não podíamos brincar lá. Todas as nossas festas de aniversário eram comemoradas no gramado da frente, que separa a casa do canil. O que significava que tínhamos de limpar toda a sujeira dos cachorros um pouco antes para que ninguém acabasse pisando sem querer.

— Isso pode acabar com toda a vontade de comemorar...

— Ei — uma voz veio da cozinha. — Cadê vocês?

Elizabeth virou-se ao ouvir a voz de Ben. — Estamos aqui, querido. Vim mostrar o jardim dos fundos ao Sr. Thibault.

Ben veio para perto deles. Estava de camiseta preta e calça camuflada. — Cadê o Zeus? Estou pronto para ele me achar.

— Vamos jantar primeiro. Depois faremos isso.

— Mamãe...

— Será melhor mesmo brincar quando estiver escuro — interrompeu Thibault. — Assim você poderá se esconder de verdade e será mais divertido para Zeus.

— O que você quer fazer até lá?

— Nana me falou que você sabe jogar xadrez.

Ben olhou para ele ceticamente. — Você sabe jogar xadrez?

— Talvez não tão bem quanto você, mas sei jogar.

— Está bem — disse, coçando o braço. — Ei, onde você disse que Zeus estava?

— Na varanda da frente.

— Posso brincar com ele?

— Primeiro, coloque a mesa. E você só tem alguns minutos. O jantar está quase pronto.

— Está bem. Obrigado.

Quando Ben saiu correndo, ela se inclinou ao lado de Thibault e disse com as mãos na boca: — Não se esqueça da mesa!

Ben parou e voltou. Abriu uma gaveta e pegou três garfos, atirando-os em cima da mesa como se estivesse distribuindo cartas de baralho em Las Vegas, depois os pratos que Elizabeth já havia deixado na mesa um pouco antes. Ao todo, levou menos de dez segundos — e a mesa era o exemplo disso — e, depois, saiu correndo. Elizabeth balançou a cabeça: — Antes de Zeus aparecer por aqui, Ben costumava ser uma criança tranquila e quieta depois da escola. Costumava ler e estudar, mas agora tudo o que quer fazer é correr atrás do seu cachorro.

Thibault fez cara de culpado. — Sinto muito.

— Tudo bem. Sabe, gosto de paz e tranquilidade, como qualquer mãe, mas é muito bom vê-lo assim animado.

— Por que não dá um cachorrinho para ele?

— Darei. Quando chegar a hora. Assim que as coisas com Nana entrarem nos eixos — tomou mais um gole de cerveja e apontou em direção à casa. — Vamos ver como anda o jantar. Acho que o forno já deve estar pronto.

Na cozinha, Elizabeth colocou a folha de papel vegetal no forno e mexeu a carne e o molho antes de colocá-los em tigelas. Ao trazê-los para a mesa juntamente com os guardanapos, Thibault arrumou os talheres e trouxe o queijo, a alface e o tomate. Ao vê-la colocar a cerveja na mesa, mais uma vez ficou impressionado diante da sua beleza natural.

— Você que ir buscar o Ben ou busco eu?

Esforçou-se para desviar o olhar e disse: — Eu busco.

Ben estava sentado na varanda da frente, brincando com Zeus que estava exausto, acariciando-o desde a cabeça até a cauda, bem lentamente.

— Você o deixou cansado.

— Eu sou muito rápido.

— Vamos comer? O jantar está na mesa.

Ben levantou-se e Zeus ergueu a cabeça. — Fica — ordenou Thibault e Zeus abaixou as orelhas, como se estivesse sendo punido. Mas voltou a abaixar a cabeça quando Ben e Thibault foram para dentro.

Elizabeth já estava à mesa. Assim que Ben e Thibault se acomodaram, Ben começou imediatamente a colocar o recheio de carne temperada em seu taco.

— Gostaria de saber mais sobre sua caminhada pelo país — disse Elizabeth.

— Eu também — disse Ben enquanto colocava o molho.

Thibault estendeu o guardanapo sobre as pernas. — O que vocês gostariam de saber?

— Por que você não começa do início?

Por um momento, Thibault pensou na verdade: tudo começou com uma fotografia no deserto do Kuwait. Mas não podia contar isso a eles. Em vez disso, começou a descrever uma manhã fria de março, em que enfiou a mochila nas costas e começou a seguir estrada. Contou a eles as coisas que viu — para a alegria de Ben, certificou-se de descrever toda e qualquer tipo de vida selvagem com que se deparou —, falando também das pessoas interessantes que encontrou pelo caminho. Elizabeth parecia entender que ele não tinha o costume de falar de si mesmo; por isso, ajudou-o, fazendo perguntas sempre que parecia que suas histórias tinham acabado. Depois, perguntou sobre os tempos de faculdade e Ben se divertiu ao saber que o homem sentado à mesa tinha realmente desenterrado esqueletos de verdade. Ben fez algumas perguntas também. Quis saber se ele tinha irmãos, e ele disse que não. Se ele tinha praticado esportes, e ele disse que sim, mas nunca tinha sido muito bom, sempre foi mediano. E qual era o time predileto dele. E ele respondeu que era o Denver Broncos, claro. Enquanto Ben e Thibault conversavam, Elizabeth acompanhava seu papo com interesse, achando muito divertido.

Com o cair da noite, a luz que entrava pelas janelas foi diminuindo aos poucos até desaparecer, deixando a cozinha um tanto escura. Terminaram o jantar e Ben pediu licença para voltar para perto de Zeus na varanda. Thibault ajudou Elizabeth a tirar a mesa, guardando as sobras e colocando os talheres e os pratos na máquina de lavar pratos. Quebrando suas próprias regras, Elizabeth abriu outra cerveja, oferecendo também a Thibault, e depois os dois fugiram do calor da cozinha e foram lá para fora.

Na varanda, o clima era visivelmente mais fresco, e as folhas nas árvores dançavam com a brisa. Ben e Zeus tinham voltado a brincar, e as risadas de Ben ecoavam pelo ar. Elizabeth apoiou-se na grade, observando seu filho, e Thibault esforçou-se para não olhar para ela. Nenhum dos dois sentia necessidade de falar, e Thibault deu um longo gole em sua cerveja, imaginando qual seria o rumo daquela história.

# Capítulo 12

# Beth

Conforme a noite caía, Beth estava de pé, na varanda dos fundos, observando Logan concentrado no tabuleiro de xadrez a sua frente, pensando: "Gosto dele". Quando percebeu o que havia acabado de dizer a si mesma, sentiu ao mesmo tempo surpresa e naturalidade.

Ben e Logan estavam em sua segunda partida de xadrez, e Logan estava concentrado em sua próxima jogada. Ben havia ganho a primeira partida facilmente e ela não pôde deixar de perceber a expressão de surpresa de Logan. Ele aceitou bem o fato e até perguntou a Ben o que havia feito de errado. Eles arrumaram o tabuleiro para uma jogada anterior e Ben foi mostrando a Logan a sucessão de erros cometidos por ele, primeiro com a torre e a rainha e, finalmente, com o cavalo.

— Ah, entendi — disse Logan, que sorriu para Ben. — Bom trabalho.

Nem queria imaginar como Keith teria reagido se tivesse perdido para Ben. Na verdade, ela não precisava imaginar. Tinham jogado uma vez uns anos atrás e, quando Ben venceu, ele jogou o tabuleiro, saindo da sala como um trovão. Um pouco depois, enquanto Ben ainda estava recolhendo as peças caídas atrás dos móveis, Keith voltou à sala. Em vez de se desculpar, começou a falar que xadrez era uma perda de tempo e que era melhor que Ben fizesse algo mais importante, como estudar ou treinar beisebol, já que rebatia a bola como se fosse cego.

Às vezes, tinha vontade de estrangular aquele homem. Mas com Logan as coisas eram diferentes. Beth percebeu que Logan estava tendo dificuldades no jogo novamente. Não dava para dizer olhando para o tabuleiro — os detalhes que separavam um bom jogador de um ótimo jogador extrapolavam seu discernimento —, mas sempre que Ben analisava seu adversário, em vez das peças do tabuleiro, sabia que o fim estava próximo, mesmo se Logan não tivesse percebido o que ia acontecer.

O que ela mais adorava na cena era o fato de que, apesar da concentração exigida pelo jogo, Logan e Ben ainda conseguiam... conversar. Sobre a escola e os professores de Ben, ou sobre Zeus, quando era filhotinho, e Logan parecia genuinamente interessado. Ben revelou algumas coisas que a surpreenderam, como o fato de outros garotos terem roubado seu almoço algumas vezes e de estar interessado em uma garota chamada Cici. Logan não lhe dava nenhum conselho; em vez disso, perguntava a Ben o que ele achava que devia fazer. Em sua experiência com os homens, a maioria acredita que, quando conversam sobre um problema ou um dilema, é esperado que deem sua opinião, mesmo quando tudo que se deseja é que possam apenas ouvir.

A reticência natural de Logan, na verdade, permitia que Ben tivesse espaço para se expressar. Era óbvio que Logan era bem resolvido consigo mesmo. Não estava tentando impressionar Ben ou a ela, mostrando-lhe como facilmente se dava bem com ele.

Apesar de não ter tido muitos relacionamentos nos últimos anos, sentia que muitos pretendentes fingiam que Ben não existia e mal se dirigiam a ele, ou o tratavam de uma maneira muito exagerada, procurando mostrar a ela como eram extremamente amigáveis com seu filho. Ben era capaz de distinguir entre os dois tipos desde muito novinho, assim como ela, o que era suficiente para terminar o relacionamento. Isso quando não eram eles que terminavam com ela.

Era óbvio que Ben gostava de ficar com Logan, e o que era ainda melhor, Beth sentia que Logan gostava de ficar com Ben. Silenciosamente, Logan continuava estudando sua jogada; colocou um dedo em cima do cavalo, mas hesitou entre ele e o peão. Ben ergueu as sobrancelhas levemente. Beth não conseguia perceber se ele considerava que Logan havia feito uma jogada boa ou má, mas Logan decidiu-se pelo peão.

A resposta de Ben foi quase que imediata, o que parecia ser um mau sinal para Logan. Um pouco depois, Logan percebeu que não tinha mais como defender seu rei e abanou a cabeça negativamente.

— Você me pegou.

— Peguei mesmo.

— Pensei que tivesse melhorado meu jogo.

— E melhorou.

— Até?

— Até a segunda jogada.

Logan riu. — Piada de enxadrista?

— Há várias piadas desse tipo — disse Ben, obviamente orgulhoso de si mesmo. Apontou para o quintal. — Já não está bem escuro?

— Acho que sim. Zeus, está pronto para brincar?

Zeus levantou as orelhas e inclinou a cabeça para o lado. Quando Logan e Ben se levantaram, ele veio logo atrás.

— Você vem, mamãe?

— Estou bem atrás de você — disse, levantando-se da cadeira.

Seguiram o caminho em meio à escuridão na frente da casa. Beth parou no meio da escada. — Talvez fosse melhor pegar uma lanterna.

— Isso é trapaça! — disse Ben, desaprovando a ideia.

— Não é para o cachorro. É para você. Para que não se perca.

— Não vai se perder — Logan garantiu. — Zeus vai encontrá-lo.

— É fácil falar quando não se trata do seu flho.

— Não vai acontecer nada comigo — disse Ben.

Ela olhou para um e para o outro e acabou balançando a cabeça. Não estava totalmente à vontade com a situação, mas Logan não parecia nada preocupado. — Então, tá — suspirou. — Vou pegar uma para mim. Tudo bem?

— Tudo — concordou Ben. — O que devo fazer?

— Esconda-se. E vou mandar Zeus ao seu encontro.

— Posso ir para qualquer lugar?

— Por que não se esconde daquele lado? — sugeriu Logan, apontando para uma área arborizada, a oeste do riacho, do lado oposto da entrada do canil. — Não quero ver você caindo acidentalmente no riacho. Além disso, seu cheiro deve estar mais forte desse lado. Lembra-se de que vocês dois estavam brincando por aqui antes do jantar? Agora, assim que ele te achar, siga-o até aqui, está bem? Assim você não se perde.

Ben deu uma olhada na mata. — Tudo bem. Como vou saber que ele não vai olhar?

— Vou levá-lo para dentro e contar até 100 antes de soltá-lo.

— Promete que não vai deixá-lo olhar?

— Prometo — Logan concentrou sua atenção em Zeus, ordenando: Venha! — abriu a porta, mas fez uma pausa. — Tudo bem se ele entrar?

Beth concordou com a cabeça. — Tudo bem.

Logan fez sinal para Zeus entrar e deitar e, depois, fechou a porta. — Certo. Pode ir.

Ben correu para dentro da mata e Logan iniciou a contagem em voz alta. — Conte mais devagar — gritou Ben, que aos poucos desapareceu em meio à escuridão, deixando de ser visto mesmo antes de entrar no meio das árvores. Beth cruzou os braços. — Preciso dizer que não estou gostando nada disso.

— Por que não?

— Por que será, né? Será que é porque meu filho está escondido, à noite, no meio da mata?

— Vai dar tudo certo. Zeus vai encontrá-lo em dois ou três minutos. No máximo.

— Você confia cegamente no seu cachorro.

Logan sorriu e eles ficaram um pouco na varanda, sentindo a noite agradável. O ar úmido já não era tão quente e tinha um aroma de terra: uma mistura de carvalho e pinheiro e a própria terra, um odor que sempre fazia com que Beth se lembrasse de que, mesmo em um mundo em que tudo mudava constantemente, aquele lugar em especial parecia ficar sempre igual.

Tinha consciência de que Logan a tinha observado a noite toda, tentando não encarar, e ela sabia que tinha feito o mesmo com ele. Gostava da maneira como ele a fazia se sentir. Gostava de ter percebido que ele a achava atraente, porém sem possuir nenhuma urgência ou desejo ansioso que os homens frequentemente demonstravam quando olhavam para ela. Pelo contrário, parecia feliz simplesmente pelo fato de estar ao lado dela, e, sem saber o motivo, era exatamente isso de que precisava.

— Estou feliz que tenha ficado para jantar — disse Beth, sem saber o que mais poderia falar. — Ben está se divertindo muito.

— Também estou feliz.

— Você agiu tão bem com ele. Durante o jogo de xadrez, digo.

— Não é difícil.

— Você não acha, não é mesmo?

Ele hesitou. — Estamos falando do seu ex-namorado novamente?

— É tão óbvio assim? Mas você está certo. Estamos falando dele. O imbecil — ela encostou na coluna da varanda.

Ele encostou na coluna do outro lado da escada, de frente para ela. — E?

— Só queria que as coisas fossem diferentes.

Ele hesitou novamente, e ela sabia que ele estava pensando se deveria dizer alguma coisa ou não. Acabou optando por se calar.

— Você não ia gostar dele. Na verdade, acho que ele também não ia gostar de você.

— Não?

— Não. E pode se considerar uma pessoa de sorte. Você não está perdendo nada.

Ele olhou fixamente para ela, sem dizer nada. Supôs que deveria estar pensando na forma como ela havia se fechado antes. Afastou os cabelos que caíam na frente dos olhos, imaginando se realmente deveria continuar. — Quer ouvir a minha história?

— Só se você quiser me contar.

Beth sentiu seus pensamentos flutuando do presente para o passado e suspirou. — É a mesma velha história de sempre... eu era uma *nerd*, terminando o ensino médio, e ele era um pouco mais velho que eu, mas desde pequenos frequentávamos a mesma igreja, então eu sabia exatamente quem ele era. Começamos a namorar um pouco antes da minha formatura. Ele era de família rica e sempre saía com as meninas mais populares, então acho que me deixei envolver por esse tipo de fantasia. Ignorei problemas óbvios, inventei desculpas para outros, e acabei descobrindo que estava grávida. Subitamente, minha vida tinha... mudado totalmente, sabe? Não ia começar a faculdade no início do outono, não tinha a menor ideia do que era ser mãe, muito menos mãe solteira; não sabia como lidar com tudo aquilo. A última coisa que esperava no mundo é que ele fosse me pedir em casamento. Mas, não sei por quê, ele pediu, e eu disse sim, e apesar de querer acreditar que ia dar certo e de ter feito o máximo para convencer Nana de que sabia o que estava fazendo, sei que nós duas sabíamos que aquilo era um erro antes mesmo que a tinta da minha assinatura na certidão de casamento secasse. Literalmente, não tínhamos nada em comum. Então, brigávamos constantemente e acabamos nos separando logo depois que Ben nasceu. E depois me senti totalmente perdida.

Logan juntou as mãos. — Mas isso não a impediu de continuar.

— Continuar o quê?

— De finalmente ir para a faculdade e se tornar professora. E aprender a ser mãe solteira. E, de alguma forma, lidar com tudo aquilo.

O sorriso de Beth mostrava gratidão. — Com a ajuda de Nana.

— Mesmo assim — ele cruzou as pernas e pareceu examiná-la antes de dar um sorriso maroto. — Quer dizer que é *nerd*?

— No ensino médio? Com certeza eu era.

— Acho difícil acreditar.

— Acredite se quiser.

— E como foi a faculdade?

— Você quer dizer, por causa do Ben? Não foi fácil. Mas eu já tinha alguns créditos por causa do meu histórico escolar do ensino médio, o que me ajudou a sair na frente. Depois, frequentei a faculdade local até Ben sair das fraldas. Ia à faculdade duas ou três vezes por semana e Nana cuidava de Ben, e eu ficava em casa e estudava quando não estava exercendo minha função de mãe. O mesmo aconteceu quando consegui minha transferência para a Universidade da Carolina do Norte, em Wilmington, que era perto o suficiente para que pudesse voltar para casa à noite. Levei seis anos para me formar e conseguir meu diploma, mas não podia explorar Nana e não queria dar ao meu ex uma razão para conseguir a guarda total. E, naquela época, ele podia até ter pedido a guarda, era só ele querer.

— Ele parece ser uma pessoa adorável.

Ela sorriu. — Você nem imagina.

— Quer que eu dê uma surra nele?

Ela riu. — Engraçado. Houve uma época em que eu até aceitaria sua oferta, mas agora já passou. Ele só é... imaturo. Acha que toda mulher que encontra fica louca por ele, fica nervoso diante de coisas sem importância, e culpa os outros quando algo dá errado para ele. Já passou dos 30 anos e parece que tem 16, se é que você me entende — pelo canto do olho, percebia que ele a observava. — Mas chega de falar dele. Fale alguma coisa de você.

— O quê, por exemplo?

— Qualquer coisa, sei lá. Por que você escolheu antropologia?

Ele refletiu sobre a pergunta. — Acho que por personalidade.

— O que você quer dizer com isso?

— Sabia que não tinha intenção de me formar em nada prático, como administração ou engenharia, e, no fim do meu primeiro ano de faculdade, comecei a trocar ideias com outras pessoas que estavam se formando em artes liberais. As pessoas mais interessantes que encontrei eram os estudantes de antropologia. Achei significativo.

— Você está brincando.

— Não estou, não. É por isso que fiz as aulas introdutórias, pelo menos. Depois disso, percebi que antropologia é uma grande mistura de história, hipóteses e mistério, e me interesso por tudo isso. Acabei ficando viciado.

— E as festas?

— Nunca gostei muito.

— Jogos de futebol?

— Também não.

— Alguma vez sentiu que estava deixando de aproveitar as oportunidades reais que a faculdade te oferecia?

— Não.

— Eu também não. Pelo menos, não depois do nascimento de Ben.

Ele concordou, depois apontou em direção à mata. — Hum... será que não está na hora de Zeus ir atrás de Ben?

— Ai, meu Deus! — seu tom não conseguia esconder o pânico. — Claro. Ele consegue encontrá-lo, não consegue? Quanto tempo já foi?

— Não muito. Cinco minutos, talvez. Deixe-me buscar o Zeus. E não se preocupe. Não vai levar muito tempo.

Logan abriu a porta e Zeus veio para fora, abanando o rabo, depois foi até a escada. Imediatamente levantou uma perna ao lado da varanda, depois subiu a escada voltando para perto de Logan.

— Cadê o Ben? — Logan perguntou.

Zeus levantou as orelhas. Logan apontou na direção em que Ben havia ido. — Procure o Ben.

Zeus virou-se e começou a caminhar em círculos, sempre com o focinho no chão. Em segundos, achou a pista e desapareceu no meio da escuridão.

— Devemos segui-lo? — perguntou Beth.

— Você quer?

— Quero.

— Então, vamos.

Mal chegaram às primeiras árvores e ouviram o feliz latido de Zeus, seguido da voz de Ben, que mais parecia um grito de felicidade. Quando ela se virou para Logan, ele deu de ombros.

— Você não estava mentindo, não é mesmo? Quanto tempo levou? Dois minutos?

— Não foi difícil para ele. Sabia que Ben não poderia ter ido tão longe.

— Qual foi a maior pista que ele já teve de seguir?

— Foi a de um veado. Seguiu-a por mais de 10 quilômetros ou algo assim. Poderia ter continuado, mas encontrou uma cerca pelo caminho. Estávamos no Tennessee.

— Por que seguiu o veado?

— Para se exercitar. É um cachorro esperto. Gosta de aprender e usar suas habilidades — enquanto falava, Zeus apareceu no meio das árvores, com Ben logo atrás dele. — E é por isso que essa brincadeira é tão divertida para ele quanto é para Ben.

— Foi impressionante — disse Ben. — Ele veio direto até mim. E eu estava bem quietinho.

— Quer fazer de novo? — Logan perguntou.

— Posso? — Ben implorou.

— Se sua mãe deixar.

Ben virou-se para a mãe e ela levantou as mãos. — Vá em frente!

— Legal! Tranque-o dentro de casa de novo. E vou me esconder muito bem dessa vez.

— Pode deixar.

Da segunda vez que Ben se escondeu, Zeus o encontrou em uma árvore. Na terceira, Ben tentou disfarçar a trilha em uma tentativa de enganar Zeus e ele o encontrou a meio quilômetro de distância, na sua casa da árvore, próxima ao riacho. Beth não se entusiasmou muito com sua última escolha; a ponte instável e a plataforma sempre pareceram bem mais perigosas à noite, mas, a essa altura, Ben já estava ficando cansado e pronto para desistir mesmo.

Logan os acompanhou até em casa. Depois de se despedir de Ben, virou-se para Beth e pigarreou. — Gostaria de lhe agradecer pela noite maravilhosa, mas é melhor ir andando.

Apesar de já serem quase 22 horas, parte dela não queria que ele fosse ainda.

— Quer uma carona? Ben já vai dormir e posso levar você em casa sem nenhum problema.

— Obrigado, mas não é necessário. Gosto de caminhar.

— Eu sei. Não sei muito sobre você, mas isso é algo que já sei — sorriu. — Então, até amanhã, certo?

— Eu chego às 7 horas.

— Posso alimentar os cães se você quiser chegar um pouco mais tarde.

— Sem problemas. E, além disso, gostaria de ver o Ben antes de ele sair. E tenho certeza de que Zeus também. O coitadinho provavelmente nem vai saber o que fazer sem o Ben para correr atrás dele.

— Então, tá — sentiu-se subitamente desapontada ao pensar na partida de Logan.

— Tudo bem se eu usar o caminhão amanhã? Preciso ir até a cidade comprar algumas peças para consertar o breque. Se não der, posso ir andando.

Ela sorriu. — Eu sei disso. Mas não há problema algum. Tenho de levar o Ben e fazer algumas coisas, mas, se não vir você, deixo a chave debaixo do tapete do lado do motorista.

— Tudo bem — disse, olhando diretamente para ela. — Boa-noite, Elizabeth.

— Boa-noite, Logan.

Quando ele foi, Beth deu uma olhada em Ben, dando-lhe mais um beijo de boa noite antes de ir para seu quarto. Enquanto se despia, lembrava os momentos vividos durante a noite, refletindo sobre o mistério de Logan Thibault.

"Era diferente de qualquer outro homem que havia encontrado", pensou, e então, imediatamente, censurou-se pela falta de criatividade. Estava na cara que ele era diferente, disse a si mesma. Tinha acabado de conhecê-lo. Não tinha passado muito tempo com ele. Mesmo assim, sabia que tinha maturidade suficiente para reconhecer a verdade quando a via.

Logan era diferente. Deus sabia que Keith não tinha nada a ver com ele. Na verdade, nem ele nem ninguém mais com quem ela havia se relacionado desde o divórcio. A maioria daqueles homens era fácil de se interpretar; não importava o quanto fossem educados e encantadores ou broncos e com péssimos hábitos, tudo o que faziam revelava os esforços transparentes de levá-la para cama. “Lixo de homens”, como Nana dizia. E ela sabia que Nana não estava errada.

Mas com Logan... bem, essa era a questão. Não tinha a mínima ideia do que ele queria com ela. Sabia que a achava atraente, e parecia gostar da sua companhia. Mas, além disso, não sabia quais eram as suas intenções, já que parecia gostar igualmente da companhia de Ben. De certa forma, Logan a tratava como alguns homens casados que conhecia: “Você é bem interessante, mas já sou comprometido”.

Talvez ele fosse comprometido, então. Poderia ter uma namorada no Colorado, ou talvez tivesse acabado de terminar com o amor da sua vida e ainda estava tentando superar o fato. Pensando bem, percebeu que, apesar de ter falado sobre as coisas que havia feito durante a viagem pelo país, ela ainda não tinha ideia do motivo que o levou a fazer isso, em primeiro lugar, e, em segundo lugar, por que ele havia optado por Hampton como ponto final. A história era tão misteriosa quanto obscura, o que era bem estranho. Se tinha aprendido uma coisa sobre os homens é que eles gostavam de falar deles mesmos, de seus empregos, seus passatempos, realizações passadas e suas motivações. Logan não fazia nada disso. Incompreensível.

Balançou a cabeça, achando que estava fazendo interpretações demais. Afinal de contas, eles nem tinham saído juntos. Tinha sido mais uma reunião de amigos — tacos, xadrez e conversas. Um evento familiar.

Colocou o pijama e pegou uma revista no criado-mudo. Folheou a revista antes de apagar a luz. Mas, quando fechou os olhos, continuou visualizando a forma como os cantos da boca dele levantavam levemente sempre que ela dizia algo engraçado, ou a forma como as sobrancelhas dele se juntavam quando estava concentrado em uma atividade. Rolou na cama por um bom tempo, sem conseguir dormir, imaginando se, talvez, apenas talvez, Logan também estaria acordado, pensando nela.

# Capítulo 13

# Thibault

Thibault ficou observando Victor lançar a linha na água fria de Minnesota. Era uma manhã de sábado em que não havia sequer uma nuvem. Não ventava e o lago refletia a imagem do céu. Tinham ido cedo para o lago para pescar antes que lotasse de *jet skis* e lanchas. Era seu último dia de férias; seus voos estavam marcados para o dia seguinte. Tinham planejado jantar na churrascaria local nessa última noite, pois tinham ouvido falar que era a melhor da cidade.

— Acho que vai conseguir encontrar essa mulher — disse Victor sem preâmbulos.

Thibault estava enrolando a linha de pesca. — Quem?

— A mulher da foto que dá sorte a você.

Thibault olhou para o amigo com os olhos semicerrados. — Do que você está falando?

— Quando você for à procura dela. Acho que conseguirá encontrá-la.

Thibault analisou seu anzol cuidadosamente e o lançou na água novamente. — Não vou à procura dela.

— Isso é o que você diz agora. Mas você acabará indo.

Thibault balançou a cabeça. — Não vou não. E, mesmo se quisesse ir, não teria como.

— Você vai descobrir como — Victor parecia orgulhoso por ter tanta certeza.

Thibault olhou nos olhos do amigo. — E por que a gente ainda está falando nisso?

— Porque ainda não acabou.

— Pode acreditar em mim. Acabou.

— Sei que você pensa dessa forma. Mas você está errado.

Thibault tinha aprendido há muito tempo que, quando Victor começava a discutir um assunto, continuava dando sua opinião até sentir-se satisfeito com a exposição do seu ponto de vista. Como não era dessa forma que Thibault queria passar seu último dia de férias, achou melhor acabar com a história de uma vez por todas.

— Então, tá. Por que não acabou ainda?

Victor deu de ombros. — Porque falta equilíbrio.

— Falta equilíbrio — Thibault repetiu, em tom neutro.

— É. Entende?

— Não.

Victor suspirou diante da falta de entendimento do amigo. — Digamos que uma pessoa instale um telhado na sua casa. A pessoa trabalha direito e, no fim, recebe por isso. Só então está acabado. Mas, neste caso, o da fotografia, é como se o telhado tivesse sido colocado, mas o trabalho não tivesse sido pago. Até que o pagamento seja feito, falta equilíbrio.

— Está dizendo que devo algo para essa mulher? — perguntou Thibault com expressão cética.

— Estou. A foto manteve você seguro e te deu sorte. Mas até que o pagamento seja feito, não está acabado.

Thibault pegou um refrigerante da geladeira e entregou um para Victor. — Você percebe que parece louco falando dessa forma?

Victor agradeceu o refrigerante com um aceno de cabeça. — Pode ser que alguns pensem assim. Mas você vai acabar indo à procura dela. Há um propósito maior em tudo isso. É o seu destino.

— Meu destino. O que isso quer dizer?

— Não sei. Mas você vai saber quando chegar a hora.

Thibault ficou quieto, desejando que Victor nunca tivesse falado sobre isso. No silêncio que se seguiu, analisava seu amigo.

— Talvez vocês sejam feitos um para o outro.

— Não estou apaixonado por ela, Victor.

— Não?

— Não.

— E, mesmo assim, pensa nela com frequência — observou Victor.

Thibault não retrucou esse comentário, pois não havia nada que pudesse dizer.

• • • • ❖ • • • •

No sábado de manhã, Thibault chegou cedo e foi direto para os canis para alimentar, limpar e também treinar os cães como sempre. Enquanto trabalhava, Ben brincava com Zeus até ser chamado por Elizabeth para se aprontar para sair. Ela acenou da varanda e, mesmo ao longe, dava para perceber que estava dispersa.

Quando ele soltou os cães, ela voltou para dentro de casa; geralmente levava grupos de três em três cães para passear, Zeus ia sempre atrás dele. Ao se afastar da casa, soltava os cães das coleiras, porém sempre o seguiam, não importava qual direção tomasse. Gostava de variar o caminho, pois essa estratégia impedia que os cachorros se afastassem muito. Assim como as pessoas, cães também ficam entediados se fazem sempre o mesmo percurso todos os dias. Geralmente, passeava meia hora com cada grupo. Depois do terceiro grupo, percebeu que o carro de Elizabeth não estava mais lá, e imaginou que deveria ter ido levar Ben à casa do pai.

Não gostava do pai de Ben, principalmente porque Ben e Elizabeth não gostavam dele. O cara parecia ser uma peça rara, mas ele não poderia fazer muito mais do que ouvir quando ela decidia falar sobre ele. Não sabia muitos detalhes para poder dar conselhos e, mesmo se soubesse, ela não estava pedindo. De qualquer forma, não era da sua conta.

Mas o que era da sua conta, então? Por que ele estava ali? Apesar de não querer, não conseguia deixar de pensar em sua conversa com Victor, e sabia que estava ali por causa das coisas que Victor havia dito ali naquela manhã no lago.

Tentou pensar em outra coisa. Não queria ficar pensando nisso. Não novamente.

Chamou os cachorros, deu meia-volta e foi em direção ao canil. Depois de trancá-los, foi explorar o depósito. Ao acender as luzes, olhou para as paredes e prateleiras com admiração. O avô de Elizabeth não tinha apenas algumas ferramentas — o lugar parecia uma loja de ferramentas totalmente bagunçada. Ficou por lá, examinando as estantes, os armários e as pilhas de coisas da bancada. Acabou escolhendo um conjunto de chaves de encaixe, algumas variáveis, chaves inglesas, um macaco e levou tudo para o caminhão. Como Elizabeth havia prometido, as chaves estavam debaixo do tapete. Thibault entrou no carro e foi em direção ao autopeças que ele vagamente lembrava de ter visto perto do centro da cidade.

Encontrou o que precisava — pastilhas, braçadeiras e graxa para alta temperatura — e em menos de meia hora já estava de volta. Instalou o macaco e ergueu o caminhão; depois, retirou a primeira roda. Apertou o pistão com a braçadeira, retirou as pastilhas antigas, verificou se os discos ainda estavam bons e acrescentou as pastilhas novas; fez o mesmo com todas as três rodas.

Estava terminando o terceiro breque quando ouviu Elizabeth estacionar ao lado do caminhão. Olhou por detrás do ombro quando ela saiu do carro, percebendo que ela tinha ficado fora por muito tempo.

— Como vai indo? — perguntou Elizabeth.

— Estou quase acabando.

— Sério? — ela parecia surpresa.

— São só as pastilhas. Não é nada de mais.

— Tenho certeza de que um cirurgião teria dito a mesma coisa. É só um apêndice.

— Quer aprender? — perguntou Thibault, olhando para a silhueta dela tendo o céu como pano de fundo.

— Quanto tempo leva?

— Não muito. Dez minutos?

— Sério? Certo. Deixe-me só levar as compras para dentro.

— Precisa de ajuda?

— Não, são só duas sacolas.

Colocou a terceira roda, apertando os parafusos antes de pegar a última. Soltou os parafusos ao mesmo tempo em que Elizabeth chegou ao seu lado. Quando ela se agachou perto dele, pôde sentir o aroma de loção de coco que ele devia ter passado de manhã cedo.

— Primeiro, você tira a roda... — começou, e explicou todo o processo didaticamente, certificando-se de que ela havia entendido cada passo. Quando ele abaixou o macaco e começou a recolher as ferramentas, ela balançou a cabeça.

— Isso foi quase fácil demais. Acho que até eu poderia ter feito.

— Provavelmente.

— Então, por que cobram tão caro?

— Não sei.

— Estou na profissão errada — disse, levantando e prendendo o cabelo em um rabo de cavalo. — Mas, obrigada por ter feito isso. Já fazia tempo que queria consertar esse breque.

— Sem problemas.

— Está com fome? Comprei peru para fazer sanduíches. E um pouco de picles.

— Parece delicioso.

Almoçaram na varanda dos fundos, com vista para o jardim. Elizabeth ainda parecia dispersa, mas conversaram um pouco sobre como tinha sido crescer em uma cidade pequena, onde todo mundo sabe tudo sobre todo mundo. Algumas das histórias eram engraçadas, mas Thibault admitiu que preferia uma existência mais anônima.

— Por que será que não estou surpresa?

Depois, Thibault voltou a trabalhar enquanto Elizabeth passou a tarde limpando a casa. Ao contrário do seu avô, Thibault conseguiu abrir a janela do escritório que havia sido pintada estando fechada, embora tenha sido uma tarefa mais difícil do que consertar o breque do caminhão. Nem ficou fácil de abrir ou fechá-la depois, por mais que ele tivesse lixado para amaciá-la. Depois, pintou os batentes.

Depois disso, foi um dia normal. Quando acabou suas tarefas no canil, eram quase 17 horas, e, embora pudesse facilmente ter encerrado o expediente nesse momento, não o fez. Em vez disso, começou a organizar os arquivos novamente, querendo obter algum tipo de avanço para o dia seguinte, que ele já sabia de antemão que seria um longo dia. Programou-se para trabalhar mais algumas horas, fazendo o que achava ser prioritário — mas como saber quais as prioridades? — e não ouviu Elizabeth se aproximando. Em vez disso, percebeu que Zeus havia se levantado e ido em direção à porta.

— Estou surpresa por você ainda estar aqui. Vi a luz e pensei que havia esquecido de apagar — parou à porta.

— Eu não esqueceria.

Ela apontou para as pilhas de arquivos sobre a mesa. — Você não imagina como estou feliz em vê-lo fazendo isso. Nana tentou me convencer a organizar esses arquivos neste verão, mas eu fui extremamente resistente à ideia.

— Sorte a minha.

— Não, sorte a minha. Quase me senti culpada por não ter feito.

— Eu quase acreditaria em você, se não fosse esse sorriso forçado. Teve notícias de Ben ou de Nana?

— Dos dois. Nana está ótima. Ben está péssimo. Não que tenha falado abertamente. Mas pude perceber pela sua voz.

— Sinto muito — e ele realmente sentia.

Ela deu de ombros de forma tensa e segurou a maçaneta da porta. Rodou-a para cima e para baixo, parecendo interessada no mecanismo. Finalmente, deixou escapar um suspiro. — Quer me ajudar a fazer sorvete?

— Como? — abaixou o arquivo que estava organizando.

— Adoro sorvete caseiro. Não há nada melhor no calor, mas não tem graça se não dá para dividi-lo com alguém.

— Acho que nunca tomei sorvete caseiro...

— Então, você não sabe o que está perdendo. Topa?

Seu entusiasmo infantil era contagioso. — Claro. Parece divertido.

— Vou correr até a mercearia para comprar os ingredientes necessários. Volto em poucos minutos.

— Não seria bem mais fácil se comprássemos sorvete?

Os olhos dela brilharam de prazer. — Mas não é a mesma coisa. Você vai ver. Volto daqui a pouco, está bem?

Ela cumpriu mesmo sua palavra. Thibault só teve tempo de dar uma arrumada na mesa e olhar os cães mais uma vez antes de ouvir o barulho do carro dela voltando da loja. Foi ao seu encontro quando saía do carro.

— Você poderia trazer o saco de gelo picado? Está no banco de trás.

Ele foi atrás dela até a cozinha com o saco de gelo, e ela apontou para o *freezer* enquanto colocava um litro de leite especial em cima do balcão.

— Você pode pegar a sorveteira? Está na despensa. Prateleira de cima à direita.

Thibault saiu da despensa com uma sorveteira à manivela que parecia ter pelo menos 50 anos. — É esta aqui?

— Sim, é.

— Ainda funciona? — pensou em voz alta.

— Perfeitamente. Surpreendente, não é? Nana ganhou de presente de casamento, mas ainda usamos o tempo todo. Faz um sorvete delicioso.

Colocou-a em cima do balcão e ficou ao lado de Elizabeth. — O que posso fazer?

— Se você concordar em girar, eu faço a mistura.

— Parece justo.

Ela pegou a batedeira elétrica e uma tigela, junto com um copo medidor. Do armário de temperos, pegou açúcar, farinha e extrato de baunilha. Acrescentou três colheres de açúcar e uma xícara de farinha à tigela e misturou à mão, depois colocou a tigela na batedeira elétrica. Bateu os ovos, todo o litro de leite especial e três colheres de chá de extrato de baunilha. Finalmente, acrescentou um pouco de leite comum e colocou a mistura toda na lata de sorvete, colocando a lata na sorveteira, rodeando-a com gelo picado e sal.

— Pronto — disse, entregando a sorveteira a ele. Pegou o resto do gelo e do sal. — Vamos para a varanda. Não fica bom se não for preparado lá.

— Ah!

Sentou-se ao lado dele nos degraus da varanda, porém um pouquinho mais perto do que no dia anterior. Segurando a lata entre os pés, Thibault começou a girar a manivela, surpreso com a facilidade com que girava.

— Obrigada por fazer isso. Preciso muito de sorvete. O dia não está fácil.

— É mesmo?

Ela virou-se para ele com um leve sorriso nos lábios. — Você é muito bom nisso.

— Nisso o quê?

— Em dizer "é mesmo?" quando alguém faz algum comentário. É o suficiente para fazer com que a pessoa continue falando sem ser muito pessoal ou intrometido.

— É mesmo?

Ela riu. — É mesmo — imitou-o. — Mas a maioria das pessoas teria dito algo do tipo "o que houve?", ou então, "por quê"?

— Então, tá. O que houve? Por que o dia não está fácil?

— É que o Ben estava bem rabugento hoje de manhã arrumando as coisas e acabei brigando com ele porque ele estava demorando muito. O pai dele geralmente não gosta quando ele se atrasa, mas hoje... Bem, hoje ele parecia ter esquecido que o Ben ia para lá. Devo ter batido na porta uns cinco minutos até ele resolver abrir, e garanto que ele tinha acabado de sair da cama. Se eu soubesse que ele estava dormindo, não teria sido tão dura com o Ben, e ainda estou me sentindo culpada. E, claro, quando estava indo embora, vi o Ben colocando o lixo para fora, porque o papaizinho querido é muito preguiçoso para fazer isso. E depois, claro, passei o dia todo fazendo faxina, o que não é tão ruim nas primeiras horas. Mas quando chega ao fim, realmente preciso de um sorvete.

— Não parece o relato de um sábado relaxante.

— E não é — resmungou, e ele percebeu que ela estava pensando se deveria continuar falando ou não. Havia algo mais perturbando-a, e ela respirou profundamente antes de suspirar. — Hoje é aniversário do meu irmão — sua voz soou trêmula. — Depois de deixar o Ben, fui levar flores no cemitério hoje.

Thibault sentiu um nó na garganta ao se lembrar da fotografia em cima da lareira. Apesar de suspeitar que seu irmão havia sido assassinado, era a primeira vez que Nana e Elizabeth confirmavam. Entendeu imediatamente por que ela não queria ficar sozinha naquela noite.

— Sinto muito.

— Eu também. Você teria gostado dele. Todo mundo gostava.

— Tenho certeza que sim.

— Nana havia se esquecido. É claro que ela se lembrou hoje à tarde e me telefonou para dizer que sentia muito não poder estar aqui. Estava praticamente chorando, mas eu disse para ela que não tinha problema. Que não era nada importante.

— É muito importante. Ele era seu irmão e você sente a falta dele.

Ela esboçou um sorriso nostálgico. — Você lembra meu irmão — disse, com uma voz macia. — Nem tanto pela aparência, mas pelo jeito de ser. Percebi isso na primeira vez em que entrou no escritório candidatando-se ao emprego. Parecia que vocês dois tinham sido feitos no mesmo molde. Acho que deve ser coisa de fuzileiro, certo?

— Talvez. Conheci vários tipos diferentes de fuzileiros.

— Aposto que sim — fez uma pausa e abraçou os joelhos. — Você gostava de ser fuzileiro?

— Às vezes.

— Mas não o tempo todo.

— Não.

— Drake amava. Gostava de tudo, na verdade — apesar de parecer hipnotizada pelo movimento da manivela, Thibault sabia que estava perdida em suas lembranças. — Lembro-me de quando a invasão começou. Como o Camp Lejeune ficava a menos de uma hora daqui, era a grande novidade. Fiquei assustada por ele, especialmente quando soube das armas químicas e dos ataques suicidas, mas você quer saber com o que ele estava preocupado? Antes da invasão, quero dizer?

— Com o quê?

— Uma fotografia. Uma velha fotografia ridícula. Dá para acreditar?

As palavras inesperadas fizeram o coração de Thibault subitamente bater mais forte, mas ele esforçou-se para parecer calmo.

— Ele tirou essa foto minha assim que chegamos à feira naquele ano — continuou falando. — Seria o último fim de semana que ficaríamos juntos antes de ele se alistar, e depois de fazer o que sempre fazíamos, acabamos nos separando. Lembro-me de estar sentada com ele perto de um pinheiro gigante e de termos conversado por horas observando a roda-gigante. Era uma das grandes, toda iluminada, e dava para ouvir os gritos das crianças que iam e vinham debaixo de um perfeito céu de verão. Falamos sobre mamãe e papai, e imaginamos como a aparência deles teria se modificado no decorrer dos anos, se teriam ficado com cabelos grisalhos, ou se teríamos ficado em Hampton ou mudado de cidade, e lembro-me de ter olhado para o céu. Subitamente, vi uma estrela cadente, e tudo o que pude pensar é que eles estavam nos ouvindo de alguma maneira.

Ela fez uma pausa, perdida em suas lembranças, antes de continuar. — Ele mandou plastificar a fotografia e guardou-a durante todo o treinamento básico. Depois que chegou ao Iraque, mandou um *e-mail* para mim dizendo que a havia perdido, e pedindo para que eu enviasse outra a ele. A mim, parecia uma bobagem, mas eu não estava lá, e não sabia pelo que ele estava passando, então disse que sim. Mas não consegui mandar logo em seguida.

Não me pergunte o porquê. Era como se tivesse algum tipo de bloqueio mental. Quer dizer, até coloquei o cartão de memória na minha bolsa, mas toda vez que passava perto da loja, simplesmente esquecia de revelar a fotografia. E, em seguida, a invasão começou. Finalmente, consegui enviá-la, mas a carta foi devolvida sem nunca ter sido aberta. Drake morreu na primeira semana da invasão. Cinco dias. Esse foi o tempo que ele durou. E nunca consegui enviar a única coisa que ele me pediu. Entende como isso me faz sentir?

Thibault sentia o estômago revirando. — Nem sei o que dizer.

— Não há nada a ser dito. É uma daquelas situações horríveis, absolutamente tristes. E agora... hoje, não consigo parar de pensar que sua memória está sendo esquecida. Nana não se lembrou. Ben não se lembrou. Eu até entendo que Ben tenha se esquecido. Não tinha nem 5 anos quando Drake morreu e sabemos o que acontece com as lembranças nessa idade. Mas Drake era tão bom para ele, pois simplesmente gostava de estar com ele — ela deu de ombros. — Mais ou menos como você.

Thibault gostaria que ela não tivesse dito isso. Não pertencia àquele lugar...

— Não quis contratar você — continuou, sem perceber a perturbação interior vivida por ele. — Sabia disso?

— Sim.

— Mas não porque você veio a pé do Colorado até aqui. Isso também ajudou, mas principalmente por você ter sido fuzileiro naval.

Ele concordou, e no silêncio ela pegou a sorveteira. — Deve estar precisando de mais gelo — disse. Abriu a tampa, acrescentou mais gelo e devolveu-a para ele.

— Por que você está aqui? — finalmente perguntou.

Apesar de saber o que ela queria com a pergunta, fez-se de desentendido. — Porque você me pediu para ficar.

— Não! Por que você está em Hampton? E dessa vez fale a verdade!

Tentou encontrar a explicação certa. — Parecia-me um bom lugar e, até agora, tem sido.

Dava para perceber pelo olhar dela que sabia que havia algo mais, e ela ficou esperando. Quando ele não disse mais nada, ela franziu a testa. — Tem alguma coisa a ver com o tempo em que ficou no Iraque, não tem?

O silêncio o entregou.

— Quanto tempo você ficou lá?

Não queria falar sobre isso, mas sabia que não havia alternativa e ficou inquieto onde estava sentado. — Qual das vezes?

— Quantas vezes você foi para lá?

— Três.

— Viu muitos combates?

— Sim.

— Mas você sobreviveu.

— Sim.

Ela apertou os lábios e subitamente as lágrimas vieram à tona. — Por que você e meu irmão não?

Ele girou a manivela quatro vezes antes de dar uma resposta que sabia ser uma mentira. — Não sei.

Quando Elizabeth levantou-se para pegar as tigelas e as colheres para o sorvete, Thibault resistiu para não chamar Zeus e simplesmente sair de lá, naquela mesma hora, antes de mudar de ideia, e voltar para o Colorado.

Não conseguia parar de pensar na fotografia que estava em seu bolso, a fotografia que Drake havia perdido. Thibault a achou, Drake morreu e ele estava ali, na casa em que Drake havia sido criado, tomando sorvete com a irmã que ele havia deixado para trás.

Aparentemente, tudo parecia tão improvável, mas ali, lutando contra a súbita secura da sua boca, concentrou-se nos fatos que eram realmente verdadeiros. A fotografia era apenas isso: uma foto de Elizabeth tirada por seu irmão. Amuletos da sorte não existiam. Thibault havia sobrevivido ao Iraque, assim como a grande maioria dos fuzileiros que foram mandados para lá. Como também a maioria dos companheiros do seu pelotão. Incluindo Victor. Entretanto, alguns fuzileiros haviam morrido, entre eles Drake, e, por mais trágico que fosse, não tinha nada a ver com a fotografia. Quanto a ele, estava ali porque havia decidido procurar a mulher da fotografia. Não tinha nada a ver com destino ou mágica.

Mas tinha ido à procura dela por causa de Victor...

Piscou e lembrou a si mesmo que não queria acreditar em nada do que Victor havia dito.

O que Victor acreditava era apenas superstição. Não podia ser verdade. Pelo menos, não inteiramente.

Zeus parecia perceber sua luta interior e levantou a cabeça para olhar para ele. Com as orelhas em pé, latiu de leve e subiu as escadas para lamber a mão de Thibault, que levantou a cabeça de Zeus e o cão encostou o focinho em seu rosto.

— O que estou fazendo aqui? Por que vim para cá? — sussurrou.

Enquanto esperava pela resposta que nunca viria, ouviu a porta de tela bater atrás dele.

— Está falando sozinho ou com o cachorro?

— As duas coisas.

Ela sentou-se ao lado dele e entregou-lhe uma colher. — O que estava dizendo?

— Nada de importante — fez sinal para Zeus se deitar, e ele se encolheu no degrau, esforçando-se para ficar perto dos dois.

Elizabeth abriu a sorveteira e colocou uma bola de sorvete em cada tigela. — Espero que goste — disse ao entregar-lhe uma tigela.

Mergulhou a colher e experimentou antes de se virar para ele com um olhar sincero. — Queria pedir desculpas.

— Por quê?

— Pelo que disse... por ter perguntado por que você sobreviveu e meu irmão não.

— É uma pergunta justa — concordou com a cabeça, desconfortável com seu olhar implacável.

— Não é não. E eu errei em fazer uma pergunta dessas. Sinto muito.

— Está tudo bem.

Ela pegou mais uma colherada e continuou: — Lembra-se de quando disse que não queria te contratar porque você tinha sido fuzileiro naval? Não é nada do que você possa imaginar. Não era pelo fato de você me fazer lembrar de Drake. Era por causa da forma como Drake havia morrido — ela bateu a colher na tigela. — Drake foi atingido por um companheiro.

Thibault virou-se e ela continuou.

— É claro que não nos contaram logo de cara. Ficavam se esquivando. "Estamos investigando" ou "estamos analisando o caso", coisas do gênero. Levou meses para descobrirmos como ele morreu, e, mesmo assim, nunca soubemos quem foi o responsável.

Procurou encontrar as palavras adequadas. — Não parecia... justo, sabe? Quer dizer, sei que deve ter sido acidente, sei que quem quer que tenha feito isso não queria matá-lo, mas, se algo do tipo acontecesse aqui nos Estados Unidos, essa pessoa seria indiciada por homicídio culposo. Mas como aconteceu no Iraque, ninguém quer que a verdade apareça. E nunca vai aparecer.

— Por que você está me contando isso? — disse Thibault com um tom tranquilo.

— Porque essa foi a verdadeira razão de não querer contratá-lo. Depois que descobri o que aconteceu, parecia que toda vez que via um fuzileiro, acabava me perguntando se não teria sido ele quem teria matado Drake, ou se não estaria acobertando quem de fato havia cometido o crime. Sei que não é justo, sei que é errado, mas não consigo evitar. E depois de um tempo, a raiva começou a fazer parte de mim, como se fosse a única maneira que tivesse para poder lidar com a dor. Não gostava da pessoa que havia me tornado, mas estava presa a esse ciclo horrível de indagações e culpa. E então, do nada, você entra no escritório e se candidata ao emprego. E Nana, apesar de saber exatamente como me sentia — talvez por causa da forma como me sentia — decide contratar você.

Colocou a tigela de lado. — Foi por isso que não conversei muito com você nas primeiras semanas. Nem sabia o que dizer. Imaginava que não precisava dizer nada, pois era mais que provável que você desistisse dentro de alguns dias, como a maioria fazia. Mas você não desistiu. Pelo contrário, você se empenhou e trabalhou até mais tarde, você é ótimo para Nana e para o meu filho... De repente, você deixou de ser um fuzileiro para ser simplesmente um homem — ela fez uma pausa como se estivesse perdida em seus pensamentos, depois, finalmente bateu nele com o joelho. — E como se não bastasse, você é um homem que permite que mulheres emotivas falem como matracas sem pedir que se calem.

Ele devolveu a joelhada mostrando a ela que estava tudo bem. — É aniversário do Drake.

— É — ela ergueu a tigela. — Ao meu irmãozinho, Drake.

Thibault bateu sua tigela na dela. — Ao Drake — repetiu.

Zeus latiu e olhou para eles com ansiedade. Apesar da tensão, ela fez um carinho nele. — Você não precisa brindar. Esse momento é para o Drake.

Ele inclinou a cabeça sem entender e ela riu.

— Blá, blá, blá. Ele não entende uma palavra do que estou falando.

— É verdade. Mas consegue perceber que está chateada. É por isso que está por perto.

— Ele é mesmo impressionante. Acho que nunca vi um cachorro tão intuitivo e bem treinado. Nana disse a mesma coisa, e pode acreditar, vindo dela, é muita coisa.

— Obrigado. Tem bom *pedigree*.

— Certo. Sua vez de falar. Você já sabe tudo o que há para saber sobre mim.

— O que você quer saber?

Ela pegou a tigela e colocou mais sorvete na boca antes de perguntar. — Já se apaixonou alguma vez?

Quando ele ergueu as sobrancelhas por conta da maneira direta com que ela havia feito a pergunta, ela o avisou: — Nem pense que estou me intrometendo demais na sua vida pessoal. Não depois de tudo que contei a você. Desembuche.

— Uma vez — admitiu.

— Recentemente?

— Não. Anos atrás. Quando estava na faculdade.

— Como ela era?

Ele pareceu procurar a palavra certa. — Realista.

Ela não disse nada, mas seu olhar mostrava que queria mais.

— Está bem. Cursava Estudos Feministas e preferia usar sandália e saias de camponesa. Detestava maquiagem. Escrevia resenhas para o jornal da faculdade e lutava pelas causas de praticamente todos os grupos sociológicos no mundo, exceto o dos homens brancos e ricos. Ah, e também era vegetariana.

— Não sei por que mas não consigo imaginar você com alguém desse tipo.

— Nem eu. E nem ela. Pelo menos, não em longo prazo. Mas, por um tempo, foi surpreendentemente fácil ignorar nossas diferenças óbvias. E foi o que fizemos.

— Quanto tempo durou?

— Um pouco mais de um ano.

— Alguma vez teve notícia dela?

Ele balançou a cabeça. — Nunca.

— Isso é tudo?

— Tirando alguns namoros sem importância da escola, é tudo. Mas lembre-se de que os últimos cinco anos não foram exatamente adequados para inícios de novos relacionamentos.

— É. Acho que não.

Zeus levantou-se e começou a olhar para a entrada da casa, mexendo as orelhas. Em estado de alerta. Levou um momento, mas Thibault começou a ouvir o som distante do motor de um carro, e, ao longe, uma luz ampla, dispersa, piscando entre as árvores, começou a aproximar-se. Alguém estava estacionando. Elizabeth franziu a testa, sentindo-se confusa enquanto o carro lentamente vinha em direção à casa. Apesar de as luzes da varanda não iluminarem a entrada da casa, Thibault reconheceu o carro imediatamente. Era o delegado ou um de seus policiais.

Elizabeth também reconheceu. — Não deve ser nada bom — resmungou.

— O que você acha que eles querem?

— Não são eles. É ele. Meu ex-marido — desceu a escada e foi até ele. — Espere aqui. Eu cuido disso.

Thibault fez sinal para Zeus sentar e ficar até o carro parar ao lado do carro de Elizabeth, do outro lado da casa. Pelos arbustos, viu a porta do passageiro se abrir e Ben sair, arrastando sua mochila atrás dele. Foi em direção a sua mãe, de cabeça baixa. Quando a porta do motorista se abriu, o policial Keith Clayton saiu.

Zeus rosnou, em sinal de alerta e prontidão, esperando o sinal de Thibault para ir atrás do cara. Elizabeth olhou surpresa para Zeus até Ben ficar perto da luz. Thibault e Elizabeth perceberam ao mesmo tempo que ele não estava de óculos e havia uma mancha roxa ao redor do seu olho.

— O que houve? — gritou Elizabeth, correndo na direção do filho. Agachou-se para poder analisar melhor o machucado. — O que você fez?

— Não foi nada — respondeu Clayton, aproximando-se deles. — É só uma batida.

Ben virou o rosto para que ela não visse.

— Onde estão os óculos dele? — disse Elizabeth, ainda tentando entender a situação. — Você bateu nele?

— Claro que não. Jesus Cristo! Jamais bateria nele. Quem você pensa que eu sou?

Elizabeth nem parecia ouvi-lo, sua atenção estava concentrada no filho. — Você está bem? Isso está com uma cara feia. O que aconteceu, querido? Você quebrou os óculos?

Sabia que ele não ia falar nada enquanto Clayton estivesse lá. Levantando o rosto dele, deu para ver que os vasos dos olhos tinham estourado e estavam vermelhos por causa do sangue.

— Com que força você lançou a bola? — ela perguntou, com uma expressão horrorizada.

— Não foi tão forte assim. Foi só uma batidinha. O olho dele está bem e até consegui consertar os óculos com fita adesiva.

— Foi muito mais do que uma batida! — o tom de voz dela aumentou, mal conseguia se controlar.

— Pare de agir como se fosse minha culpa — ele gritou de volta.

— É claro que a culpa é sua!

— Foi ele que não conseguiu pegar a bola! Só estávamos jogando beisebol. Foi um acidente, pelo amor de Deus! Não foi, Ben? Estávamos nos divertindo, não estávamos?

Ben olhava para o chão. — Sim — murmurou.

— Conte para ela o que aconteceu. Fale para ela que não foi minha culpa. Vamos, diga.

Ben mudou o peso do corpo de uma perna para a outra. — Estávamos jogando beisebol. Não consegui pegar uma bola e ela bateu no meu olho — segurou os óculos, grosseiramente consertados com fita adesiva. — Papai consertou meus óculos.

— Quando isso aconteceu? — perguntou Elizabeth.

— Há algumas horas.

— E você não me telefonou?

— Não. Fomos ao pronto atendimento.

— Ao pronto atendimento?

— Onde mais deveria levá-lo? Sabia que não poderia trazê-lo aqui sem primeiro passar por um médico, então foi o que fiz. Fiz o que qualquer pai responsável teria feito, assim como você fez quando ele caiu do balanço e quebrou o braço. E se você se lembra, não fiquei louco de raiva de você, assim como não fico louco de raiva quando você o deixa brincar na casa da árvore. Aquilo é uma armadilha mortal.

Ela estava chocada demais para falar e balançou a cabeça de desgosto. — De qualquer forma, ele quis voltar para casa.

— Está bem — disse, ainda lutando para encontrar palavras. Os músculos da sua mandíbula contraiam-se e retraiam-se. Achou melhor dispensá-lo. — Tanto faz. Vá embora. Pode deixar que eu cuido dele agora.

Com o braço ao redor de Ben, começou a ir embora, e foi nesse momento que Clayton viu Thibault sentado na varanda, olhando para ele. Os olhos de Clayton arregalaram-se antes de brilharem de raiva. Começou a ir em direção à varanda.

— O que você está fazendo aqui? — indagou.

Thibault simplesmente olhou para ele sem se mexer. O rosnado de Zeus começou a virar um latido ameaçador.

— O que ele está fazendo aqui, Beth?

— Vá embora, Keith. Falamos sobre isso amanhã — e virou as costas.

— Não dê as costas para mim — gritou, segurando no braço dela. — Só estou fazendo uma pergunta.

Nesse momento, Zeus rangeu os dentes e suas pernas começaram a tremer. Pela primeira vez, Clayton pareceu perceber a presença do cão, de dentes à mostra, com os pelos das costas arrepiados.

— Se eu fosse você, soltaria o braço dela — disse Thibault, em um tom neutro e calmo, dando mais uma sugestão do que uma ordem. — Agora.

Clayton, de olho no cachorro, largou imediatamente. Zeus deu um passo para frente, continuando a ranger os dentes.

— Acho que é melhor ir embora — disse Thibault com o mesmo tom de voz sereno.

Clayton hesitou um pouco, depois deu um passou para trás e deu meia-volta. Thibault o ouviu xingar em voz baixa no caminho até o carro, abrir a porta e batê-la com força.

Fez um carinho em Zeus. — Bom garoto — sussurrou.

Clayton deu marcha à ré, deu um cavalo de pau bem mal feito e saiu levantando cascalho. As luzes traseiras sumiram de vista e só então o pelo de Zeus finalmente abaixou. E ele abanou o rabo quando viu Ben se aproximar.

— Oi, Zeus — cumprimentou Ben.

Zeus olhou para Thibault como se estivesse pedindo permissão. — Tudo bem — disse, soltando-o. Zeus foi até Ben como se dissesse "estou feliz por você estar em casa!" Encostou o focinho nele e começou a acariciá-lo.

— Sentiu a minha falta, não foi? — perguntou, parecendo estar feliz. — Também senti a sua...

— Venha, querido — pediu Elizabeth, colocando-o a sua frente novamente. — Vamos entrar e colocar gelo nesse olho. Quero vê-lo na luz.

Quando abriram a porta de tela, Thibault levantou-se.

— Oi, Thibault — Ben acenou.

— Oi, Ben.

— Posso brincar com Zeus amanhã?

— Se sua mãe deixar, então tudo bem — Thibault percebeu ao olhar para Elizabeth que ela queria ficar sozinha com o filho. — É melhor ir andando. Está ficando tarde e tenho de levantar cedo amanhã.

— Obrigada. E desculpe tudo o que aconteceu.

— Não há nada do que se desculpar.

Caminhou até a entrada, depois virou-se para ver a casa. Percebeu o movimento por detrás das cortinas da janela da sala de estar.

Olhando para as sombras das duas figuras na janela, sentiu pela primeira vez que estava finalmente entendendo a razão que o havia levado até ali.

# Capítulo 14

# Clayton

De todos os lugares do mundo, tinha de encontrar o cara na casa da Beth. Quais eram as chances de isso acontecer? Com certeza, muito poucas.

Odiava aquele cara. Não. Era mais que isso. Queria destruir aquele cara. Não só por causa daquela história toda de roubar a máquina fotográfica e furar os pneus do carro, apesar de que aquilo definitivamente fazia com que ele merecesse passar um tempo na cadeia junto com uns viciados em anfetaminas bem violentos. E não era só porque Thibault tinha pego o cartão de memória da máquina. Era porque o mesmo cara que tinha tirado uma com a cara dele tinha feito com que ele parecesse um panaca na frente da Beth.

"Se eu fosse você, soltaria o braço dela" já tinha sido ruim o suficiente. Mas, e depois? Ah, foi aí que o cara errou feio. "Agora... acho que é melhor ir embora...", falando com aquele tom sério, calmo, do tipo "não mexa comigo" que o próprio Clayton usava com os criminosos. E ele realmente fez o que o cara mandou, saindo de mansinho de lá como um cachorro, com o rabo entre as pernas, o que só piorou as coisas.

Normalmente, não iria tolerar uma situação dessas nem por um segundo, mesmo com Beth e Ben por perto. Ninguém dava ordens a ele e se safava, e ele teria deixado bem claro que o cara tinha acabado de cometer o maior erro da vida dele. Mas não podia. Esse era o problema. Não com o "supercão" ao seu lado, de olho na sua genitália como se fosse um tira-gosto para o almoço de domingo. No escuro, aquela coisa até parecia com um lobo raivoso, o que o fazia se lembrar das histórias que Kenny Moore lhe contava sobre Panther.

Que diabos ele estava fazendo com Beth? Como é que aquilo tinha acontecido? Era como se existisse algum plano cósmico maligno para arruinar o que já tinha sido, em grande parte, um péssimo dia, começando pelo deprimido, mal-humorado Ben, que havia chegado ao meio-dia já reclamando logo de cara por ter de colocar o lixo para fora.

Ele era uma pessoa paciente, mas estava cansado dessa postura do menino. Estava bem cansado, por isso deu outras tarefas a ele depois do lixo. Fez o menino limpar a cozinha e os banheiros também, pensando em demonstrar a ele como o mundo real funcionava, onde o que importava realmente era uma postura decente. O poder do pensamento positivo e coisas do tipo. E, além disso, todo mundo sabia que as mães mimavam demais os filhos e eram os pais quem deviam ensinar que nada na vida vem de graça, certo? E ele se saiu muito bem em suas tarefas, como sempre, então, para Clayton, aquilo era um assunto resolvido e concluído. Que criança não iria querer jogar beisebol com seu pai em uma bela tarde de sábado?

Só Ben.

"Estou cansado. Está muito calor, papai. Temos de jogar mesmo?" Uma reclamação idiota atrás da outra até finalmente conseguir fazê-lo sair de casa, e aí o menino se fechou mais do que uma ostra e ficou mudo. E o pior, por mais que Clayton falasse para ele prestar atenção na maldita bola, ele não conseguia pegá-la, porque não estava nem tentando. Não havia dúvida de que estava fazendo de propósito. E ele ia correr para pegar a bola depois? Claro que não. Não o seu filho. Seu filho estava muito ocupado ficando de mau humor ao mesmo tempo em que jogava beisebol como um cego.

Isso tudo só serviu para deixá-lo com raiva. Estava tentando passar um tempo agradável com seu filho, mas ele não estava facilitando as coisas, tudo bem, talvez tenha jogado a bola um pouco mais forte da última vez. Mas o que aconteceu depois não foi culpa dele. Se o menino tivesse prestado atenção, a bola não teria ricocheteado na luva, e Ben não acabaria chorando como um bebê, como se estivesse morrendo ou algo do tipo. Como se fosse a única criança no mundo a ganhar um olho roxo jogando beisebol.

Mas isso tudo eram elucubrações. O menino tinha se machucado. Não tinha sido sério, e a mancha roxa desapareceria em algumas semanas. Em um ano, Ben teria se esquecido completamente, ou ficaria se gabando para os amigos de ter conseguido um olho roxo jogando beisebol.

Beth, por outro lado, jamais esqueceria. Guardaria esse rancor dentro dela por muito, muito tempo, mesmo sabendo que a culpa foi mais de Ben do que dele. Ela não entendia o simples fato de que todos os meninos sempre se lembravam com orgulho dos seus machucados feitos durante a prática de esportes.

Sabia que Beth iria exagerar hoje à noite, mas não necessariamente a culpava por isso. Mães sempre exageram, e Clayton já estava preparado para isso. Sentiu que deu conta de tudo muito bem, até mesmo no fim, quando avistou o cara com o cachorro sentado na varanda como se fosse o dono do lugar.

Logan Thibault.

É claro que na mesma hora se lembrou do nome. Tinha procurado pelo cara por alguns dias sem ter tido sorte e já tinha deixado para lá, pois achou que o cara tinha saído da cidade. Não tinha como aquele cara e seu cachorro não serem notados, certo? Foi por isso que havia desistido de perguntar às pessoas se o tinham visto.

Idiota.

Mas o que fazer agora? O que ele ia fazer com essa... mudança nos fatos?

Ia cuidar de Logan Thibault, disso tinha certeza, e não ia ser pego de surpresa de novo. O que significava que precisava de informações antes de fazer qualquer coisa. Precisava saber onde o cara morava, onde trabalhava, onde gostava de passar o tempo. Onde poderia encontrar o cara sozinho.

Era mais difícil do que parecia, especialmente por causa do cachorro. Tinha a sensação engraçada de que Thibault e o cachorro raramente se separavam. Mas ele ia descobrir como lidar com isso também.

Obviamente, precisava saber o que estava acontecendo entre Beth e Thibault. Não tivera notícias de ela ter saído com mais ninguém desde o tonto do Adam. Era difícil acreditar que Beth pudesse se envolver com Thibault, levando em consideração que ele sempre sabia o que estava acontecendo na vida da Beth. Francamente, não conseguia imaginar o que ela poderia ter visto em alguém como Thibault, em primeiro lugar. Ela tinha formação universitária; a última coisa que ia querer em sua vida era um vagabundo que tinha caído de paraquedas na cidade. O cara nem tinha carro.

Mas Thibault estava com ela em um sábado à noite, e obviamente isso significava alguma coisa. Em algum lugar, alguma coisa não fazia sentido. Ficou pensando sobre isso, imaginando se o cara poderia trabalhar lá... De qualquer forma, ia descobrir, e, quando descobrisse, ia dar um jeito nisso, e o Sr. Logan Thibault ia acabar detestando o dia em que resolveu colocar os pés na cidade de Clayton.

# Capítulo 15

# Beth

Domingo tinha sido o dia mais quente de todo o verão, com a temperatura e a umidade extremamente elevadas. Os lagos começaram a secar na região de Piedmont, os cidadãos de Raleigh estavam fazendo racionamento de água e, no sudoeste do Estado, as colheitas tinham começado a murchar diante do calor de rachar. Nas últimas três semanas, as florestas pareciam altamente inflamáveis, como que apenas esperando uma ponta de cigarro acesa ser jogada para acionar o fogo, ou um raio ou trovão; duas situações que pareciam inevitáveis. A única dúvida era saber quando e onde o fogo ia começar.

Os cães só ficavam bem quando estavam em seus canis, e até mesmo Logan estava sofrendo os efeitos do calor. Tinha diminuído cinco minutos de cada sessão de treinamento, e, quando levava os cachorros para passear, sempre ia para o riacho, onde eles podiam se molhar e se refrescar. Zeus entrava e saía da água várias vezes, e, apesar de Ben ter tentado começar um jogo de apanhar assim que voltou da igreja um dia, Zeus mostrou-se só um pouco interessado. Ben ligou um ventilador de chão na varanda da frente da casa, fazendo com que o vento chegasse até Zeus, enquanto lia *O assassinato de Roger Ackroyd*, um dos poucos livros de Agatha Christie que ainda não tinha lido. Parou de ler por pouco tempo para ir falar com Logan, não era nenhuma conversa especial, e depois voltou à leitura.

Era o tipo de preguiça dominical que Beth curtia, menos quando olhava para a mancha roxa no rosto de Ben e para os óculos grosseiramente consertados, sentia-se consumida pela raiva ao ver o que Keith tinha feito. Teria de levar Ben ao oftalmologista na segunda-feira para arrumar os óculos. Apesar do que havia dito, Keith tinha sim atirado a bola com muita força, e ela se perguntava que tipo de pai faria isso com o filho de 10 anos de idade.

Só Keith Clayton, obviamente.

Uma coisa era ter cometido o erro de ter se casado com ele, outra coisa era ter de pagar por esse erro pelo resto da vida. O relacionamento de Ben com o pai só parecia estar ficando cada vez pior. Ben precisava da figura masculina adulta na sua vida, e Keith era o pai dele, mas...

Balançou a cabeça. Parte dela queria simplesmente pegar Ben e sumir de lá. Mudar para outra parte do país e recomeçar. Era fácil fantasiar. Se tivesse coragem de fazer isso, resolveria seus problemas. Mas a realidade era outra. Ela tinha coragem, era todo o resto que tornava seu desejo impossível. Mesmo se Nana estivesse bem o suficiente para cuidar das coisas sozinha — mas ela não estava —, Keith iria encontrá-la onde quer que fosse. O vovô ia insistir que fizesse isso, e a justiça, incluindo o juiz Clayton, ia intervir. Seria bem provável que Keith ficasse com a guarda total durante o tempo em que ela estivesse fora. O tio de Keith iria garantir esse direito a ele; essa tinha sido a ameaça velada desde o divórcio, uma ameaça que tinha de ser levada a sério naquele condado. Talvez conseguisse apelar, mas quanto tempo levaria? Doze meses? Dezoito meses? Não ia arriscar ficar sem o Ben por tanto tempo. E a última coisa que queria era que ele passasse mais tempo com Keith.

A verdade era que Keith não queria a guarda total com a mesma intensidade que ela não queria concedê-la. Com o passar dos anos, tinham chegado a um acordo extraoficial; Keith veria Ben o menos possível, porém o suficiente para satisfazer a vontade do vovô. Não era justo que usassem Ben como um peão, mas o que mais ela poderia fazer? Não queria arriscar perdê-lo. Keith ia fazer o que fosse preciso para manter o dinheiro fluindo, e o vovô queria Ben por perto.

As pessoas gostam de imaginar que são livres para escolher seus próprios caminhos, mas Beth tinha aprendido que, às vezes, as escolhas podem ser ilusórias. Pelo menos em Hampton, onde a família Clayton controlava tudo. Vovô era sempre educado quando a encontrava na igreja, e, apesar de querer comprar a propriedade de Nana há anos, não dificultava a vida delas. Até agora. Mas em um mundo em que tudo é preto no branco, não há dúvida de que a família Clayton, incluindo o vovô, era mestre do cinza, e usava esse poder sempre que fosse conveniente. Cada membro da família havia crescido com a ideia de que era especial — iluminado, até — e por isso tinha ficado surpresa ao ver Keith indo embora tão rapidamente da sua casa na noite passada.

Ficou feliz por Logan e Zeus estarem lá. Logan cuidou da situação com perfeição, e ela ficou agradecida por ele não querer ficar por perto depois que Keith saiu. Entendeu que ela queria ficar sozinha com Ben e aceitou o fato com a mesma naturalidade com que havia feito Keith ir embora.

"Em tudo que fazia, Logan era calmo e decidido", refletiu. Quando falou de Drake, não aproveitou o momento para falar de si mesmo ou de seus próprios sentimentos, nem ficou dando conselhos. Essa era umas das razões pelas quais confiava nele e acabou contando tanto sobre sua vida. Estava um pouco chateada por causa do aniversário de Drake, mas, na verdade, sabia exatamente o que estava fazendo. Foi ela quem pediu para ele ficar, em primeiro lugar, e supôs que, lá no fundo, queria compartilhar aquelas histórias pessoais com ele.

— Ei, mamãe!

Beth virou-se para Ben. Seu olho ainda tinha uma aparência terrível, mas ela fingiu nem notar. — Que foi, querido?

— Você tem sacos de lixo e canudos?

— Claro. Por quê?

Thibault disse que ia me mostrar como fazer uma pipa e que poderíamos empinar quando ele terminar o trabalho.

— Parece divertido.

— Disse que costumava fazer quando era criança e que voava "pra caramba".

Ela sorriu. — Você só precisa disso? Saco de lixo e canudos?

— Já achei linha. E fita adesiva. Estavam no depósito do vovô.

Do outro lado do quintal, viu Thibault vindo na direção deles. Ben também percebeu.

— Oi, Thibault! — gritou. — Já podemos fazer a pipa?

— Vim perguntar se você já está pronto.

— Quase. Só faltam os sacos de lixo e os canudos.

Logan concordou com a cabeça. Quando ele se aproximou, Beth percebeu o formato de seus ombros e a cintura fina. Não era a primeira vez que reparava no físico dele, mas hoje sentiu quase como se estivesse... encarando. Virou o rosto, colocando a mão no ombro de Ben, subitamente sentindo-se ridícula. — Os sacos de lixo estão debaixo da pia, e os canudos estão na despensa, ao lado das bolachas. Você vai buscá-los ou quer que eu pegue para você?

— Eu pego — disse, depois virou-se para Logan: — Volto em um segundo.

Logan chegou ao pé da escada na mesma hora em que Ben entrou na casa.

— Vão fazer pipa? — perguntou, ao mesmo tempo surpresa e impressionada.

— Ele disse que estava entediado.

— Você sabe mesmo fazer?

— Não é tão difícil quanto parece. Quer ajudar?

— Não — disse. Bem de perto, percebeu a forma como o suor fazia a camiseta colar em seu peito, e rapidamente reprimiu seu olhar. — Vou deixar vocês dois fazerem. Mas trago uma limonada. E, depois, se estiver com fome, é nosso convidado. Não é nada de mais. Ben estava com vontade de cachorro-quente e espaguete com queijo.

Logan concordou. — Eu adoraria.

Ben voltou, sacos em uma mão e canudos na outra. Seu rosto, apesar das manchas roxas, estava animado.

— Peguei tudo! Vamos?

Logan e Beth continuaram entreolhando-se mais tempo do que o necessário, mas Beth sentiu seu pescoço enrubescer e desviou o olhar. Logan sorriu para Ben.

— Vamos!

Beth viu-se examinando Logan enquanto ele e Ben faziam a pipa. Estavam sentados na mesa de piquenique perto do grande carvalho, com Zeus a seus pés, e o vento ocasionalmente trazia o som de suas vozes até ela — Logan dizendo a Ben o que fazer em seguida, ou Ben perguntando se tinha feito corretamente. Estava claro que Ben estava gostando daquele pequeno projeto. Ben não parava de falar, errando de vez em quando, e Logan pacientemente arrumando com um pedaço a mais de fita adesiva.

Quando tinha sido a última vez que havia corado porque um homem tinha olhado para ela? Será que essa sua inibição recente tinha a ver com o fato de Nana não estar por perto? Nas duas últimas noites, quase se sentiu como se estivesse realmente sozinha pela primeira vez na vida. Afinal de contas, tinha saído da casa de Nana para casa de Keith e voltado para Nana, de onde nunca mais saiu. Apesar de gostar da companhia de Nana e da estabilidade, não era exatamente dessa forma que imaginava passar sua vida adulta. Já tinha sonhado em ter sua própria casa, mas nunca pareceu chegar o momento certo. Depois de Keith, ela precisava que Nana a ajudasse a cuidar de Ben; depois que Ben cresceu, tanto seu irmão quanto seu avô morreram, e Beth precisou do apoio de Nana tanto quanto Nana precisou do dela. E depois? Bem, quando ela estava finalmente pronta para encontrar um lugar só seu, Nana tem um AVC, e de forma alguma ela ia abandonar a mulher que a havia criado.

Mas, naquele momento, teve um inesperado vislumbre de como sua vida teria sido se as coisas tivessem tido um rumo diferente. Agora, vendo os pássaros voarem de árvore em árvore, sentou-se na varanda de uma casa que estaria vazia, caso a história tivesse sido outra, testemunhando o tipo de cenário que a fazia acreditar que tudo poderia estar bem no mundo. Mesmo de longe, dava para ver Ben concentrado enquanto Logan mostrava a ele os toques finais da pipa. De vez em quando, Logan inclinava-se para frente e dava instruções, sempre paciente e objetivo, mas deixando Ben com a maior parte da diversão. O fato de ele estar simplesmente trabalhando no projeto, corrigindo os erros de Ben sem raiva ou frustração, fez com que ela sentisse imensa gratidão e carinho em relação a ele. Ainda estava maravilhada com toda a novidade, quando os viu indo em direção ao centro do quintal. Logan segurou a pipa acima da cabeça, e Ben foi soltando a linha. Quando Ben começou a correr, Logan o seguiu permitindo que a pipa pegasse vento antes de soltá-la. Logan parou e olhou para o céu ao ver a pipa voando acima deles, e, quando aplaudiu Ben demonstrando uma alegria óbvia, Beth percebeu uma verdade bem simples: às vezes as coisas mais ordinárias podem transformar-se em extraordinárias, simplesmente se realizadas pelas pessoas certas.

Nana telefonou naquela noite para dizer que precisaria que fossem buscá-la na sexta-feira seguinte e, na sua ausência, Logan jantou com Ben e Beth todas as noites. Na maioria das vezes, foi Ben quem implorou para que ele ficasse, mas, a partir de quarta-feira, Beth já tinha percebido que Logan não só estava feliz de ficar com eles, como também aprovava que Ben continuasse com seu esquema. Talvez, às vezes pensava, Logan era tão inexperiente em termos de intimidade quanto ela.

Depois do jantar, geralmente iam caminhar. Ben e Zeus saíam correndo pelo caminho que dava no riacho, e ela e Logan iam atrás. Uma vez, foram em direção à cidade para ver as margens do South River, e sentaram-se debaixo da ponte que passava por cima dele. Às vezes, falavam sobre amenidades se tinha acontecido algo interessante no trabalho, ou se Logan tinha feito algum progresso na reorganização dos arquivos; outras vezes, ele parecia contente em caminhar ao lado dela sem dizer muito. Como Logan sentia-se muito confortável com o silêncio, surpreendentemente ela também se sentia.

Mas havia algo acontecendo entre eles, e ela sabia disso. Estava atraída por ele. Na escola, com seus alunos do segundo ano ao seu redor, via-se às vezes perguntando-se o que ele estaria fazendo naquele exato momento. Pouco a pouco, foi percebendo que não via a hora de ir para casa, porque isso queria dizer que ia vê-lo.

Na quinta-feira à noite, todos subiram no caminhão de Nana e foram até a cidade para comer uma *pizza*. Zeus foi na caçamba, com a cabeça de fora e as orelhas para trás. Por mais estranho que parecesse, Beth teve a estranha sensação de quase estar em um encontro, apesar de haver um acompanhante de 10 anos de idade com eles.

Foram à Luigi's Pizza, localizada em uma travessa calma no centro da cidade, entre um antiquário e um escritório de advocacia. De tijolos à vista, mesas de piquenique e painéis de madeira, o lugar tinha uma familiaridade aconchegante, parcialmente porque Luigi mantinha a mesma decoração desde que Beth era garotinha. No fundo do restaurante, os *video games* de Luigi eram dos anos de 1980: MS. Pac-Man, Millipede e Asteroides. Os jogos continuavam tão populares quanto tinham sido na época, provavelmente por não haver nenhuma outra loja de jogos na cidade.

Beth adorava aquele lugar. Luigi e sua esposa, Maria, tinham ambos mais de 60 anos, não só trabalhavam sete dias por semana, como moravam no apartamento em cima da pizzaria. Não tinham filhos e acabavam sendo pais substitutos de quase todos os adolescentes da cidade, e acolhiam a todos com uma aceitação incondicional que mantinha o lugar sempre lotado.

Naquela noite, a casa estava lotada com o mesmo tipo de frequentadores de sempre: famílias com crianças, homens vestidos como se tivessem acabado de terminar o expediente no escritório de advocacia ao lado, alguns casais de idade, e grupos de adolescentes aqui e ali. Maria iluminou-se ao ver Ben e Beth entrarem. Era baixinha e gorducha, com cabelos negros e um sorriso genuinamente caloroso. Veio na direção deles, pegando os cardápios no caminho.

— Olá, Beth. Olá, Ben — ao passar pela cozinha, enfiou a cabeça e gritou: — Luigi! Venha aqui, Beth e Ben estão aqui!

Ela fazia isso toda vez que Beth ia lá, e, apesar de ter certeza de que dava a todos a mesma recepção calorosa, ainda assim sentia-se especial.

Luigi veio correndo da cozinha. Como sempre, seu avental estava coberto de farinha, esticado na imensa cintura. Como ele ainda fazia as *pizzas*, e o restaurante estava sempre cheio, não tinha tempo para dar-lhes muito mais que um aceno. — É bom ver vocês. Obrigado por terem vindo.

Maria colocou a mão carinhosa no ombro de Ben. — Você está ficando muito alto, Ben! Já é um rapazinho. E você está linda como a primavera, Beth.

— Obrigada, Maria. Como vai você?

— A mesma de sempre. Sempre ocupada. E você? Ainda dando aulas, certo?

— Ainda dando aulas — Beth confirmou. Um pouco depois, a expressão de Maria ficou séria, e Beth previu a próxima pergunta. Em cidades pequenas, nada é segredo.

— E como vai Nana?

— Melhorando. Já está "pra lá e pra cá".

— Sim, ouvi falar que ela foi visitar a irmã.

— Como você sabe disso? — Beth não conseguiu esconder a surpresa.

— Quem sabe? — deu de ombros. — As pessoas falam, eu ouço. — Maria pareceu notar a presença de Logan pela primeira vez. — E quem é esse?

— Esse é meu amigo Logan Thibault — disse Beth, tentando não corar.

— Você é novo? Nunca o vi antes — Maria o olhava de cima a baixo com franca curiosidade.

— Acabei de me mudar para a cidade.

— Bem, você está com dois dos meus clientes prediletos. Venham. Vou arrumar um lugar para vocês em uma das cabines.

Maria indicou o caminho e colocou os cardápios nas mesas enquanto eles se sentaram. — Chá para todos?

— Seria ótimo, Maria — disse Beth. Assim que Maria foi para a cozinha, olhou para Logan. — Ela faz o melhor chá da região. Espero que não se importe.

— Por mim, tudo bem.

— Você pode me dar algumas moedas? — pediu Ben. — Quero jogar *video game.*

— Já imaginava — disse Beth, pegando a bolsa. — Peguei um pouco do pote de moedas antes de sairmos. Divirta-se. E não dê atenção a estranhos.

— Tenho 10 anos — disse, irritado. — Não 5.

Olhou Ben ir ao salão de jogos, divertida com sua resposta. Às vezes, ele falava como se estivesse no ensino médio.

— Esse lugar tem muita personalidade — comentou Logan.

— E a comida também é fantástica. Eles fazem *pizzas* no estilo de Chicago que não são desse mundo. Qual recheio você gosta?

Ele coçou o queixo — Hummm... muito alho, uma porção extra de anchovas.

Ela torceu o nariz. — Sério?

— Estou só brincando. Peça o que você normalmente pede. Gosto de qualquer coisa.

— Ben gosta de *pepperoni*.

— Então, vamos pedir *pepperoni*.

Lançou-lhe um olhar brincalhão. — Alguém já lhe disse alguma vez que você é muito fácil de se conviver?

— Ultimamente, não. Mas, também, não tive muitas pessoas com quem conversar enquanto caminhava.

— Você se sentiu sozinho?

— Não, por causa de Zeus. Ele é um bom ouvinte.

— Mas não pode participar da conversa.

— Não. Mas não ficou choramingando durante a caminhada, também. A maioria das pessoas teria feito isso.

— Eu não teria feito isso.

Logan não disse nada.

— Estou falando sério — protestou. — Poderia facilmente ter atravessado o país a pé.

Logan não disse nada.

— Tudo bem, você está certo. Choraria uma ou duas vezes.

Ele sorriu antes de dar uma olhada geral no restaurante. — Quantas pessoas daqui você conhece?

Olhando ao redor, Beth pensou: — Vi a maioria por aí no decorrer dos anos, mas quem realmente conheço? Talvez umas 30 pessoas?

Ele calculou que seriam mais da metade dos clientes. — Como é isso?

— Você está falando de todo mundo saber de tudo? Acho que depende do número de erros que você comete, já que é disso que a maioria acaba falando. Namoros, demissões, abuso de drogas ou álcool, acidentes de carro. Mas, por outro lado, se você for como eu, alguém puro como a neve que vagueia pelo vento, não é tão difícil.

Ele sorriu. — Deve ser ótimo ser você.

— E é mesmo. Digamos que você tem sorte de estar sentado na minha mesa.

— Disso não tenho dúvida.

Maria trouxe as bebidas. Ao sair, ergueu as sobrancelhas o suficiente para que Beth soubesse que tinha gostado da aparência de Logan e esperava que, mais cedo ou mais tarde, ficasse sabendo que eram mais do que amigos.

Beth tomou um pouco do chá e Logan também.

— O que achou?

— É doce, com certeza. Mas é saboroso.

Beth concordou e limpou a borda do copo com o guardanapo. Amassou-o e colocou-o de lado. — Quanto tempo pretende ficar em Hampton?

— O que você quer dizer com isso?

— Você não é daqui, tem formação universitária, um emprego que a maioria das pessoas detestaria e ganha mal por isso. Acho que minha pergunta é justa.

— Não penso em pedir demissão.

— Não foi isso que eu perguntei. Perguntei quanto tempo pretende ficar em Hampton. De verdade.

Seu tom não permitia evasivas, e Logan facilmente a imaginou colocando ordem em uma sala de aula indisciplinada. — De verdade?

Não sei. E digo isso porque aprendi nos últimos cinco anos a nunca dar nada como certo.

— Isso pode até ser verdade, mas, uma vez mais, não responde à pergunta.

Percebeu o desapontamento na voz dela e tentou encontrar a resposta certa. — Que tal assim? Até agora, gosto daqui. Gosto do meu trabalho, acho Nana maravilhosa, gosto de ficar com Ben, e no momento não tenho intenção alguma de sair de Hampton em um futuro próximo. Isso responde à sua questão?

Sentiu uma onda de ansiedade ao ouvir suas palavras e perceber seu olhar enquanto falava. Inclinou-se para frente e disse: — Percebi que você deixou algo importante de fora na lista de coisas de que gosta.

— Deixei?

— Sim. Eu — procurou ver uma reação em seu rosto ao esboçar um sorriso provocativo.

— Talvez tenha esquecido — respondeu com um sorrisinho.

— Acho que não.

— Sou tímido?

— Tente de novo.

Ele balançou a cabeça. — Não consigo pensar em mais nada.

Ela piscou para ele. — Vou te dar uma chance de pensar no assunto e talvez ter algo a me dizer. Então, podemos falar sobre isso novamente uma outra hora.

— Parece justo. Quando?

Envolveu o copo com as mãos, sentindo-se estranhamente nervosa com o que ia dizer em seguida. — Você está livre sábado à noite?

Se ele ficou surpreso com a pergunta, não deu para notar.

— Então, será sábado à noite — ergueu o copo e tomou um longo gole, sem tirar os olhos dela.

Nenhum dos dois percebeu que Ben tinha voltado à mesa.

— Já pediram a *pizza*?

Deitada na cama naquela noite, Beth olhava para o teto e perguntava a si mesma: “Onde eu estava com a cabeça?”

Havia tantas razões para evitar o que tinha feito. Não sabia quase nada sobre ele ou seu passado. Ele ainda escondia o motivo de ter vindo parar em Hampton, o que significava que não só não confiava nela, como ela também não confiava completamente nele. E não era só isso, ele trabalhava no canil, era empregado de Nana e praticamente ficava dentro da sua própria casa. O que iria acontecer se não desse certo? E se ele tivesse... expectativas que não fossem correspondidas por ela? Ele viria trabalhar na segunda-feira? Nana ficaria sozinha? Ela teria de desistir de dar aulas para voltar a ajudar Nana no canil?

Havia muitos prováveis problemas na situação toda, e, quanto mais pensava nisso, mais estava convencida de ter cometido um erro grave. Mas, mesmo assim... estava cansada de ficar sozinha. Amava Ben e amava Nana, mas ter passado algum tempo com Logan nos últimos dias a tinha feito lembrar o que estava perdendo. Gostava das caminhadas depois do jantar, gostava da maneira como ele olhava para ela, e gostava especialmente da postura dele com Ben.

Acima de tudo, achava ridiculamente fácil imaginar uma vida com Logan. Sabia que não o conhecia tempo suficiente para chegar a essa conclusão, mas não dava para negar essa intuição.

Será que ele era o homem da sua vida?

Não iria tão longe! Ainda nem tinham saído juntos. Era fácil idealizar alguém que mal se conhece.

Sentou-se, ajeitou o travesseiro e voltou a deitar. Bem, sairiam uma vez e iam ver o que aconteceria em seguida. Tinha esperanças, não podia negar esse fato, mas ia parar por aí. Gostava dele, mas com certeza não o amava. Pelo menos, por enquanto.

# Capítulo 16

# Thibault

No sábado à noite, Thibault esperou no sofá, imaginando se estava fazendo a coisa certa.

Em outra época e lugar, não teria pensado duas vezes. Sentia-se atraído por Elizabeth, com certeza. Gostava da sua franqueza e da sua inteligência, juntamente com seu senso de humor brincalhão e, claro, sua aparência. Por isso, não dava para imaginar como tinha ficado solteira por tanto tempo.

Mas não estava em outra época e lugar, e nada daquilo era normal. Trazia a fotografia dela consigo há mais de cinco anos. Atravessou o país por ela. Veio até Hampton e aceitou um emprego que o mantinha perto dela. Ficou amigo da avó dela, do filho dela e depois dela. E, agora, estava prestes a ter seu primeiro encontro com ela.

Tinha vindo por um motivo. Aceitou esse fato assim que saiu do Colorado. Aceitou o fato de que Victor estava certo. Contudo, ainda não tinha certeza de que encontrá-la — e tornar-se íntimo dela — era o motivo. Também não tinha certeza de que não era.

A única coisa de que tinha certeza era que estava esperando ansiosamente por seu primeiro encontro. Um dia antes, pensou o tempo todo sobre isso enquanto dirigia sozinho pela estrada para buscar Nana. Na primeira meia hora de volta a Hampton, Nana conversou sobre tudo, desde política até sobre a saúde da sua irmã, antes de virar para ele com um sorriso maroto que ele já conhecia.

— Então, quer dizer que você vai sair com a neta da patroa, hein?

Ele se mexeu no assento. — Ela te falou.

— Claro que ela me falou. Mas, mesmo se não tivesse me falado, sabia que isso ia acontecer. Dois jovens atraentes, solteiros e sozinhos? Sabia que isso ia acontecer no momento em que o contratei.

Thibault não disse nada, e, quando Nana falou, sua voz estava repleta de melancolia.

— Ela é doce como mel. Preocupo-me com ela às vezes.

— Eu sei.

A conversa tinha parado por ali, mas tinha sido suficiente para que soubesse que tinha o consentimento de Nana, algo que considerava importante, dado o lugar que Nana ocupava na vida de Elizabeth.

Agora, com a noite começando a cair, viu o carro de Elizabeth aproximando-se da casa, com a parte da frente balançando levemente ao passar pelos buracos. Ela não tinha falado nada a ele sobre aonde iriam, disse apenas que se vestisse informalmente. Ele saiu na varanda quando ela estacionou na frente da casa. Zeus veio atrás, com a curiosidade em alerta. Quando Elizabeth saiu e aproximou-se da fraca luz da varanda, tudo o que fez foi olhar para ela.

Como ele, estava de *jeans*, mas a blusa creme que usava realçava a sua pele bronzeada. Seus cabelos cor de mel caíam na altura do pescoço da blusa sem mangas, e ele percebeu que ela tinha uma maquiagem suave. Parecia familiar e, ao mesmo tempo, tentadoramente desconhecida.

Zeus desceu os degraus, balançando a cauda e latindo, e parou ao lado dela.

— Oi, Zeus. Sentiu minha falta? Foi um dia longo — disse, fazendo carinho nele, e Zeus latiu como que se queixando, antes de lamber a mão dela. — Isso sim foi um cumprimento — olhou para Thibault. — Como vai? Estou atrasada?

Tentou parecer descontraído. — Estou bem. E você chegou bem na hora. Estou feliz que tenha vindo.

— Pensou que eu não viria?

— Este lugar não é tão fácil de se encontrar.

— Não se você passou a vida inteira nesta cidade — apontou em direção à casa. — Então, esse é o seu lar?

— É.

— É legal — disse, olhando ao redor.

— Era o que você esperava?

— Sim. Sólido. Eficiente. Meio escondido.

Ele mostrou entender o duplo sentido com um sorriso, depois virou-se para Zeus e deu o comando para ficar na varanda.

Desceu a escada para aproximar-se dela.

— Ele vai ficar bem aqui fora?

— Vai. Não vai nem se mexer.

— Mas a gente vai demorar.

— Eu sei.

— Impressionante.

— Parece. Mas cães não têm muita noção de tempo. Em um minuto, não vai se lembrar de mais nada a não ser do fato de que tem de ficar ali. Mas não sabe o motivo.

— Como você aprendeu tanto sobre treinamento? — ela perguntou, curiosa.

— Principalmente nos livros.

— Você lê?

Ele fez uma cara zombeteira. — Sim. Surpresa?

— Sim. É difícil carregar livros em uma travessia a pé pelo país.

— Não se você se desfizer deles depois de lê-los.

Foram até o carro e, quando Thibault foi em direção à porta do motorista para abrir para ela, Elizabeth balançou a cabeça.

— Posso ter convidado você para sair, mas você é quem vai dirigir.

— E eu que pensei que estivesse saindo com uma mulher emancipada — protestou.

— Sou uma mulher emancipada, mas quem dirige é você. E paga a conta também.

Ele riu ao acompanhá-la até o outro lado. Quando se sentou atrás da direção, ela olhou para a varanda. Zeus parecia confuso com os acontecimentos, e ela o ouviu choramingar novamente.

— Ele parece triste.

— Deve estar. Raramente nos separamos.

— Malvado!

Sorriu pelo seu tom brincalhão e deu marcha à ré no carro.

— Devo ir ao centro da cidade?

— Não. Vamos sair da cidade hoje à noite. Vá para a estrada principal em direção à costa. Não vamos à praia, mas tem um lugar muito bom no caminho. Aviso quando nos aproximarmos da saída da estrada.

Thibault fez como ela falou, dirigindo pelas ruas tranquilas conforme ia ficando mais escuro. Em poucos minutos, chegaram à estrada, e, conforme o carro foi ganhando velocidade, as imagens das árvores dos dois lados da estrada ficaram indistintas. Sombras alongavam-se pela estrada, deixando o interior do carro escuro.

— Fale-me sobre Zeus.

— O que você quer saber?

— O que você quiser me contar. Algo que eu ainda não saiba.

Ele poderia ter dito: “Comprei-o porque a mulher da fotografia tinha um pastor-alemão”, mas não disse nada. — Comprei Zeus na Alemanha. Fui lá de avião e eu mesmo o escolhi.

— Sério?

Ele concordou. — O pastor na Alemanha é como a águia de cabeça branca nos Estados Unidos. É um símbolo do orgulho nacional, e os criadores levam seu trabalho muito a sério. Queria um cachorro que tivesse *pedigree* forte, sendo assim, tive de ir buscá-lo na Alemanha.

Zeus vem de uma longa linhagem de competidores e campeões de Schutzhund.

— O que é isso?

— Em Schutzhund, os cães são testados não só pela obediência, mas por busca e proteção. E a competição é intensa. Geralmente dura dois dias, e, via de regra, os vencedores tendem a ser os cães mais inteligentes e passíveis de treinamento de todos. Ele foi criado para ambas as coisas.

— E você deu todo o treinamento? — perguntou, impressionada.

—Desde quando ele tinha 6 meses. Quando viemos a pé do Colorado, treinava-o todos os dias.

— Ele é um animal incrível. Você poderia dá-lo a Ben, sabia? Ele ia adorar.

Thibault não disse nada.

Ela percebeu sua expressão e aproximou-se dele. — Estou brincando. Jamais tiraria seu cachorro de você.

Thibault sentiu o calor contínuo do corpo dela irradiar pelo seu.

— Se você não se importar com a minha pergunta, mas como Ben reagiu quando você disse que ia sair comigo hoje à noite?

— Reagiu bem. Ele e Nana já estavam planejando assistir a alguns vídeos. Falaram ao telefone durante a semana e combinaram de fazer uma noite de cinema. Marcaram a data e tudo mais.

— Eles sempre fazem isso?

— Costumavam fazer o tempo todo, mas será a primeira vez desde o AVC. Sei que Ben está superanimado com isso. Nana faz pipoca e deixa-o ficar acordado até mais tarde.

— Diferente da mãe, claro.

— Claro — sorriu. — O que você acabou fazendo hoje?

— Dando uma ajeitada na casa. Limpando, lavando roupa, fazendo compras, coisas do tipo.

Ela ergueu a sobrancelha. — Estou impressionada. Você é realmente um animal doméstico. Dá para fazer uma moeda pular em cima da cama depois de arrumá-la?

— Claro.

— Vai ter de ensinar o Ben a fazer isso.

— Se você quiser.

Do lado de fora, as primeiras estrelas começaram a surgir, e os faróis do carro dançavam pelas curvas da estrada.

— Para onde exatamente estamos indo? — perguntou Thibault.

— Você gosta de caranguejo?

— Adoro!

— Já é um bom começo. E de dançar *shag*?

— Nem sei o que é isso.

— Bem, digamos que você vai ter de aprender rapidamente.

Quarenta minutos depois, Thibault estacionou na frente de um lugar que parecia ter sido um armazém. Elizabeth o tinha levado à área industrial do centro da cidade de Wilmington, e eles pararam o carro na frente de um prédio de três andares, com tábuas largas, envelhecidas ao lado. Não tinha muita diferença dos prédios vizinhos, não fosse por um estacionamento com quase 100 carros estacionados e uma pequena passarela de madeira circundando o prédio, iluminada pelas mesmas luzes brancas e baratas, usadas no Natal.

— Como é o nome desse lugar?

— *Shagging for crabs.*[10]

— Original. Mas estou tendo dificuldades em ver esse local como uma grande atração turística.

— Não é, é restrito às pessoas da região. Uma das minhas amigas da faculdade me deu a indicação, e eu sempre quis vir.

— Você nunca veio aqui?

— Não. Mas sei que é muito divertido.

E assim foi em direção à passarela de madeira. Bem à frente, o rio brilhava, como se seu interior estivesse iluminado. O som da música ia ficando cada vez mais alto. Quando abriram a porta, a música os atingiu

10. O nome do restaurante é uma referência ao tipo de dança e alimentação lá oferecidos. Literalmente, significa “dançando *shag* por caranguejos”. (N.T.)

como uma onda, e o aroma dos caranguejos na manteiga envolvia o ar. Thibault fez uma pausa para se adaptar a tudo aquilo.

O enorme interior do edifício era rústico e sem adereços. A parte da frente estava lotada de várias mesas de piquenique cobertas com toalhas plásticas vermelhas e brancas, que pareciam grampeadas à madeira. As mesas estavam cheias e barulhentas, e Thibault viu garçonetes servindo baldes de caranguejos em todas as mesas. Nos centros das mesas havia pequenas vasilhas com manteiga derretida e vasilhas ainda menores à frente. Todos usavam babadores de plástico e pegavam os caranguejos nos baldes gigantes, comendo-os com as mãos. Cerveja parecia ser a bebida eleita.

Bem na frente deles, do lado que fazia margem com o rio, havia um bar comprido — se é que aquilo poderia ser chamado de bar. Parecia ser feito de madeira rejeitada, colocada em cima de alguns velhos barris. As pessoas faziam filas triplas para serem servidas. Do lado oposto do edifício, ficava o que parecia ser a cozinha. O que mais lhe chamou a atenção foi o palco montado do outro lado do prédio, onde Thibault viu uma banda tocando “My girl”, dos Temptations. Havia, pelo menos, 100 pessoas dançando na frente do palco, seguindo os passos de uma dança que ele não conhecia.

— Uau — gritou.

Uma mulher magra, aparentando uns 40 e poucos anos, ruiva e de avental, aproximou-se deles. — Olá. Comer ou dançar?

— Os dois — disse Elizabeth.

— Nomes?

Eles se entreolharam. — Elizabeth... — ele disse.

— E Logan — ela concluiu.

A mulher anotou os nomes deles em um bloco de papel.

— Agora, a última pergunta: diversão ou família?

Elizabeth ficou confusa. — Como?

A mulher estourou o chiclete. — Vocês nunca vieram aqui antes, vieram?

— Não.

— É assim. Vocês vão ter de dividir a mesa com alguém. É assim que funciona aqui. Todo mundo divide. Agora, vocês podem pedir diversão, o que significa que querem uma mesa cheia de energia, ou podem pedir família, o que é geralmente mais tranquilo. Mas não posso garantir como vai ser a sua mesa. Só faço a pergunta. Então, o que será? Família ou diversão?

Elizabeth e Thibault entreolharam-se novamente e chegaram à mesma conclusão.

— Diversão — disseram ao mesmo tempo.

Acabaram indo parar em uma mesa com seis estudantes da Universidade da Carolina do Norte, em Wilmington. A garçonete os apresentou como Matt, Sarah, Tim, Allison, Megan e Steve, e os estudantes ergueram seus copos e disseram juntos: — Olá, Elizabeth! Olá, Logan! Nós temos *crabs*!

Thibault segurou o riso diante do trocadilho — a palavra *crab* era uma gíria para uma espécie de micose adquirida durante relações sexuais, o que era obviamente o que eles queriam dizer — mas ficou confuso quando percebeu que eles estavam inesperadamente encarando-o.

A garçonete sussurrou: — Vocês devem dizer: queremos *crabs*, principalmente se vocês passarem para nós.

Dessa vez, ele riu, junto com Elizabeth, antes de dizer o que tinha de dizer, participando do ritual que todo mundo parecia seguir por ali.

Sentaram de frente um para o outro. Elizabeth acabou sentando ao lado de Steve, que não conseguia esconder o fato de tê-la achado extremamente atraente, enquanto Thibault sentou-se ao lado de Megan, que não mostrou interesse algum por ele, pois estava muito mais interessada em Matt.

Uma garçonete gorducha e cabeluda passou por eles, e mal parou para dizer: — Mais *crabs?*

— Pode me dar *crabs* a hora que quiser — os estudantes respondiam em coro. À sua volta, Thibault ouviu a mesma resposta inúmeras vezes. A outra opção que também se ouvia era: "Não acredito que você me passou *crabs*", que dava a entender que não era para servir mais.

Ele se lembrou do *The Rocky Horror Picture Show*[11], em que os clientes sabiam todas as respostas oficiais, e os novatos iam aprendendo com eles.

A comida era de primeira classe. O cardápio só tinha um único item, preparado de uma única maneira, e todo balde vinha com guardanapos extras e babadores. Restos de caranguejos eram jogados nos centros das mesas — uma tradição — e, de vez em quando, adolescentes usando aventais vinham retirá-los.

Como prometido, os estudantes eram barulhentos. Contavam piadas sem parar, muitas indiretas inofensivas para Elizabeth, e duas cervejas para cada um, o que só aumentava a euforia. Depois do jantar, Thibault e Elizabeth foram ao toalete para lavar as mãos. Quando voltaram, ela pegou no braço dele.

— Pronto para dançar *shag*? — perguntou sugestivamente.

— Não tenho certeza. Como é que se faz?

— Aprender a dançar o *shag* é como aprender a ser sulista. É aprender a relaxar enquanto você ouve o oceano e sente a música.

— Suponho que já tenha feito isso antes.

— Uma ou duas vezes — disse, com falsa modéstia.

— E você vai me ensinar?

— Serei sua parceira. Mas a aula começa às 21 horas.

— A aula?

— Todo sábado à noite. É por isso que está tão lotado. Eles dão aulas para iniciantes enquanto os frequentadores habituais descansam, e faremos o que eles mandarem. Começa às 21 horas.

— Que horas são?

Ela olhou no relógio. — É hora de aprender o *shag*.

Elizabeth dançava muito melhor do que havia dado a entender, o que, felizmente, fez com que ele não parecesse tão mal na pista de dança também. Mas o melhor de dançar com ela era a descarga quase elétrica que sentia

11. *The Rocky Horror Picture Show* (br: *The Rocky Horror Picture Show* / pt: Festival Rocky de Terror) (lançado primeiramente no Reino Unido em 14 de agosto de 1975) é uma comédia musical de horror, dirigida por Jim Sharman a partir da peça de autoria dele mesmo e de Richard O'Brien, que compôs as canções. (N.T.)

sempre que tocava ou sentia o cheiro dela quando girava seus braços, uma mistura de calor e perfume. Seu cabelo ficava selvagem com o ar úmido, e sua pele brilhava ao transpirar, deixando-a mais natural e indomada. De vez em quando, olhava para ele ao girar, seus lábios se abriam em um sorriso já conhecido, como se soubesse exatamente o efeito que provocava nele.

Quando a banda resolveu fazer um intervalo, seu primeiro instinto foi sair da pista junto com a multidão, mas Elizabeth o fez parar quando a gravação tocou "Unforgettable", de Nat King Cole. Ela olhou para ele e na mesma hora ele soube o que devia fazer.

Sem falar nada, deslizou um braço em suas costas e segurou na mão dela, colocando-se em posição. Ficaram olhando um para o outro enquanto ele a puxava para mais perto de si, e, bem devagar, começaram a se mover ao ritmo da música, girando em suaves círculos.

Thibault mal prestava atenção nos outros casais que se movimentavam na pista. Conforme a música tocava ao fundo, Elizabeth encostou-se tão próxima a ele que dava para sentir sua respiração lânguida e lenta. Ele fechou os olhos quando ela aninhou sua cabeça no ombro dele e, naquele instante, nada mais parecia ter importância. Nem a música, nem o lugar, nem os outros casais a sua volta. Entregou-se para sentir o corpo dela junto ao seu, girando lentamente pelo chão coberto de serragem, perdido em um mundo que parecia ter sido feito só para os dois.

Dirigindo pelas ruas escuras, Thibault segurava a mão dela e sentia seu dedo deslizar lentamente pela mão dele no silêncio do carro.

Quando ele estacionou na garagem um pouco antes das 23 horas, Zeus ainda estava na varanda e levantou a cabeça quando Thibault desligou o carro. Virou-se para olhar para ela.

— Tive uma noite maravilhosa — murmurou. Esperava que ela fosse dizer o mesmo, mas surpreendeu-se com sua resposta.

— Você não vai me convidar para entrar? — sugeriu ela.

— Sim — ele respondeu, simplesmente.

Thibault abriu a porta para Elizabeth, e Zeus sentou-se e só levantou-se quando ela saiu. Começou então a abanar o rabo.

— Oi, Zeus.

— Venha — Thibault deu o comando, e o cachorro saiu da varanda e veio correndo até eles. Rodeou os dois, emitindo latidos agudos. A boca meio aberta como se estivesse sorrindo para conseguir a atenção deles.

— Ele sentiu a nossa falta — disse, abaixando-se. — Sentiu, não é garotão? — quando abaixou, Zeus lambeu seu rosto. Ela se levantou e torceu o nariz antes de limpar o rosto. — Isso foi nojento.

— Não para ele — disse Thibault, que apontou para a casa. — Vamos? Tenho de avisá-la para não esperar muito.

— Tem cerveja na geladeira?

— Tem.

— Então, não tem por que se preocupar.

Subiram a escada da varanda. Thibault abriu a porta e acendeu a luz; um abajur com uma única lâmpada proporcionava uma iluminação fraca perto de uma poltrona ao lado da janela. No meio da sala havia uma mesa de centro, decorada apenas com algumas velas; de frente para ela, havia um sofá de tamanho médio. Tanto o sofá quanto a poltrona estavam cobertos com uma capa azul-marinho e, atrás deles, uma estante continha uma pequena coleção de livros. Um porta-revista vazio junto com outro abajur completavam o mobiliário minimalista.

Mesmo assim, era um lugar limpo. Thibault já tinha falado sobre isso um pouco mais cedo, naquela mesma noite. O piso de madeira tinha sido esfregado, as janelas lavadas, e ele tinha tirado o pó de tudo na sala. Não gostava de bagunça e desprezava pó. A poeira sem fim no Iraque só tinha reforçado sua tendência a ter mania de limpeza.

Elizabeth examinou a cena antes de andar pela sala.

— Gostei — disse. — Onde comprou a mobília?

— Faz parte da casa.

— O que explica as capas.

— Exatamente.

— Não tem televisão?

— Não.

— Rádio?

— Não.

— O que você faz quando está aqui?

— Durmo.

— E?

— Leio.

— Romances?

— Não — disse, depois mudou de ideia. — Na verdade, alguns. Mas a maioria dos livros que leio são biografias e livros históricos.

— Nada de livros sobre antropologia?

— Tenho um livro de Richard Leakey. Mas não gosto de muitos dos livros da pesada antropologia pós-moderna que parecem dominar o campo atualmente e, de qualquer forma, não são livros fáceis de ser encontrados em Hampton.

Andou ao redor da mobília, passando a mão na capa do sofá. — Sobre o que ele escreveu?

— Quem? Leakey?

Ela sorriu — Sim. Leakey.

Mordeu os lábios, tentando organizar o pensamento. — A antropologia tradicional está principalmente interessada em cinco áreas: quando o homem começa a evoluir, quando começa a andar ereto, por que há tantas espécies de hominídeos, por que e como essas espécies evoluíram, e o que tudo isso quer dizer para a evolução da história do homem moderno. O livro de Leakey trata dos quatro últimos, com ênfase especial em como o surgimento das ferramentas e das armas influenciou na evolução do *Homo sapiens*.

Ela não conseguia esconder o fato de estar se divertindo, mas dava para perceber que também estava impressionada.

— Já volto. Fique à vontade.

Voltou com duas garrafas de cerveja e uma caixa de fósforos. Elizabeth estava sentada no meio do sofá; deu uma garrafa a ela e sentou-se ao seu lado, deixando os fósforos na mesa.

Ela imediatamente pegou a caixa de fósforos e acendeu um, observando a pequena chama tremeluzindo para a vida. Com agilidade, levou-o até os pavis, acendendo as duas velas, depois apagou o fósforo.

— Espero que não se importe. Adoro o aroma de velas.

— De forma alguma.

Ele se levantou do sofá e apagou o abajur, a sala estava agora iluminada pelo tímido brilho das velas. Ele sentou-se mais perto dela quando voltou ao sofá, observando-a olhar para a vela. Tomou um gole de cerveja, imaginando no que ela poderia estar pensando.

— Sabe há quanto tempo que não fico sozinha à luz de velas com um homem? — disse, virando o rosto para ele.

— Não — ele respondeu.

— Foi uma pegadinha, porque a resposta é nunca — ela mesma parecia surpresa com o fato. — Não é estranho? Já fui casada, tenho um filho, já namorei, e isso nunca tinha acontecido antes — hesitou. — E se você quer saber a verdade, esta é a primeira vez que estou sozinha com um homem, na casa dele, desde que me divorciei — disse, quase envergonhada. — Me diga uma coisa — disse, com o rosto bem próximo ao dele. — Você teria me convidado para sair se a iniciativa não tivesse sido minha? Responda com sinceridade. Vou saber se você estiver mentindo.

Rodou a garrafa com as mãos. — Não sei ao certo.

— Por que não? — pressionou. — Qual o problema comigo...

— Não tem nada a ver com você — interrompeu. — Tem mais a ver com o que Nana poderia pensar.

— Por que ela é sua chefe?

— Porque ela é sua avó. Porque a respeito. Mas, principalmente, porque respeito você. Me diverti muito hoje à noite. Não consigo imaginar ter passado uma noite melhor na companhia de ninguém mais nos últimos cinco anos.

— E ainda assim você não teria me convidado? — ela parecia confusa.

— Não disse isso. Disse que não tinha certeza.

— O que é o mesmo que não.

— O que significa que estava procurando encontrar uma maneira de convidá-la sem ofendê-la, mas você foi mais rápida. Entretanto, se estiver perguntando se eu queria convidá-la para sair, a resposta é sim, eu queria.

Tocou seu joelho no dela. — De onde vem tudo isso?

— Digamos que não sou uma mulher de sorte no mundo dos relacionamentos afetivos.

Ele sabia que era melhor ficar em silêncio, mas, quando ergueu o braço, sentiu-a aninhando-se debaixo dele. — No começo, eu não me importava — disse, finalmente. — Quer dizer, estava tão ocupada com Ben e a escola, que não prestava muita atenção nisso. Mas depois, quando continuava acontecendo, comecei a pensar mais no assunto. Pensava sobre mim. E me fazia as perguntas mais absurdas possíveis. Será que estava fazendo algo errado? Será que não estava prestando atenção suficiente? Será que tenho um cheiro esquisito? — tentou sorrir, mas não conseguia esconder totalmente a tristeza interior e a dúvida. — Como disse, absurdos. Porque de vez em quando conhecia uma pessoa e achava que estávamos nos dando bem e, de repente, ele deixava de aparecer. Não só parava de telefonar, mas agia como se eu tivesse uma doença contagiosa. Não entendia. Ainda não entendo. E isso me incomodava. Me machucava. Com o tempo, foi ficando cada vez mais difícil culpar os homens, e finalmente cheguei à conclusão de que havia algo errado comigo. Que simplesmente estava destinada a viver minha vida sozinha.

— Não há nada de errado com você — disse, pressionando o braço dela para dar-lhe segurança.

— Se você me der uma chance, pode ter certeza de que vai encontrar alguma coisa.

Thibault pôde perceber a mágoa por trás da brincadeira.

— Não. Não acho que vou.

— Você é um doce.

— Sou honesto.

Ela sorriu e tomou um gole de cerveja. — A maior parte do tempo.

— Você não me acha honesto?

Ela deu de ombros. — Como disse. A maior parte do tempo.

— O que isso quer dizer?

Colocou a garrafa de cerveja na mesa e organizou seus pensamentos. — Acho que é uma pessoa maravilhosa. É esperto, trabalhador, gentil, e é maravilhoso com Ben. Isso eu sei, ou pelo menos acho que sei, porque isso eu vi. Mas é o que você não diz que me faz ter dúvidas a seu respeito. Digo a mim mesma que conheço você, mas, quando penso nisso, percebo que não é verdade. Como você era na faculdade? Não sei. O que aconteceu com você depois disso? Não sei. Sei que você esteve no Iraque e sei que veio do Colorado a pé, mas não sei o porquê. Quando pergunto, você diz que Hampton pareceu ser um lugar agradável. Você é uma pessoa inteligente, com nível universitário, mas está feliz em trabalhar por um salário-mínimo. Quando pergunto o porquê, você diz que é porque gosta de cachorros — ela passou as mãos pelos cabelos. — A questão é esta: sinto que você está me falando a verdade, só que você não está me falando toda a verdade. E a parte que está deixando de fora é a parte que me ajudaria a entender quem você é.

Ouvindo-a, Thibault tentou não pensar no que não tinha dito a ela. Sabia que não podia contar tudo; nunca contaria tudo a ela. Ela jamais entenderia, mas... ela queria saber quem ele realmente era. Mais do que tudo, percebeu que queria que ela o aceitasse.

— Não falo sobre o Iraque porque não gosto de me lembrar do tempo que passei lá.

Ela balançou a cabeça. — Você não tem que me falar se não quiser...

— Quero — disse em um tom calmo. — Sei que você lê os jornais, então provavelmente tem uma imagem de como é. Mas não é como imagina, e não há nenhum jeito de poder trazer essa realidade para você. É algo que tem de ser vivido. Quer dizer, a maior parte do tempo não era tão ruim como você deve achar que era. Grande parte do tempo — a maior parte — era normal. Mais fácil para mim do que para os outros, já que eu não tinha esposa e filhos. Tinha amigos. Tinha rotinas a serem cumpridas. A maior parte do tempo, remava conforme a maré. Mas, às vezes, ficava muito ruim.

Ruim demais. Ruim a ponto de me querer fazer esquecer que alguma vez tinha estado lá.

Ela ficou em silêncio antes de dar um longo suspiro.

— E você veio parar aqui em Hampton por causa do que houve no Iraque?

Ele tirou o rótulo da garrafa de cerveja, descolando o canto devagar e esfregando o vidro com a unha. — De certa forma, sim.

Ela percebeu sua hesitação e colocou a mão no braço dele. O calor dela pareceu liberar algo que estava preso dentro dele.

— Victor era meu melhor amigo no Iraque. Ele esteve comigo nas três vezes em que estive lá. Nossa unidade sofreu muitas baixas, e, no fim, decidi apagar tudo o que vivi naquele lugar. E consegui, quase tudo, mas para Victor não foi tão fácil assim. Ele não conseguia parar de pensar nisso. Depois da nossa dispensa, seguimos caminhos distintos, tentando recomeçar a vida. Ele voltou para a Califórnia e eu para o Colorado, mas ainda precisávamos um do outro, sabe? Nos falávamos ao telefone, enviávamos *e-mails* nos quais nós dois fingíamos que estava indo tudo bem com o fato de que havíamos passado os últimos quatro anos tentando não ser mortos todo santo dia; as pessoas aqui agiam como se fosse o fim do mundo quando não conseguiam estacionar o carro na vaga que queriam ou quando o café comprado no Starbucks vinha com o sabor errado. Bem, acabamos nos encontrando para uma pescaria em Minnesota...

Fez uma pausa, não querendo lembrar o que havia acontecido, mas sabendo que era preciso. Deu um longo gole na sua cerveja e colocou a garrafa na mesa.

— Isso aconteceu no outono passado... estava tão feliz por vê-lo novamente. Não falamos sobre o Iraque, mas não era necessário. Passar alguns dias na companhia de alguém que sabia o que se tinha passado era suficiente para nós dois. Nessa época, Victor estava indo bem. Não estava ótimo, mas estava bem. Estava casado, com um bebê a caminho, e lembro-me de pensar que, apesar de ele ainda ter pesadelos e alguns *flashbacks*, ele ia ficar bem.

Olhou para ela com uma emoção que não conseguia nomear.

— Em nosso último dia, fomos pescar bem cedo. Estávamos só nós dois em um pequeno barco a remo e, conforme remávamos, o lago estava imóvel como vidro, como se fôssemos as primeiras pessoas a entrar naquelas águas. Lembro-me de ter visto um falcão voando sobre o lago e da sua imagem refletida diretamente na água, pensando que nunca tinha visto nada tão lindo — balançou a cabeça diante da lembrança. — Planejávamos terminar antes de o lago ficar muito cheio; depois íamos para a cidade para tomar cerveja e comer churrasco. Uma pequena comemoração para finalizar nossa viagem. Mas perdemos a noção do tempo e acabamos ficando no lago mais do que pretendíamos.

Começou a massagear as têmporas, tentando manter a compostura. — Já tinha visto a lancha mais cedo. Não sei por que prestei atenção naquela em particular dentre todas as outras. Talvez o tempo em que fiquei no Iraque tivesse a ver com isso, mas lembro-me de ter dito a mim mesmo para ficar de olho neles. Mesmo assim, era estranho. Não que eles estivessem fazendo alguma coisa muito diferente dos outros por lá. Eram só alguns adolescentes se divertindo, praticando esqui aquático e *tubing*[12]. Havia seis na lancha — três rapazes e três moças — e dava para ver que estavam lá para curtir a água pela última vez enquanto ainda estava quente o suficiente.

Quando continuou, sua voz estava mais rouca. — Pressenti o que ia acontecer, e sabia que íamos nos dar mal antes mesmo de acontecer. Há um som específico que um motor faz quando vem em sua direção em alta velocidade. É como se o ronco começasse a se arrastar atrás do motor por um milionésimo de segundo que o cérebro só consegue perceber de forma subconsciente, e sabia que algo de ruim iria acontecer. Mal tive tempo de virar a cabeça quando vi a proa vindo em nossa direção a mais de 50 quilômetros por hora. Nesse momento, Victor percebeu o que estava acontecendo, ainda consigo me lembrar de seu olhar — era uma

12. Atividade recreativa em que a pessoa se senta ou se deita em uma boia presa a uma corda e é puxada pela lancha. Muito comum na atualidade. (N.T.)

mistura terrível de medo e surpresa — o mesmo olhar que tinha visto nos rostos de milhares de amigos no Iraque um pouco antes de morrerem.

Thibault expirou lentamente. — A lancha partiu nosso barco ao meio. Atingiu Victor bem na cabeça e o matou instantaneamente. Em um minuto estávamos conversando sobre como ele estava feliz com sua esposa, e, no outro, meu melhor amigo — o melhor amigo que tive na vida — estava morto.

Elizabeth colocou a mão no ombro dele e apertou. Estava pálida. — Sinto muito...

Ele não parecia ouvir.

— Não é justo, sabe? Sobreviver a três idas ao Iraque, sobreviver ao que passamos por lá... para morrer em uma pescaria? Não fazia sentido. Depois disso, não sei, fiquei bem desequilibrado. Não fisicamente. Mas mentalmente, é como se tivesse caído em um buraco profundo por um bom tempo. Apenas, desisti. Não conseguia comer, só dormia algumas horas por noite, e havia momentos em que não conseguia parar de chorar. Victor tinha confessado a mim que era assombrado por visões de soldados mortos, e, depois da morte dele, comecei a ter as mesmas visões. Toda vez que tentava dormir, via Victor ou cenas dos combates que tínhamos vivenciado e não conseguia parar de tremer. A única coisa que me impediu de enlouquecer completamente foi Zeus.

Parou para olhar para Elizabeth. Apesar das suas lembranças, sentia-se impressionado pela beleza do rosto dela e pelo dourado do cabelo.

Seu semblante mostrava compaixão. — Nem sei o que dizer.

— Eu também não. Até hoje, não sei o que dizer.

— Você sabe que não foi culpa sua, não sabe?

— Sim. Mas esse não é o fim da história — colocou sua mão sobre a dela sabendo que tinha ido longe demais para parar por ali.

— Victor gostava de falar sobre destino. Acreditava piamente em coisas desse tipo e, no nosso último dia juntos, disse que eu saberia qual seria meu destino quando o encontrasse. Não conseguia tirar esse pensamento da cabeça, por mais que tentasse. Não parava de ouvi-lo dizer isso e, aos poucos, comecei a perceber que não tinha certeza de onde encontrá-lo. Sabia que não estava no Colorado. Finalmente, coloquei a mochila nas costas e comecei a andar. Minha mãe achou que tivesse perdido o juízo. Mas a cada passo que dava na estrada, começava a sentir-me renovado. Como se a viagem fosse o necessário para a minha cura. E quando cheguei a Hampton, sabia que não precisava mais continuar. Era para lá que deveria ter ido.

— Então, ficou.

— Sim.

— E o seu destino?

Ele não respondeu. Contou a ela toda a verdade que podia, e não queria mentir. Olhou para a mão dela debaixo da sua e, subitamente, tudo parecia ser um erro. Sabia que devia terminar com tudo o quanto antes. Levantar do sofá e levá-la até o carro. Dizer boa-noite e ir embora de Hampton antes do nascer do sol no dia seguinte. Mas não conseguia, não tinha energia para levantar do sofá. Era como se uma força maior o segurasse, e virou-se para ela sentindo-se novamente impressionado. Tinha atravessado o país a pé à procura de uma mulher que só conhecia por meio de uma fotografia, e acabou lentamente, mas definitivamente, apaixonando-se por essa mulher real, vulnerável, bonita, que o fazia sentir-se vivo de uma forma que não sentia desde a guerra. Não entendia inteiramente a situação, mas nunca tivera tanta certeza de um fato na sua vida.

O que viu no olhar dela foi o suficiente para lhe dizer que ela se sentia exatamente da mesma forma, e ele gentilmente puxou-a para perto de si. Aproximou seu rosto do dela e sentiu sua respiração quente ao tocar seus lábios uma vez, duas, até finalmente selá-los com um beijo.

Segurou os cabelos dela com suas mãos e beijou-a com tudo que tinha, com tudo que queria ser. Sentiu um suave murmúrio de prazer ao deslizar seus braços ao redor dela. Abriu a boca levemente e sentiu a língua dela contra a sua, e, subitamente, sabia que ela era a pessoa certa para ele, que o que estava acontecendo era a coisa certa para os dois. Beijou o rosto dela e o pescoço, mordiscando suavemente, depois beijou seus lábios novamente. Levantaram-se do sofá, ainda entrelaçados, e ele a levou silenciosamente ao quarto.

Fizeram amor sem pressa alguma. Thibault movia-se por cima dela, desejando que aquele momento durasse para sempre, sussurrando seu amor por ela. Sentia o corpo dela tremer de prazer repetidamente. Depois, aninhou-se em seus braços. Conversaram, riram e acariciaram-se, e depois de terem feito amor pela segunda vez, ele deitou-se ao lado dela, olhando em seus olhos antes de deslizar os dedos gentilmente em seu rosto. Sentiu que as palavras emergiram de dentro dele, as quais nunca imaginou dizer a alguém.

— Eu te amo, Elizabeth — sussurrou, sabendo que suas palavras eram verdadeiras em todos os sentidos.

— Eu também te amo, Logan.

# Capítulo 17

# Clayton

Keith Clayton olhou para Beth saindo da casa, sabendo exatamente o que tinha acontecido lá dentro. Quanto mais pensava naquilo, mais queria segui-la e ter uma conversinha com ela assim que chegasse em casa. Explicar a situação de uma forma que ela entendesse, para que ela percebesse que esse tipo de comportamento não era aceitável. Daria um tapa ou dois, não tão forte para machucar, mas o suficiente para que soubesse que ele não estava de brincadeira. Não que isso fosse adiantar alguma coisa. E não que realmente fosse bater. Nunca tinha batido nela. Não era o tipo de homem.

Que diabos estava acontecendo? Será que as coisas poderiam piorar ainda mais?

Primeiro, descobre que o cara trabalha no canil. Depois, passa alguns dias jantando na casa dela, trocando aqueles olhares melosos que se vê naquela porcaria de filmes de Hollywood. E depois — e essa foi a pior — eles saem para dançar em uma espelunca para fracassados e, ainda, mesmo não dando para ver o que estava acontecendo por detrás das cortinas, não tinha dúvida de que ela estava transando como uma prostituta. Provavelmente no sofá. Provavelmente porque tinha bebido demais.

Lembrou-se de dias como aqueles. Dava à mulher algumas taças de vinho e continuava enchendo quando ela não estava prestando atenção, ou temperava sua cerveja com um pouco de vodca, esperava suas frases ficarem desconexas e acabava conseguindo uma ótima sessão de sexo bem ali, na sala de estar. A bebida era uma maravilha nessas situações. Deixe-a bêbada, e a mulher não apenas não recusa o sexo, como torna-se uma leoa na cama. Enquanto espreitava a casa, ficou imaginando seu corpo nu ao se despir. Se não estivesse com tanta raiva, teria ficado excitado, sabendo que ela estava lá, fazendo sexo, ficando toda excitada e suada. Mas a questão era a seguinte: ela não estava agindo como uma mãe deve agir, estava?

Sabia como as coisas aconteciam. Uma vez que começasse a fazer sexo com os caras com quem saísse, isso se tornaria normal e aceitável. Tornando-se normal e aceitável, faria o mesmo toda vez que saísse com alguém. Muito simples. Um cara levaria a dois caras, que levariam a quatro, cinco, dez, vinte, e a última coisa que queria era um desfile de caras na vida de Ben piscando para ele ao saírem da casa como se dissessem: “Sua mãe é bem gostosa”.

Não ia deixar isso acontecer. Beth era tonta da mesma forma que a maioria das mulheres eram tontas, e por isso ele a vinha protegendo por todos esses anos. E tudo vinha correndo muito bem, até o Thibault aparecer na cidade.

O cara era um pesadelo ambulante. Como se o seu único propósito fosse destruir a vida de Clayton.

Bem, isso também não iria acontecer, certo?

Tinha aprendido algumas coisas sobre Thibault na última semana. Ele não apenas trabalhava no canil — quais eram as chances de isso acontecer, a propósito? —, mas morava em uma espelunca caindo aos pedaços perto da floresta. E, depois de fazer algumas chamadas oficiais às autoridades do Colorado, a cortesia profissional fez o resto. Thibault tinha se formado na Universidade do Colorado. E tinha sido fuzileiro naval, servido no Iraque e recebido algumas recomendações. Mas o mais interessante é que alguns caras do pelotão dele falavam sobre ele como se tivesse algum tipo de pacto com o diabo para continuar vivo.

Imaginou o que Beth iria pensar disso.

Ele não acreditava em nada disso. Já tinha conhecido fuzileiros suficientes para saber que a maioria era tão esperta quanto uma pedra. Mas tinha algo estranho com esse cara para que seus colegas não confiassem nele.

E por que ele tinha atravessado o país indo parar bem ali? O cara não conhecia ninguém na cidade e, pelo visto, nunca tinha estado lá antes. Isso também era estranho. Mais do que isso, tinha a sensação de que a resposta estava bem a sua frente, só que não conseguia descobrir o que era. Mas ia descobrir. Sempre descobria.

Clayton continuou olhando para a casa, pensando que finalmente tinha chegado a hora de dar um jeito naquele cara. Mas não agora. Não hoje. Não com o cachorro por perto. Talvez na semana seguinte. Quando Thibault estivesse trabalhando.

Aquela era a diferença entre ele e as demais pessoas. A maioria das pessoas vive a vida como criminosos: agem primeiro, preocupam-se com as consequências depois. Não Keith Clayton. Ele pensava nas coisas com antecedência. Planejava. Prevenia-se. E essa era a razão principal por não ter feito nada até o momento, mesmo depois de ver o que os dois tinham aprontado à noite, mesmo depois de saber o que estava acontecendo dentro da casa, mesmo ao observar Beth sair da casa com o rosto corado e o cabelo todo selvagem. No fim, sabia, isso era uma questão de poder, e, nesse momento, Thibault tinha o poder. Por causa do cartão de memória. O cartão com as fotos que poderia cortar a mesada de Clayton.

Mas o poder não significa nada quando não é usado. Thibault não tinha feito uso dele. Isso significava que ele não tinha percebido o que tinha em mãos, ou já não tinha mais o cartão, ou era o tipo de pessoa que cuidava da sua própria vida.Ou talvez as três alternativas.

Clayton tinha de ter certeza. Uma coisa de cada vez, por assim dizer. O que significava que tinha de procurar pelo cartão. Se ainda o tivesse ele o encontraria e o destruiria. O poder voltaria para as mãos de Clayton, e Thibault teria o que estava guardado para ele. E se Thibault tivesse dado um fim no cartão logo depois de achá-lo? Melhor ainda. Daria um jeito em Thibault, e as coisas iam começar a voltar ao normal entre ele e Beth. E isso era o mais importante.

Droga, ela estava linda saindo daquela casa. Tinha algo quente e *sexy* ao vê-la saindo, sabendo o que ela tinha feito, mesmo tendo sido com Thibault. Fazia muito tempo que ela não ficava com um homem, e ela pareceu... diferente. Mais que isso, sabia que, depois de desse dia, com certeza estaria pronta para mais.

Aquele esquema de amigos com benefícios parecia-lhe cada vez mais apetitoso.

# Capítulo 18

# Beth

— Suponho que você tenha se divertido — Nana insinuou.

Era domingo de manhã e Beth havia acabado de sentar-se à mesa da cozinha. Ben ainda dormia no andar de cima.

— Nós nos divertimos — bocejou.

— E?

— E... nada.

— Você chegou bem tarde para quem não fez nada.

— Não era tão tarde. Está vendo? Acordei bem cedo — enfiou a cabeça na geladeira, depois fechou a porta sem pegar nada. — Isso seria impossível se tivesse chegado tarde. E por que você está tão curiosa?

— Só quero saber se ainda terei meu empregado na segunda-feira — Nana serviu uma xícara de café e sentou-se.

— Não vejo por que não teria.

— Então, foi tudo bem?

Dessa vez, Beth deixou a pergunta no ar por um momento ao lembrar-se da noite. Mexendo seu café, sentiu-se feliz como não se sentia há muito tempo. — Sim. Foi tudo bem.

Nos dias que se seguiram, Beth passou o máximo de tempo possível com Logan, sem deixar parecer óbvio demais para Ben. Não tinha certeza do porquê aquilo parecia importante. Dava a impressão de ser o tipo de conselho que um orientador familiar daria quando há uma criança envolvida em um relacionamento afetivo. Mas, no fundo, sabia que essa não era a verdadeira razão. Havia algo de excitante em fingir que nada havia mudado entre eles; dava uma sensação ilícita ao relacionamento, quase como um romance proibido.

Nana não se deixava enganar, claro. De vez em quando, enquanto Beth e Logan estavam empenhados em manter seu elaborado disfarce, Nana resmungava coisas sem sentido do tipo "camelos no Saara" ou "é como cabelo e sapatinhos". Depois, junto com Logan, Beth tentava entender seus resmungos. O primeiro dava a entender que haviam sido feitos um para o outro; o segundo levou um pouco mais para ser decifrado, até que Logan deu de ombros e sugeriu: —Talvez tenha algo a ver com Rapunzel e Cinderela?

Contos de fada. E dos bons, com finais felizes. Nana estava sendo afetiva sem se deixar revelar como sentimental.

Aqueles momentos roubados quando estavam sozinhos tinham quase a intensidade de um sonho. Beth ficava superatenta a qualquer movimento e gesto, atormentada pela maneira tranquila como ele pegava na sua mão quando caminhavam atrás de Ben durante a noite, soltando assim que Ben voltasse ao campo de visão novamente. Logan tinha um sexto sentido sobre a distância tomada por Ben — uma habilidade desenvolvida, acreditava, nas forças armadas — e sentia-se agradecida por sua decisão de agir discretamente não ter importado nem um pouco a ele.

Para seu alívio, Logan continuou a tratar Ben exatamente como antes. Na segunda-feira, apareceu com um jogo de arco e flecha comprado na loja de esportes. Ele e Ben passaram uma hora atirando, grande parte dessa hora foi usada principalmente para buscar os arcos perdidos que acabaram caindo em arbustos cheios de espinhos ou ficaram presos em galhos de árvores, deixando os dois com arranhões até os cotovelos.

Depois do jantar, acabaram jogando xadrez na sala de estar enquanto ela e Nana limpavam a cozinha. Enquanto secava os pratos, concluiu que, se não tivesse outra razão, poderia amar Logan para sempre, simplesmente pela maneira como ele tratava o filho dela.

Apesar da discrição, ainda conseguiam arrumar algumas desculpas para ficarem sozinhos. Na terça-feira, quando chegou da escola, percebeu que, com a permissão de Nana, ele tinha instalado uma cadeira de balanço na varanda, assim não precisavam sentar nos degraus. Enquanto Ben estava na aula de música, esbaldou-se com o movimento lento e estável do balanço, com ele ao seu lado. Na quarta-feira, foi com ele até a cidade para pegar mais sacos de comida para cachorro. Atividades corriqueiras, mas o fato de simplesmente estar ao lado dele era suficiente. Às vezes, quando estavam juntos no caminhão, ele colocava o braço em volta do ombro dela e ela aninhava-se nele, sentindo como era bom ficar assim.

Pensava nele quando estava trabalhando, imaginando o que ele estaria fazendo ou sobre o que ele e Nana estariam conversando. Imaginava sua camiseta colada sobre sua pele com a transpiração, ou seus braços flexionados ao treinar os cães. Na quinta-feira de manhã, quando viu Logan e Zeus aparecerem na entrada da casa para trabalhar pela janela da cozinha, virou-se rapidamente de costas. Nana estava à mesa, tentando lentamente colocar suas galochas, um desafio cada vez mais difícil, dada a fraqueza de seu braço. Beth pigarreou.

— Tudo bem se o Logan tirar o dia de folga? — perguntou.

Nana não se incomodou em esconder o sorriso irônico do rosto. — Por quê?

— Quero sair com ele hoje. Só nós dois.

— E a escola?

Ela já estava arrumada e com o almoço embrulhado. — Estou pensando em ligar e dizer que estou doente.

— Ah — disse Nana.

— Eu o amo, Nana — revelou.

Nana balançou a cabeça, mas seus olhos brilharam. — Estava me perguntando quando você ia colocar isso para fora finalmente, em vez de me fazer ficar falando aquelas charadas tolas.

— Desculpe-me.

Nana levantou e bateu o pé algumas vezes, certificando-se de que as galochas estavam bem colocadas, deixando uma pequena camada de pó no chão. — Suponho que possa dar conta das coisas por aqui hoje. Provavelmente vai ser bom para mim. Tenho assistido a muita televisão mesmo.

Beth ajeitou o cabelo atrás das orelhas. — Obrigada.

— Não há de quê. Mas não vá se acostumando. Ele é o melhor empregado que já tive.

Passaram a tarde toda entrelaçados, fazendo amor repetidas vezes, e, quando finalmente chegou a hora de ir embora — ela queria estar por perto quando Ben chegasse da escola —, tinha certeza de que Logan a amava tanto quanto ela o amava e que ele também começava a imaginar passar o resto de suas vidas juntos.

A única coisa que maculava seu perfeito momento de felicidade era a sensação de que tinha algo incomodando-o. Não era ela — disso ela tinha certeza. Nem era o rumo que seu relacionamento tomava; a forma como agia quando estavam juntos deixava isso óbvio. Era algo mais, algo que ela não conseguia pontuar, mas, pensando bem, tinha percebido isso na terça à tarde, depois de ter chegado em casa com Ben.

Ben, como sempre, saiu correndo do carro para brincar com Zeus, ansioso para gastar energia antes da aula de música. Como ela ficou conversando com Nana no escritório do canil, deu uma olhadinha em Logan, que estava no quintal, com as mãos nos bolsos, parecendo distraído. Até mesmo no caminhão, ao colocar o braço em seus ombros, dava para perceber que estava preocupado. E à noite, depois do jogo de xadrez com Ben, foi para a varanda sozinho.

Beth foi atrás dele logo depois e sentou-se ao seu lado no balanço.

— Há alguma coisa incomodando-o? — finalmente perguntou.

Ele não respondeu logo em seguida. — Não estou bem certo.

— Você está chateado comigo?

Ele balançou a cabeça e sorriu. — De forma alguma.

— O que está acontecendo?

Ele hesitou. — Não estou bem certo — repetiu.

Ela olhou para ele com os olhos semicerrados. — Quer falar sobre isso?

— Sim, mas não agora.

No sábado, com Ben na casa do pai, foram até a praia Sunset Beach, perto de Wilmington.

Naquela altura, as multidões de verão já tinham desaparecido, e além das poucas pessoas que passeavam pela praia, o lugar estava todo para eles. O oceano, alimentado pelo Golfo, ainda estava quente o suficiente para ser aproveitado; entraram na água até a altura dos joelhos e Logan atirou uma bola de tênis para além da rebentação. Zeus estava se divertindo muito, nadando furiosamente e latindo ocasionalmente como se estivesse tentando intimidar a bola para que não saísse do lugar.

Ela tinha feito uma cesta de piquenique e pego algumas toalhas, e, quando Zeus ficou cansado, voltaram para a areia e arrumaram-se para o almoço. Metodicamente, ela foi tirando os ingredientes para preparar os sanduíches e cortou pedaços de frutas frescas. Enquanto comiam, um barco de pesca de camarão surgiu no horizonte, e por muito tempo Logan olhou para ele com a mesma expressão preocupada que ela tinha notado a maior parte da semana.

— Você está com aquele olhar novamente.

— Que olhar?

— Diga logo! O que o está incomodando? E não me venha com evasivas dessa vez.

— Estou bem — virou-se e olhou para ela. — Sei que tenho andado meio distraído ultimamente, mas só estou tentando entender uma coisa.

— O que, exatamente?

— Por que estamos juntos.

Seu coração bateu descompassado. Não era isso que esperava ouvir e dava para sentir que sua expressão congelou.

— Não me expressei bem — disse, balançando a cabeça rapidamente. — Não falei da forma que você está pensando. Estava pensando mais no sentido de como essa oportunidade existiu. Não faz sentido.

Ela franziu a testa. — Ainda não estou entendendo.

Zeus, que estava deitado ao lado deles, levantou a cabeça para observar as gaivotas que pousavam ali por perto. Mais adiante delas, à beira-mar, havia pássaros tentando pegar pequenos caranguejos na areia. Logan os observava antes de continuar. Quando falou, seu tom era decidido, como um professor falando sobre uma matéria ensinada.

— Se você olhar a situação da minha perspectiva, é assim que eu vejo: uma mulher inteligente, charmosa, bonita, que ainda não tem 30 anos, perspicaz e apaixonada. E ainda, quando ela quer, extremamente sedutora — exibiu-lhe um sorriso conhecido antes de continuar. — Em outras palavras, um partidão, na definição de qualquer um por aí — fez uma pausa. — Interrompa-me se eu estiver lhe constrangendo.

Ela deu um tapinha no joelho dele. — Você está indo muito bem. Prossiga.

Ele passou as mãos impacientes pelo cabelo. — É isso que venho tentando entender. Tenho pensado sobre os últimos dias.

Ela tentou, sem sucesso, acompanhar seu raciocínio. Desta vez, em vez de dar um tapa no joelho, deu um apertão.

— Você precisa aprender a falar com mais clareza. Ainda não estou entendendo.

Pela primeira vez desde que o conhecia, notou uma ponta de impaciência em suas feições. Sumiu quase que imediatamente, e percebeu que, de alguma forma, estava mais direcionada a ele do que a ela.

— Estou dizendo que não faz sentido você não ter tido nenhum relacionamento desde o seu ex — fez uma pausa, em busca das palavras certas. — Tá, você tem um filho, e para alguns homens isso pode ser um empecilho para começar um relacionamento. Mas, você geralmente não esconde esse fato, então suponho que a maioria das pessoas em uma cidade pequena sempre soube da sua situação. Estou certo?

Ela hesitou. — Sim.

— E os homens com quem você saiu já sabiam de antemão que você tinha um filho?

— Sim.

Olhou fixamente para ela de forma inquisitiva. — Então, onde eles estão?

Zeus girou a cabeça no colo dela, e ela fez carinho em sua cabeça, sentindo-se ficar cada vez mais na defensiva.

— Por que isso interessa? E para dizer a verdade, não tenho certeza se estou entusiasmada com as suas perguntas. O que aconteceu no passado cabe a mim e não tenho como desfazê-lo, e não vou ficar aqui ouvindo você sentado me perguntando com quem eu saí e o que aconteceu com eles. Sou o que sou, e achava que de todas as pessoas no mundo você ia entender isso, "Sr. Vim do Colorado a pé, mas não me pergunte o porquê!"

Ele ficou quieto e ela sabia que estava pensando no que havia dito. Quando ele falou novamente, sua voz continha uma inesperada ternura.

— Não estou dizendo isso para deixá-la zangada. Estou dizendo isso porque acho que você é a mulher mais extraordinária que já conheci — fez uma nova pausa antes de continuar, certificando-se de que suas palavras fossem entendidas. — A questão é, tenho certeza de que quase todo homem sentiria o mesmo que eu. E como você saiu com outros homens, especialmente em uma cidade pequena em que há tantas mulheres com a mesma idade que a sua disponíveis, tenho certeza de que eles teriam reconhecido a pessoa incrível que você é. Tudo bem, alguns deles não faziam o seu tipo, então você mesma terminou. Mas e os outros? Aqueles de que você gostou? Tinha de ter alguém, em algum lugar, com quem você se desse bem.

Ele encheu a mão de areia e deixou-a escapar lentamente por entre os dedos. — É nisso que tenho pensado. Não é plausível que você não tenha encontrado alguém, porque você mesma me contou que não tem sorte no mundo dos relacionamentos amorosos.

Ele limpou a mão na toalha. — Até agora estou errado?

Ela olhou para ele, perguntando-se como ele sabia tanto.

— Não — disse.

— E você já pensou nisso, não pensou?

— Às vezes — confessou. — Mas você não acha que está fazendo interpretações demais? Mesmo se eu fosse tão perfeita como você diz, você tem de se lembrar de que os tempos mudaram. Deve haver milhares de mulheres, se não houver dezenas de milhares de mulheres que poderiam ser descritas dessa forma.

— Talvez — deu de ombros.

— Mas você não está convencido.

— Não — seus olhos azuis examinavam-na incansavelmente.

— Que foi? Acha que é algum tipo de conspiração?

Em vez de responder diretamente, encheu a mão de areia novamente. — O que você me diz do seu ex? — perguntou.

— Por que isso importa?

— Estou curioso em saber a opinião dele sobre o fato de você namorar.

— Tenho certeza de que ele não se interessa nem um pouco por isso. E não consigo imaginar por que você acha que isso seria importante.

Ele soltou a areia de uma vez. — Porque — disse, em voz baixa e virando-se para ela — tenho certeza de que ele entrou na minha casa um dia desses.

# Capítulo 19

# Thibault

No fim do sábado à noite, depois que Elizabeth saiu, Thibault viu Victor sentado em sua sala de estar, ainda estava de *shorts* e com a camisa que usava no dia em que morreu.

Vê-lo fez Thibault parar. Tudo o que pôde fazer foi olhar. Não era possível, aquilo não estava acontecendo. Thibault sabia que Victor estava morto e enterrado na região de Bakersfield. Sabia que Zeus teria reagido à presença de qualquer pessoa real em sua casa, mas Zeus simplesmente foi tomar água.

No silêncio, Victor sorriu. — Ainda tem mais — disse, sua voz rouca indicava uma promessa.

Quando Thibault piscou, Victor tinha desaparecido e era óbvio que nunca tinha estado ali.

Era a terceira vez que Thibault via Victor desde que ele havia morrido. A primeira vez tinha sido no funeral, quando Thibault ficou em um canto, próximo à saída da igreja e viu Victor olhar para ele do fim do corredor e dizer: — Não foi culpa sua — depois desapareceu pelo ar. Thibault sentiu um nó na garganta, sentindo-se forçado a correr para conseguir respirar.

A segunda aparição ocorreu três semanas antes de ele iniciar sua caminhada. Dessa vez, aconteceu na mercearia, enquanto Thibault revirava a carteira, tentando calcular quanta cerveja poderia comprar. Andava bebendo muito naquela época e, ao contar as notas, viu uma imagem pelo canto do olho. Victor balançou a cabeça, mas não disse nada. Não precisava dizer nada. Thibault sabia que estava dizendo a ele que era hora de parar de beber.

Agora, isso.

Thibault não acreditava em fantasmas e sabia que a imagem de Victor não era real. Não havia espectro algum o assustando, nenhuma visita do além, nenhum espírito desassossegado com uma mensagem para lhe entregar. Victor era produto da sua imaginação, e Thibault sabia que a imagem do amigo tinha sido formada em seu subconsciente. Afinal de contas, Victor era a única pessoa a quem Thibault sempre ouvia.

Sabia que o acidente de barco tinha sido apenas isso: um acidente. Os garotos que estavam guiando o barco ficaram traumatizados, e seu horror diante do ocorrido era verdadeiro. Quanto à bebida, bem no fundo, sabia que estava lhe causando mais mal do que bem. Embora, de alguma forma, parecesse mais fácil ouvir a Victor.

A última coisa que esperava era vê-lo mais uma vez.

Refletiu sobre as palavras de Victor, "Ainda tem mais", e imaginou se estariam relacionadas a sua conversa com Elizabeth. De alguma forma, achava que não, mas não tinha como descobrir o que o incomodava. Suspeitava de que, quanto mais o pressionasse para uma resposta, seria menos provável que ela viria. O subconsciente agia de forma engraçada.

Foi até a cozinha servir-se de um copo de leite e colocar comida para Zeus e, depois, foi para o quarto. Deitado na cama, pensou sobre as coisas que havia dito a Elizabeth.

Pensou muito mesmo se deveria tocar no assunto ou não. Não tinha certeza do que esperava conseguir ao fazer isso, além da possibilidade de abrir os olhos dela para o fato de que Keith Clayton pudesse estar controlando sua vida de uma forma que ela nem pudesse imaginar.

E era exatamente isso que o homem estava fazendo. Thibault teve certeza disso assim que percebeu que alguém havia estado em sua casa. É claro que poderia ter sido qualquer um — alguém querendo ganhar uma grana fácil pegando algumas coisas que pudessem ser vendidas em lojas de penhores, mas a forma como tinha sido feito sugeria algo diferente. Estava tudo muito arrumado. Nada tinha sido revirado. Nada estava nem mesmo fora do lugar. Quase tudo, porém, tinha sido arrumado.

O cobertor na cama foi o primeiro a denunciar a invasão. Havia uma pequena ruga no cobertor, feita por alguém que não sabia arrumar a cama dentro dos padrões militares; algo que poucos notariam, se é que notariam. Ele notou. As roupas nas gavetas mostravam fatos similares: uma dobra aqui, uma manga dobrada de forma errada ali. Alguém não tinha apenas entrado na casa enquanto ele estava trabalhando, como também tinha dado uma busca completa.

Mas por quê? Thibault não tinha nada de valor para ser roubado. Uma rápida olhada pela janela teria deixado isso claro. Não só não havia nenhum equipamento eletrônico na sala de estar, como havia um quarto totalmente vazio, e o quarto em que ele dormia tinha somente uma cama, um criado-mudo e um abajur. Além dos pratos e utensílios de cozinha e de um velho abridor de latas elétrico no balcão, a cozinha estava vazia também. A despensa tinha comida de cachorro, pão e um pote com pasta de amendoim. Mas alguém tinha perdido seu tempo para revistar a casa de cima a baixo mesmo assim, incluindo debaixo do colchão. Alguém tinha cuidadosamente revistado suas gavetas e arrumado tudo depois.

Nenhum sinal de violência por não ter encontrado nada de valor. Nenhuma frustração evidente por ter achado a invasão uma perda de tempo. Em vez disso, o ladrão tentou apagar seu rastro.

Quem quer que tenha entrado em sua casa, não o fez para roubar, mas para procurar por algo. Algo específico. Demorou um tempo para descobrir o que poderia ser e quem poderia ter sido o responsável por isso.

Keith Clayton queria sua máquina fotográfica. Ou, muito provavelmente, queria o cartão de memória. Provavelmente porque as fotografias lá contidas iriam metê-lo em encrencas. Não era preciso pensar muito, levando em consideração o que Clayton estava fazendo na primeira vez em que se encontraram.

Tudo bem, então Clayton queria apagar seu rastro. Mas havia ali algo mais que não dava para ser visto. E tinha a ver com Elizabeth.

Não fazia sentido ela não ter tido relacionamento algum nos últimos dez anos. Mas vinha ao encontro de algo que tinha ouvido na mesa de sinuca quando mostrou sua foto aos homens da região. O que foi que um deles disse? Demorou um tempo para lembrar exatamente as suas palavras, e ele desejou ter prestado mais atenção àquele comentário. Estava tão concentrado em descobrir o nome de Elizabeth, que acabou ignorando o resto — um erro. Pensando em retrospectiva, havia um tom de ameaça no comentário dele: "...garanto que não sai com ninguém. O ex dela não deixa, e pode acreditar em mim, você não ia querer se meter com ele."

Pensou no que sabia sobre Keith Clayton. Membro de uma família poderosa. Um valentão. Nervosinho. Tinha uma posição que facilitava o abuso do poder. Alguém que pensava merecer o que quisesse quando quisesse?

Thibault não tinha certeza quanto à última hipótese, mas se encaixava no perfil.

Clayton não queria que Elizabeth visse outros homens. Ela não teve relacionamentos significativos durante anos. Elizabeth às vezes perguntava-se por quê, mas nunca levou em consideração a relação entre o ex-marido e os relacionamentos fracassados. Para Thibault, parecia totalmente plausível que Clayton estivesse manipulando as pessoas e os lugares — pelo menos, de alguma forma ainda controlava a vida dela. Para Clayton saber que Elizabeth estava saindo com alguém no passado, significava que estava prestando atenção nela há anos. Assim como estava prestando atenção agora.

Não era difícil imaginar como Clayton tinha terminado os relacionamentos anteriores dela, mas, até agora, tinha ficado longe de Thibault e Elizabeth. Até agora, Thibault não o tinha visto espionando a distância, não tinha notado nada de diferente. Em vez disso, Clayton entrou na sua casa em busca do cartão de memória quando Thibault estava trabalhando.

Tentando matar dois coelhos com uma só cajadada?

Provavelmente. Mas a questão era, qual o propósito? Expulsar Thibault da cidade, no mínimo. Mesmo assim, Thibault tinha a sensação de que a coisa não pararia por aí. Como Victor tinha dito: “Ainda tem mais”.

Queria compartilhar com Elizabeth o que sabia sobre seu ex, mas não podia contar sobre o comentário no salão de bilhar. Isso significaria ter de contar sobre a fotografia, e ainda não poderia fazer isso. Em vez disso, queria mostrar o caminho certo para ela, esperando que ligasse os fatos sozinha. Juntos, assim que soubessem do que Clayton era capaz para sabotar seus relacionamentos, poderiam pensar no que fazer. Eles se amavam. Saberiam o que esperar. Tudo daria certo.

Seria essa a razão da sua vinda? Apaixonar-se por Elizabeth e construir uma vida juntos? Era esse o seu destino?

Por alguma razão, não parecia certo. As palavras de Victor pareciam confirmar o fato de que havia uma outra razão para sua vinda. Apaixonar-se por Elizabeth era somente parte disso. Mas não era tudo. Algo mais iria acontecer.

“Ainda tem mais.”

Thibault dormiu o resto da noite sem acordar, como acontecia desde que havia chegado na Carolina do Norte. Coisa de militar — ou, mais precisamente, coisa de combate, algo que se aprende por necessidade. Soldados cansados cometem erros. Seu pai dizia isso. Todo oficial que conheceu dizia isso. Seu tempo de experiência de guerra confirmou a verdade dessa sentença. Aprendeu a dormir quando tinha de dormir, por mais caótica que fosse a situação, acreditando que as coisas ficariam melhores.

Tirando o breve período depois da morte de Victor, dormir nunca tinha sido um problema. Gostava de dormir, e gostava da forma como seus pensamentos pareciam se misturar enquanto sonhava. No domingo, ao acordar, visualizou uma roda com raios emergindo do centro. Não tinha certeza do porquê, mas, minutos depois, caminhando com Zeus lá fora, percebeu, de repente, que Elizabeth não era o centro da roda, como ele supunha inconscientemente. Em vez disso, percebeu que tudo que tinha acontecido desde que havia chegado em Hampton parecia girar ao redor de Clayton.

Afinal de contas, Clayton tinha sido a primeira pessoa que ele encontrou na cidade. Ele havia pego a máquina de Clayton. Clayton e Elizabeth tinham sido casados. Clayton era pai de Ben. Clayton havia sabotado os relacionamentos de Elizabeth. Clayton os tinha visto juntos quando trouxe Ben para casa com o olho roxo; em outras palavras, ele foi o primeiro a saber que havia algo entre eles. Clayton tinha invadido sua casa. Clayton — não Elizabeth — era a razão da sua vinda para Hampton.

Ao longe, ouviu-se um trovão, abafado e ameaçador. Uma tempestade estava a caminho, e o ar pesado anunciava que era das grandes.

Além do que Elizabeth tinha contado a ele sobre Clayton, percebeu que sabia pouco sobre o ex-marido dela. Quando os primeiros pingos de chuva começaram a cair, Thibault voltou para dentro. Mais tarde, daria uma passada na biblioteca. Ia ter de fazer um trabalho de pesquisa se tinha esperanças de obter uma impressão melhor de Hampton e do papel que a família Clayton desempenhava por ali.

# Capítulo 20

# Beth

— Não me surpreende — retrucou Nana. — Não coloco minha mão no fogo pelo seu finado marido.

— Nana, ele ainda não morreu.

Nana suspirou. — A esperança é a última que morre.

Beth tomou um gole de café. Era domingo, e elas haviam acabado de voltar da igreja. Pela primeira vez desde o AVC, Nana tinha cantado um pequeno solo em uma das músicas, e Beth não queria deixá-la perturbada. Sabia o quanto o coral era importante para ela.

— Você não está me ajudando — disse Beth.

— Ajudar no quê?

— Estava dizendo...

Nana sentou-se do outro lado da mesa. — Sei o que você estava dizendo. Você já me contou isso, lembra-se? E se você está me perguntando se acho que Keith realmente tenha entrado na casa de Thibault, estou simplesmente dizendo que isso não me surpreende. Nunca gostei daquele homem.

— Nossa! É mesmo?

— Não tem razão para ser irônica!

— Não estou sendo irônica.

Nana não parecia ouvi-la. — Você está com cara de cansada. Quer mais café? Que tal uma torrada de canela?

Beth balançou a cabeça negativamente. — Não estou com fome.

— Mesmo assim, é preciso comer. Não é saudável pular refeições, e sei que não tomou café da manhã — levantou da mesa. — Vou fazer uma torrada.

Beth sabia que não adiantava discutir. Quando Nana tomava uma decisão, não tinha como fazê-la mudar de ideia.

— E a outra parte da história? E se Keith teve mesmo algo a ver com... — não conseguiu concluir.

Nana deu de ombros e colocou duas fatias de pão na torradeira. — Sobre colocar os homens para correr? Nada que aquele homem fizer me surpreende. E de certa forma isso explica muita coisa, não é mesmo?

— Mas não faz sentido. Posso nomear pelo menos meia dúzia de mulheres com quem ele tenha saído, e ele nunca nem deu a entender que queria voltar comigo. Por que ele iria se importar com quem eu saísse, ou deixasse de sair?

— Porque ele não passa de uma criança mimada — disse Nana enquanto colocava dois tabletes de manteiga na frigideira e acendia o fogo. — Você era o brinquedinho dele, e, mesmo tendo ganho brinquedos novos, não quer que mais ninguém brinque com o velho.

Beth ajeitou-se na cadeira. — Não sei se gosto dessa analogia.

— Não importa se você gosta ou não. O que importa é saber se é verdade.

— E você acha que é?

— Não foi isso que eu disse. O que eu disse é que não me surpreenderia. E não me diga que você ficou surpresa, também. Eu vejo a maneira como ele a olha de cima a baixo. Me dá calafrios e uma baita vontade de esmagá-lo com a pá de limpar cocô de cachorro.

Beth sorriu, mas só durou um instante. Quando a torrada ficou pronta, Nana pegou as fatias e colocou-as em um prato. Espalhou manteiga por cima delas e acrescentou açúcar e canela, colocando o prato na frente de Beth.

— Tome. Coma alguma coisa. Você parece um esqueleto ultimamente.

— Peso a mesma coisa que sempre pesei.

— O que não é o bastante. O que nunca foi o bastante. Se você não tomar cuidado, vai ser levada pelo vento da tempestade — balançou a cabeça ao olhar pela janela e sentou-se novamente. — Essa vai ser das grandes. O que é bom. Precisamos de chuva. Espero que não tenha nenhum cão uivador no canil.

Uivadores eram cachorros com medo das chuvas, os quais atrapalhavam os outros cães por isso. Beth percebeu que a mudança no rumo da conversa era uma oportunidade de mudar de assunto. Nana sempre oferecia uma saída, mas, quando Beth deu a primeira mordida na torrada, percebeu que queria falar sobre mais uma coisa.

— Acho que eles já se encontraram antes — disse.

— Quem? Thibault e o fracassado?

Beth levantou as mãos. — Não fale dele dessa forma, por favor. Sei que você não gosta dele, mas ele ainda é o pai de Ben e não quero que você se habitue a chamá-lo assim quando Ben estiver por perto. Sei que agora ele não está aqui...

Nana deu um sorriso triste. — Você está certa. Desculpe! Não vou falar novamente. Mas o que você estava me falando?

— Você se lembra quando lhe contei que Keith trouxe Ben de volta para casa com o olho roxo? Você estava na casa da sua irmã... — Nana concordou com a cabeça. — Na noite passada, fiquei pensando nisso. Não percebi na hora, mas, quando Keith viu Logan, ele não perguntou quem ele era. Em vez disso, foi como se tivesse dado um clique, e ele ficou com raiva logo de cara. Disse algo do tipo: "O que você está fazendo aqui?"

— E então? — Nana fez uma cara de quem não estava entendendo nada.

— Foi a maneira como ele disse. Não estava tão surpreso por haver um homem aqui em casa, estava particularmente surpreso por Logan estar aqui em casa. Como se Logan fosse a última pessoa que ele esperasse ver.

— O que Thibault diz sobre isso?

— Ele não disse nada. Mas faz sentido, não faz? Que já tenham se cruzado antes, já que ele pensa que Keith entrou na casa dele?

— Talvez — disse Nana, depois balançou a cabeça. — Não sei. Thibault falou o que ele acha que seu ex poderia estar procurando?

— Não. Não disse. Só disse que não tinha nada de valioso a ser encontrado.

— O que é uma maneira de fugir da resposta.

— Mmm... — concordou Beth. Deu mais uma mordida na torrada, pensando que não tinha como conseguir comer tudo aquilo.

— E isso a preocupa? — perguntou Nana, inclinando-se para frente.

— Um pouco.

— Porque você sente que ele está escondendo algo de você.

Quando Beth não respondeu, Nana pegou na sua mão sobre a mesa. — Acho que você está se preocupando com as coisas erradas. Talvez o seu ex tenha entrado na casa de Thibault, e talvez não. Talvez eles já tenham se encontrado antes, talvez não. Mas nenhuma dessas coisas é tão importante quanto o seu ex estar agindo por debaixo dos panos contra você. Se eu fosse você, é com isso que ficaria preocupada, porque essa é a parte que afeta você diretamente — fez uma pausa para que ela entendesse bem o sentido das palavras. — Digo isso porque tenho visto você e Thibault juntos, e é óbvio o quanto ele se importa com você. E acho que a razão de ter contado a você sobre as suas suspeitas foi porque não queria que acontecesse com ele o que aconteceu com os outros homens que você namorou.

— Então, você acha que Logan está certo?

— Sim. Você não acha?

Beth levou um bom tempo para responder. — Também acho.

Uma coisa era achar; a outra era ter certeza. Depois da conversa, Beth vestiu uma calça *jeans*, uma capa de chuva e foi de carro até a cidade. A chuva tinha começado para valer há umas horas, um forte temporal causado pelas chuvas tropicais vindas da Georgia pela Carolina do Sul. O noticiário estava prevendo quase 20 centímetros de chuva nas últimas vinte e quatro horas. Mais duas tempestades vindas do Golfo do México tinham atingido a costa nos últimos dias e era possível que adentrassem ainda mais a região, trazendo mais chuva. O verão quente e seco estava oficialmente chegando ao fim.

Beth mal conseguia ver pelo limpador do para-brisa, mesmo colocando-o na função máxima. Os esgotos estavam começando a inundar e, conforme ia dirigindo em direção à cidade, via turbilhões irregulares de água indo em direção ao rio. Até agora, o nível do rio não tinha se elevado, mas isso não tardaria a acontecer; aproximadamente todo afluente da região desaguava nele, e ela suspeitava de que o rio ia transbordar muito em breve. A cidade estava acostumada a lidar com inundações; tempestades como essa faziam parte da vida dessa região do país, e a maioria das empresas situava-se bem longe do rio para evitar sofrer com a maioria dos efeitos, mesmo em caso de inundações excepcionais. A estrada que levava para o canil — por ser paralela ao rio — era uma outra história. Quando havia fortes tempestades, especialmente durante furacões, o rio a invadia, tornando a passagem perigosa. Hoje não seria problema, mas suspeitava de que as coisas ficariam bem piores até o fim da semana.

No carro, continuou refletindo sobre sua conversa com Nana. Na manhã anterior, as coisas pareciam bem mais simples, mas agora não conseguia ignorar as dúvidas que passavam pela sua cabeça. Não só sobre Keith, mas também sobre Logan. E se fosse verdade que Logan e Keith tivessem se encontrado antes, por que Logan não disse nada? E o que Keith estaria procurando na casa de Logan? Sendo policial, Keith tinha acesso a todo tipo de informação pessoal, então não poderia ser algo desse tipo. O que poderia ser, então? Ela não conseguia descobrir.

E Keith...

E se Nana e Logan estivessem certos? E, supondo que estivessem certos — porque depois de pensar bem no assunto, intuiu que deveria ser mesmo verdade —, como ela nunca tinha percebido isso?

Era difícil admitir que poderia tê-lo julgado mal. Lidava com o homem há mais de dez anos e, apesar de saber que ele nunca foi um exemplo de bondade, a ideia de sabotar sua vida pessoal era algo que jamais tinha passado pela sua cabeça. Quem faria uma coisa dessas? E por quê? A maneira como Nana havia dito — que ela a considerava um brinquedo que ele não estava disposto a compartilhar — tinha um fundo de verdade que deixava seu pescoço rígido de tensão enquanto dirigia.

O que mais a surpreendia era o fato de que, em uma cidade pequena, onde os segredos são virtualmente impossíveis de ser guardados, ela nunca tenha suspeitado disso. Ficou pensando sobre seus amigos e vizinhos, mas principalmente sobre os homens que a convidaram para sair, em primeiro lugar. Por que eles simplesmente não mandaram Keith cuidar da sua própria vida?

Porque, disse a si mesma, o sobrenome dele era Clayton. E aqueles homens não iriam discutir, pela mesma razão que ela não pressionava Keith em relação a Ben. Às vezes, era mais fácil apenas tentar conviver.

Ela realmente odiava aquela família.

Claro que ela já estava começando a exagerar. Só porque Logan e Nana suspeitavam que Keith estava aprontando alguma coisa, não necessariamente o fato se tornava verdadeiro. E era por isso que estava no carro agora.

Virou à esquerda no cruzamento principal, indo em direção a um bairro mais antigo, onde a grande maioria das casas possuía um estilo de artesão, com varandas grandes e espaçosas. As ruas eram demarcadas por árvores enormes, a maioria com pelo menos 100 anos de idade, e ela se lembrava de que, quando criança, aquele era o seu bairro predileto. Era uma tradição entre as famílias de lá decorar de forma extravagante o exterior das casas nos feriados, dando ao local um ar pitoresco e animado.

A casa dele ficava no meio da rua, e avistou seu carro estacionado na garagem. Havia outro carro estacionado atrás do dele, e, apesar de o fato significar que ele tinha companhia, ela não queria voltar outra hora. Depois de estacionar na frente da casa, colocou o capuz da capa de chuva e saiu no meio da tempestade.

Pisou em algumas poças de água que se acumularam na calçada e subiu os degraus que davam na varanda. Pela janela, pôde ver um abajur aceso no canto da sala de estar; a televisão estava ligada na última corrida da Nascar[13]. A visita deve ter insistido para ver, pois o dono da casa não colocaria nesse canal de jeito nenhum. Sabia que ele odiava a Nascar.

Tocou a campanhia e deu um passinho para trás. Quando ele colocou o rosto na porta, só demorou um instante para reconhecê-la. No olhar dele, viu uma mistura de surpresa e curiosidade, junto com uma característica que ela não estava esperando: medo.

Olhou rapidamente para os dois lados da rua antes de voltar a olhar para ela.

— Beth, o que você está fazendo aqui?

— Oi, Adam — disse, sorrindo. — Estava imaginando se você não poderia me dar uns minutinhos. Preciso muito falar com você.

— Tenho visitas — falou baixinho. — Agora não é uma boa hora.

Na mesma hora ouviu a voz de uma mulher vindo de dentro da casa. — Quem é?

— Por favor? — implorou Beth.

Ele pareceu avaliar se deveria ou não fechar a porta na cara dela antes de suspirar. — Uma amiga — respondeu e virou-se para Beth. — Me dê um minuto, está bem?

A mulher apareceu por detrás dele, segurando uma cerveja e vestindo *jeans* e camiseta que estavam um pouco justos demais. Beth lembrou que ela era secretária no escritório de Adam. Noelle, ou algo assim.

— O que ela quer? — perguntou Noelle. Pelo seu tom, era óbvio que também tinha reconhecido Beth.

— Não sei. Ela não vai demorar, está bem?

— Mas quero ver a corrida — fez um bico, passando os braços ao redor da cintura dele de forma possessiva.

— Eu sei. Não vai demorar — hesitou ao ver a expressão de Noelle. — Eu prometo — tranquilizou-a.

---

13. A Nascar, National Association for Stock Car Auto Racing, é a maior associação automobilística americana, e possui os campeonatos mais populares dos Estados Unidos. (N.T.)

Beth ficou pensando se o tom de choramingo percebido na voz dele sempre tinha sido assim, e perguntou-se por que não tinha percebido antes. Ou ele tentou esconder ou foi ela que fez força para ignorar. Suspeitou de que tivesse sido a segunda opção, e o pensamento a fez sentir-se um pouco vazia.

Adam saiu na varanda e fechou a porta. Ao olhar para ela, não dava para dizer se estava com medo ou zangado. Ou as duas coisas.

— O que há de tão importante? — perguntou, parecendo um adolescente.

— Não é nada importante. Só vim aqui para lhe fazer uma pergunta.

— Sobre o quê?

Beth o forçou a olhar para ela. — Quero saber a razão pela qual você nunca mais ligou depois que saímos para jantar.

— Quê? — mudou o peso do corpo de uma perna para a outra, parecendo um cavalo arisco. — Você só pode estar brincando.

— Não estou.

— Só não liguei, está bem? Não deu certo. Sinto muito. É para isso que você está aqui? Quer que eu me desculpe?

A última frase pareceu um choramingo, e ela se perguntou como tinha saído com ele.

— Não, não quero suas desculpas.

— Então, o que é? Veja bem, tenho visitas — apontou com o dedão por cima do ombro. — Tenho de ir.

Como a pergunta ficou pairando no ar, ele olhou de novo para os dois lados da rua, e ela percebeu o que estava acontecendo.

— Você está com medo dele, não está?

Apesar de tentar esconder, ela sabia que tinha pego em um ponto fraco. — Quem? De quem você está falando?

— Keith Clayton. Meu ex.

Ele abriu a boca para falar, mas não disse nada. Em vez disso, engoliu em seco em uma tentativa de negar. — Não sei do que você está falando.

Ela se aproximou. — O que ele fez? Ele o ameaçou? Assustou-o?

— Não, não quero falar sobre isso — disse, virou-se para a porta e procurou pela maçaneta. Ela segurou no braço dele para pará-lo, aproximando-se do rosto dele. Sentiu os músculos dele se contraírem.

— Ele fez isso, não fez? — pressionou.

— Não posso falar sobre isso — hesitou. — Ele...

Apesar de suspeitar de que Nana e Logan estavam certos e que sua própria intuição a teria levado até lá, em primeiro lugar, sentiu um espécie de colapso interno em Adam que vinha confirmar tudo.

— O que ele fez?

— Não posso falar para você. Você, mais do que qualquer um, deveria entender. Você sabe como ele é. Ele vai...

Não conseguiu concluir, como se subitamente tivesse percebido que tinha falado demais.

— Ele vai o quê?

Ele balançou a cabeça. — Nada. Ele não vai fazer nada — retomou a compostura. — As coisas não deram certo entre nós. Vamos deixar assim.

Abriu a porta. Fez uma pausa e respirou profundamente, e ela se perguntou por que ele teria mudado de ideia.

— Por favor, não volte aqui.

Beth sentou-se no balanço da varanda da frente, olhando a chuva cair, suas roupas ainda estavam molhadas. Nana deixou-a só com seus pensamentos a maior parte do tempo, interrompendo só para oferecer uma xícara de chá e um biscoito caseiro de pasta de amendoim quentinho, mas o fez de uma forma totalmente silenciosa, contrariando sua própria natureza.

Beth tomou um gole de chá e percebeu que não queria. Não estava com frio; apesar da chuva incessante, o ar estava quente e dava para ver a cerração ao redor da propriedade. Ao longe, a entrada da casa parecia desaparecer em meio à névoa acinzentada.

Seu ex logo chegaria. Keith Clayton. De vez em quando, sussurrava o nome, fazendo-o soar quase como uma blasfêmia.

Não dava para acreditar. Não, não era verdade. Ela realmente acreditava, sim. Apesar de querer dar uns tapas em Adam por ter sido tão covarde nessa situação, sabia que não poderia culpá-lo. Ele era um cara legal, mas não era, nem nunca foi, o tipo de cara a ser o primeiro escolhido para um jogo de basquete ou beisebol. De jeito algum ele ia enfrentar seu ex.

Só queria que Adam tivesse revelado o que Keith tinha feito. Era fácil de imaginar; não tinha dúvidas de que o escritório de Adam devia ser alugado, e o proprietário era alguém da família Clayton. Quase toda empresa no centro da cidade era deles. Será que usou a tática do aluguel? Ou a tática do "eu posso dificultar a sua vida"? Ou usou a tática da imposição da lei? Até onde esse homem estaria disposto a ir?

Já que estava sentada lá fora, tentou descobrir exatamente quantas vezes isso tinha acontecido. Não foram muitas, talvez cinco ou seis, pensou, que tinham acabado de forma repentina e inexplicável, assim como tinha sido com Adam. Incluindo Frank, que foi quando? Sete anos atrás? Será que ele a seguia, a espionava, há tanto tempo? Perceber esse feito causou-lhe um nó no estômago.

E Adam...

O que acontecia com os homens que ela escolhia que pareciam cãezinhos adestrados toda vez que Keith intervinha? Certo, ele tinha uma família poderosa, e, sim, ele era da polícia, mas por que não poderiam agir como homens? Mandando ele cuidar da própria vida? E por quê, pelo menos, não vieram até ela para contar o que estava acontecendo? Em vez disso, fugiam com o rabinho no meio das pernas. Entre eles e Keith, ela não tinha tido sorte nenhuma com os homens. Como é que diz o ditado? "Na primeira quem quer cai; na segunda cai quem quer." Era sua culpa escolher homens tão decepcionantes?

Talvez, admitiu. Mesmo assim, não se tratava disso. A questão era que Keith estava agindo por debaixo dos panos para manter as coisas exatamente do jeito que queria. Como se fosse dono dela.

Esse pensamento fez com que seu estômago se revirasse novamente, desejando que Logan estivesse ali. Não porque Keith logo viria trazer Ben. Ela não precisava dele para isso. Não tinha medo de Keith. Não tinha medo dele porque sabia que no fundo ele era um valentão, e valentões são os primeiros a recuar quando alguém bate de frente com eles. Por essa mesma razão Nana não tinha medo de Keith. Drake também tinha essa percepção, e ela sabia que ele sempre deixava Keith nervoso.

Na verdade, queria que Logan estivesse lá porque era um bom ouvinte, e sabia que ele não iria interrompê-la, nem tentaria resolver seu problema, ou ficaria entediado se ela dissesse: "Não acredito que ele realmente tenha feito isso", 100 vezes. Ele deixaria que desabafasse.

Pensou, porém, que a última coisa que queria era liberar a sua raiva. Era melhor deixá-la latente. Precisava da raiva para confrontar Keith — isso a manteria firme —, mas, ao mesmo tempo, não queria perder o controle. Se começasse a gritar, Keith iria simplesmente negar tudo antes de sair como um tufão. O que ela queria, entretanto, era que Keith ficasse fora da sua vida particular — especialmente agora que estava com Logan — sem transformar os fins de semana de Ben em algo pior do que já eram.

Não, era melhor que Logan não estivesse lá. Keith poderia exagerar na reação se visse Logan novamente, até mesmo provocar Logan para ver como ele reagia, o que poderia ser um problema. Se Logan encostasse um só dedo em seu ex, ficaria na cadeia por um bom tempo. Teria de falar com Logan sobre isso depois, para ter certeza de que ele entendia como as coisas funcionavam em Hampton. Mas, agora, tinha de resolver esse outro probleminha.

Ao longe, os faróis surgiram, e o carro pareceu liquefazer-se para depois solidificar-se ao aproximar-se da casa. Viu Nana olhar pela cortina e depois fechá-la. Beth levantou do balanço e foi em direção à escada da varanda quando a porta do passageiro se abriu. Ben saiu segurando sua mochila e pisou em uma poça, molhando os sapatos. Pareceu nem notar ao encaminhar-se para a escada da varanda.

— Oi, mamãe — abraçaram-se e ele olhou para ela. — Podemos comer espaguete no jantar?

— Claro, querido. Como foi seu fim de semana?

Ele deu de ombros. — Você já sabe.

— Sei. Por que você não sobe e troca de roupa? Acho que Nana fez biscoitos. E tire os sapatos, está bem?

— Você não vem?

— Já vou. Quero falar com seu pai primeiro.

— Por quê?

— Não se preocupe. Não tem nada a ver com você.

Tentou interpretar a expressão dela, mas ela colocou a mão em seu ombro. — Vá em frente. Nana está esperando.

Ben entrou, e Keith abaixou um pouco a janela. — Nós nos divertimos muito. Não deixe ele dizer outra coisa.

Seu tom estava repleto de uma autoconfiança petulante. Provavelmente, pensou, porque Logan não estava por perto.

Ela deu mais um passo à frente. — Você tem um minuto?

Ele olhou para ela pela fresta da janela antes de parar o carro e desligar o motor. Abriu a porta, saiu do carro e subiu a escada correndo. Na varanda, sacudiu a cabeça, fazendo com que alguns pingos caíssem, antes de sorrir para ela. Ele provavelmente devia achar que aquilo era *sexy*.

— Que foi? Como disse, nos divertimos muito esse fim de semana.

— Você o fez limpar a cozinha de novo?

O sorriso desapareceu. — O que você quer, Beth?

— Não seja amargo. Só fiz uma pergunta.

Ele continuou olhando para ela, tentando entender o que ela estava pretendendo. — Não digo como você deve agir com Ben quando ele está com você, e espero a mesma delicadeza de você. Então, sobre o que você queria falar?

— Sobre algumas coisas, na verdade — apesar da repulsa que sentia, forçou um sorriso e apontou para o balanço. — Gostaria de se sentar?

Ele pareceu surpreso. — Claro. Mas não posso ficar muito. Tenho planos para esta noite.

Claro que tem, pensou. Ou é verdade, ou quer que eu pense que é verdade. O tipo de indireta costumeira desde o divórcio.

Sentaram-se no balanço. Depois de se sentar, ele balançou para frente e para trás, inclinando e esticando os braços. — Isto é legal, foi você que fez?

Ela tentou ficar o mais distante dele que pôde no balanço.

— Foi o Logan.

— Logan?

— Logan Thibault. Trabalha para Nana no canil. Lembra-se? Você já o encontrou.

Ele coçou o queixo. — O cara que estava aqui outro dia?

Como se ele não soubesse. — Isso, ele mesmo.

— E ele não se importa em limpar casinha e cocô de cachorro?

Ela ignorou a pontada óbvia. — Ah-hã.

Ele soltou o ar ao balançar a cabeça. — Antes ele do que eu — virou-se para ela dando de ombros. — Então, o que você quer?

Ela pensou cuidadosamente em suas palavras. — É difícil falar sobre isso... — fez uma pausa, sabendo que ele ia ficar mais interessado.

— O que é?

— Estava falando com uma amiga minha um dia desses e ela me disse uma coisa que ficou meio atravessada.

— O que ela disse? — Keith aproximou-se dela, alerta.

— Bem, antes de lhe contar, quero que saiba que é só um boato. Uma amiga, de uma amiga de uma amiga, ouviu qualquer coisa e eu acabei sabendo. É sobre você.

Ele ficou curioso. — Sou todo ouvidos.

— O que ela disse é... — hesitou. — Ela disse que, no passado, você me seguia quando eu saía com alguém. E que você falou para alguns deles que não era mais para sair comigo.

Ela tentou não olhar diretamente para ele, mas, pelo canto do olho, dava para ver que sua expressão tinha congelado. Não estava apenas chocado. Era culpado. Ela apertou os lábios para não explodir.

Com a expressão relaxada, ele disse: — Não acredito! — batendo os dedos nas pernas. — Quem lhe falou isso?

— Não é importante. Você não a conhece.

— Estou curioso — pressionou.

— Não é importante — repetiu. — Não é verdade, não é mesmo?

— Claro que não. Como você pode pensar uma coisa dessas?

"Mentiroso!" Gritava por dentro, forçando-se para não dizer nada. No silêncio, balançou a cabeça.

— Parece-me que você precisa escolher melhor suas amigas. E, para ser franco, estou um pouco magoado por estarmos tendo essa conversa.

Ela esforçou-se para sorrir. — Falei para ela que não era verdade.

— Mas você quis ter certeza perguntando-me pessoalmente.

Sentiu uma ponta de raiva na voz dele e lembrou a si mesma para ter cuidado.

— Como você vinha aqui... — tentou parecer casual. — E, além disso, nos conhecemos há tempo suficiente para podermos conversar como adultos — olhou para ele de olhos bem abertos, mostrando ser vítima de um erro inocente. — Você se incomodou com a minha pergunta?

— Não, mas mesmo assim, chegar a pensar que... — levou as mãos para o alto.

— Eu não pensei nada. Mas queria contar para você porque imaginei que você quisesse saber o que as pessoas falam nas suas costas. Não gosto que falem dessa forma do pai de Ben, e disse isso a ela.

Suas palavras surtiram o efeito desejado: ele ficou inchado de tanto orgulho.

— Obrigado por me defender.

— Não há nada a defender. Sabe como são as fofocas. São o lixo tóxico das cidades pequenas — balançou a cabeça. — Então, como vai o resto? Tudo bem no trabalho?

— O mesmo de sempre. Como vai sua turma deste ano?

— É uma ótima turminha. Pelo menos, até agora.

— Que bom! — apontou para o quintal. — Que temporal, hein? Mal dava para ver a estrada.

— Estava pensando nisso quando vocês chegaram. Que louco! Estava tão bom na praia ontem.

— Você foi para a praia?

Ela concordou com a cabeça. — Logan e eu fomos. Estamos juntos há algum tempo.

— Huh. Parece que está ficando sério.

Olhou para ele de relance. — Não me diga que aquela mulher estava certa!

— Não, claro que não.

Ela fingiu um sorriso brincalhão. — Eu sei. Só estava provocando. E não, não está sério ainda, mas ele é uma ótima pessoa.

Ele juntou as mãos. — E qual é a opinião de Nana sobre isso?

— Por que isso importa?

Ele se ajeitou na cadeira. — Só estou tentando dizer que situações como essas podem ser complicadas.

— Do que você está falando?

— Ele trabalha aqui. E você sabe como o tribunal funciona atualmente; você está dando margem a um enorme processo de assédio sexual.

— Ele não faria isso...

Keith falou com paciência, como se estivesse dando uma palestra para alguém mais novo. — Pode acreditar em mim. Todo mundo diz isso. Mas, pense bem. Ele não tem laços com a comunidade e, se está trabalhando para Nana, é óbvio que não tem muito dinheiro. Sem ofensas. Mas lembre-se, sua família tem um bom pedaço de terra — deu de ombros. — Só estou dizendo que, se fosse você, tomaria cuidado.

Falou com persuasão e, apesar de ela saber suas verdadeiras intenções, pareceu preocupado. Como se fosse um amigo realmente interessado em seu bem-estar. "Ele deveria ser ator", pensou.

— Nana é a dona da terra e da casa. Não eu.

— Você sabe como são os advogados.

"Sei exatamente", pensou. Lembro-me do que o seu advogado fez na audiência pela guarda de Ben. — Não acho que isso será um problema, mas vou falar com Nana.

— Deve ser uma boa ideia.

— Estou feliz por estar certa a seu respeito.

— O que você quer dizer?

— Você sabe, por não ter nenhum problema em relação ao meu namoro com Logan. Além da preocupação com o assédio sexual. Eu gosto muito dele.

Ele descruzou as pernas. — Eu não diria que não tenho problema com isso.

— Mas você disse...

— Disse que não me importo com quem você namora, e não me importo. Mas me importo com quem entra na vida do meu filho, porque me importo com o meu filho.

— E deve mesmo. Mas o que uma coisa tem a ver com a outra?

— Pense bem, Beth... você não vê as coisas que eu tenho de ver. No trabalho, quero dizer. Mas eu vejo coisas terríveis o tempo todo, então é claro que eu ficaria preocupado com quem passa muito tempo com Ben. Ia querer saber se ele é violento ou se é algum pervertido...

— Ele não é — interrompeu Beth, sentindo o sangue ferver. — Verificamos seus antecedentes.

— Isso pode ser forjado. Não é difícil tirar uma nova identidade. Como você sabe se o nome dele é mesmo Logan? Não dá nem para perguntar por aí, não é? Você já conversou com alguém relacionado ao passado dele? Ou com a família dele?

— Não...

— Aí está. Só estou falando para você ter cuidado, não estou dizendo isso só por causa de Ben. Por sua causa também. Há muita gente ruim neste mundo, e a razão de não estarem na cadeia é porque aprenderam a esconder suas ações.

— Você faz parecer como se ele fosse algum tipo de criminoso.

— Não estou nem tentando. Ele pode ser o cara mais legal e mais responsável do mundo. Só estou dizendo que você não sabe quem ele realmente é. E, até saber, é melhor prevenir do que remediar. Você lê os jornais e vê o noticiário. Não estou falando nada que você não saiba. Só quero que nada aconteça com Ben. E não quero que você se machuque.

Beth abriu a boca para dizer algo, mas, pela primeira vez desde que havia sentado ali com seu ex, não conseguiu pensar em mais nada para dizer.

# Capítulo 21

# Clayton

Clayton sentou-se atrás da direção do seu carro, sentindo-se bem satisfeito consigo mesmo.

Teve de raciocinar rapidamente, mas tinha ido além do que esperava, especialmente levando em consideração a maneira como a conversa tinha começado. Alguém o tinha delatado e, enquanto dirigia, tentava descobrir quem poderia ter sido. Geralmente, não havia segredos em cidades pequenas, mas ele tinha conseguido chegar o mais próximo disso. Os únicos que sabiam eram os poucos homens com quem tinha tido uma conversinha e, claro, ele mesmo.

Imaginou que tivesse sido um deles, mas duvidava. Eram vermes, cada um deles, e todos haviam seguido a própria vida. Não havia razão para terem aberto a boca. Até mesmo o tonto do Adam tinha arrumado outra namorada, o que tornava improvável que fosse começar a falar agora.

Poderia, porém, ter sido simplesmente um boato. Era possível que alguém suspeitasse de suas ações e chegasse a essa conclusão. Uma mulher bonita, levando o fora repetidas vezes sem motivo aparente... e, pensando bem, talvez tenha falado sobre isso com Moore ou até mesmo Tony e alguém pode ter escutado — mas nunca seria tonto ou ficaria bêbado o suficiente para entrar em detalhes. Sabia que isso poderia lhe causar problemas com seu pai, especialmente porque não deveria usar a força da lei para fazer ameaças. Mas alguém havia falado alguma coisa para Beth.

Não acreditava muito que tivesse sido uma amiga dela. Poderia ter mudado esse detalhe só para disfarçar. Poderia ter sido homem ou mulher; o que era certo é que Beth só tinha ficado sabendo disso agora. Conhecendo-a como a conhecia, sabia que não teria guardado um assunto desses por tanto tempo.

Era aí que as coisas ficavam confusas. Havia ido buscar Ben no sábado de manhã e ela não tinha falado nada. Ela mesma tinha dito que havia ido à praia com Thibault no sábado. Avistaram-se na igreja pela manhã, mas ela estava em casa no fim da tarde.

Então, quem poderia ter falado? E quando?

Talvez pudesse ter sido Nana, pensou. Aquela mulher sempre fora uma pedra no seu sapato. No de vovô também. Nos últimos quatro ou cinco anos, vinha tentando convencer Nana a vender sua propriedade para que ele pudesse expandir a cidade. Além de ter uma linda vista para o rio, tinha também valiosos riachos. As pessoas que vinham do norte adoravam casas com vista para o rio. Vovô sempre aceitava bem as ofertas recusadas de Nana, pois gostava dela. Provavelmente porque frequentavam a mesma igreja, algo que não parecia ter a menor importância quando o assunto era a opinião de Nana sobre seu ex-genro que, por sinal, também frequentava a mesma igreja.

Ainda assim, isso parecia-lhe o tipo de encrenca que Thibault começaria. Mas como é que ele ia saber? Eles tinham sido vistos apenas duas vezes, e não tinha como chegar a essa conclusão a partir desses dois encontros. Mas e a invasão? Clayton pensou nisso antes de descartar a ideia. Ele entrou e saiu em vinte minutos e nem foi preciso arrombar a fechadura, já que o cara nem se importa em trancar a porta. E não tirou nada de lá, então por que Thibault ia suspeitar de que alguém tinha entrado lá em primeiro lugar? E mesmo se ele tivesse imaginado que alguém houvesse entrado em sua casa, por que ele ligaria esse fato a Clayton?

Não conseguia responder a essas perguntas de maneira satisfatória, mas a teoria de que Thibault tinha algo a ver com essa questão parecia adequada. Só tivera problemas desde a chegada de Thibault. Então, concluiu que Thibault era o primeiro na sua lista de pessoas que deveriam cuidar da sua própria vida. O que deu a ele mais uma razão para finalmente dar um jeito no cara.

Mas não ia ficar se prendendo muito àquilo agora. Ainda estava se sentindo muito bem sobre a forma como havia salvo a sua conversa com a Beth. A última coisa que esperava no mundo é que ela o chamasse para conversar sobre seu envolvimento em relacionamentos anteriores. Mas ele tirou de letra. Ele não só conseguiu negar de uma forma totalmente plausível, como também a deixou pensando duas vezes sobre Thibault. Dava para ver na cara dela que tinha levantado uma série de questões que ela não tinha nem pensado em relação a Thibault... e o melhor de tudo, ele a tinha convencido de que fazia tudo isso pensando em Ben. Quem sabe? Talvez ela acabasse dando o fora nele, e assim Thibault ia embora da cidade. Isso não seria demais? Outro relacionamento da Beth seria resolvido, e Thibault sairia de cena.

Dirigiu lentamente, saboreando o gosto da vitória. Imaginou se deveria sair para comemorar com uma cerveja, mas decidiu que não. Não poderia mesmo falar sobre o que tinha acontecido. Falar era o que o tinha metido em encrencas, em primeiro lugar.

Depois de virar a rua, passou por uma série de casas bem cuidadas, cada uma com um terreno de meio acre. Morava no fim de uma rua sem saída; seus vizinhos eram um médico e um advogado. Não tinha se saído tão mal, dizia a si mesmo.

Foi só quando ia entrar na garagem que percebeu alguém em pé na calçada em frente da casa. Quando diminuiu a velocidade, viu o cão parado ao lado dele e pisou no breque, não crendo em seus próprios olhos. Parou o carro de qualquer jeito. Apesar da chuva, saiu do carro e foi direto em direção a Thibault.

Quando Zeus rangeu os dentes e começou a avançar, Clayton recuou. Thibault levantou a mão, e o cachorro congelou.

— Que diabos você está fazendo aqui? — gritou, sua voz sobrepondo-se ao barulho da chuva.

— Esperando por você. Acho que é hora de termos uma conversinha.

— E por que é que eu ia querer conversar com você?

— Acho que você sabe.

Clayton não gostou do tom, mas não seria intimidado pelo cara. Nem agora. Nem nunca.

— O que eu sei é que você está vadiando. Nesse país, isso é crime.

— Você não vai me prender.

Parte dele pensou em fazer exatamente isso. — Não tenha tanta certeza.

Thibault continuou a encará-lo como se estivesse desafiando-o. Clayton queria tirar aquela expressão do rosto de Thibault com seu punho. Mas o cãozinho estava lá.

— O que você quer?

— Como disse, é hora de conversarmos — falou com voz ainda mais firme.

— Não tenho nada para falar com você. Vou entrar. Se ainda estiver aqui quando eu chegar na varanda, vou levar você preso por ameaçar um policial com uma arma letal.

Virou-se e começou a caminhar em direção à porta.

— Você não achou o cartão de memória — gritou Thibault.

Clayton parou e virou-se. — O quê?

— O cartão — Thibault repetiu. — Era isso que estava procurando na minha casa quando a invadiu. Quando vasculhou minhas gavetas, olhou debaixo do meu colchão e dentro dos armários.

— Não entrei na sua casa.

— Entrou, sim. Segunda-feira passada, quando eu estava trabalhando.

— Prove!

— Tenho todas as provas necessárias. O detector de movimentos que instalei na lareira ligou a filmadora. Estava escondida na lareira. Imaginei que você fosse procurar pelo cartão um dia e jamais ia procurar por lá.

Clayton sentiu o estômago revirar enquanto tentava descobrir se Thibault estava blefando. Talvez sim, talvez não; não dava para dizer.

— Você está mentindo.

— Então, vá embora. Será ótimo entregar a gravação para o jornal e o delegado agora mesmo.

— O que você quer?

— Já disse, acho que está na hora de termos uma conversa.

— Sobre o quê?

— Sobre o lixo de pessoa que você é! — deixou as palavras saírem lentamente. — Tirar fotografias de estudantes? O que seu avô pensaria sobre isso? Imagino o que aconteceria se ele ficasse sabendo, ou o que o jornal ia dizer. Ou o que seu pai, que suponho ser o delegado de polícia, ia pensar sobre seu filho invadindo a minha casa.

Clayton sentiu outra pontada no estômago. Não tinha como esse cara saber essas coisas... mas ele sabia. — O que você quer? — apesar de se esforçar muito, sabia que seu tom de voz tinha mudado.

Thibault continuava a sua frente, com o olhar impassível. Clayton podia jurar que o homem nem piscava.

— Quero que você seja uma pessoa melhor.

— Não sei do que você está falando.

— Três coisas. Vamos começar com isso: não se meta na vida da Elizabeth.

Clayton piscou. — Quem é Elizabeth?

— Sua ex-esposa.

— Está falando da Beth?

— Você tem dado um jeito de acabar com os relacionamentos dela desde que vocês se divorciaram. Você sabe disso e eu sei disso. E agora ela sabe disso também. Não vai mais acontecer. Jamais. Estamos combinados?

Clayton não respondeu.

— Número dois — não se meta na minha vida. Isso inclui minha casa, meu emprego, minha vida. Entendeu?

Clayton ficou em silêncio.

— E número três. Esse é muito importante — levantou a palma da mão como se estivesse fazendo um juramento. — Se você descontar a raiva que tem de mim em Ben, vai ter de se entender comigo.

Clayton sentiu os pelos da nuca se arrepiarem. — Isso é uma ameaça?

— Não. É a verdade. Faça essas três coisas e não terá nenhum problema comigo. Ninguém jamais vai saber o que você fez.

Clayton apertou a mandíbula.

No silêncio, Thibault aproximou-se dele. Zeus ficou em seu lugar, evidentemente frustrado por ser forçado a ficar para trás. Thibault ficou bem perto até ficarem face a face. Sua voz manteve-se calma desde o início.

— Saiba disso: você nunca conheceu alguém como eu antes. Você não vai querer ter a mim como inimigo.

Dito isso, Thibault deu meia-volta e foi andando pela calçada. Zeus continuou a encarar Clayton até ouvir o comando. Então, foi ao encontro de Thibault, deixando Clayton de pé, na chuva, perguntando-se como tudo, antes tão perfeito, poderia ter ficado tão ruim de repente.

# Capítulo 22

# Thibault

— Acho que quero ser astronauta — disse Ben.

Thibault estava jogando xadrez com ele na varanda dos fundos, tentando decidir sua próxima jogada. Tinha de ganhar o jogo e, apesar de não ter certeza absoluta, o fato de Ben ter começado a falar não lhe parecia um bom sinal. Ultimamente, estavam jogando muito xadrez, pois não houvera um só dia sem chuva forte desde que outubro havia começado, há dez dias. A região leste do Estado já estava alagada e todos os dias havia rios transbordando.

— Parece uma boa ideia.

— Astronauta ou bombeiro.

— Conheci alguns bombeiros.

— Ou médico.

— Hmmm... — colocou a mão no bispo.

— Eu não faria isso — disse Ben.

Thibault olhou para cima.

— Sei o que você está pensando em fazer e não vai dar certo.

— O que eu devo fazer?

— Algo que não seja isso.

Thibault tirou a mão do bispo. Uma coisa era perder, outra era perder continuamente. E o pior é que ele não parecia estar diminuindo esse placar. Pelo contrário, Ben estava ficando cada vez melhor e mais rápido. O último jogo tinha durado todas as 31 jogadas.

— Você gostaria de ver a minha casa da árvore? É muito legal. Tem uma grande passarela em cima do riacho e uma ponte móvel.

— Adoraria conhecê-la.

— Não agora. Um outro dia, talvez.

— Parece uma ótima ideia — disse Thibault, colocando a mão na torre.

— Eu também não faria esse movimento.

Thibault recolheu o braço e Ben inclinou-se para trás.

— Só estou avisando.

Deu de ombros, agindo exatamente como o garoto de 10 anos de idade que era. — O que você achar melhor.

— Menos mover o bispo e a torre.

Ben apontou para outra peça. — E o outro bispo. Conhecendo você, seria seu próximo movimento, já que está tentando uma forma de mover o cavalo. Mas isso também não vai funcionar, pois vou sacrificar meu bispo pelo seu, e mover minha rainha para pegar aquele peão. Isso bloqueia a sua rainha, e eu movo meu rei e a torre simultaneamente e meu cavalo para lá. Mais duas jogadas depois disso e será xeque-mate.

Thibault levou a mão ao queixo. — Eu tenho alguma chance nesse jogo?

— Quantas jogadas você ainda tem?

— De três a sete.

— Então, talvez, fosse melhor recomeçarmos.

Ben ajeitou os óculos. — Talvez.

— Você poderia ter dito isso antes.

— Você parecia tão compenetrado que não quis incomodar.

O próximo jogo não foi diferente do anterior. Na verdade, foi pior, pois Elizabeth decidiu juntar-se a eles, e a conversa entre os dois não mudou muito. Dava para ver Elizabeth tentando esconder o riso.

Nas últimas semanas, haviam estabelecido uma rotina. Depois do trabalho, com a chuva incessante caindo lá fora, ele ia até a casa deles e jogava umas partidas de xadrez com Ben, ficando para jantar, depois os quatro sentavam-se à mesa e conversavam amigavelmente. Por fim, Ben subia para tomar banho e Nana os mandava sentar na varanda enquanto ela ficava limpando a cozinha, dizendo coisas do tipo "limpar para mim é o mesmo que andar nua para o macaco".

Thibault sabia que queria deixá-los a sós. Ainda ficava impressionado como ela conseguia deixar de ser a patroa, assim que o dia terminava, para se tornar rapidamente a avó da mulher que ele estava namorando. Não achava que houvesse muitas pessoas capazes de mudar de função com tanta facilidade.

Mas estava ficando tarde e Thibault sabia que era hora de ir embora. Nana estava falando ao telefone e Elizabeth tinha ido colocar Ben para dormir. Sentado na varanda, sentia os sinais do cansaço em seu corpo. Não vinha dormindo muito desde seu confronto com Clayton. Naquela noite, sem saber ao certo qual seria a reação de Clayton, voltou para sua casa e fez parecer como se tivesse planejado passar uma noite normal. Em vez disso, depois que apagou as luzes, saiu pela janela dos fundos de seu quarto e caminhou com Zeus pelo meio da mata. Apesar da chuva, ficou fora a maior parte do tempo, vendo se Clayton ia aparecer. Na noite seguinte, ficou de guarda na casa de Elizabeth; na terceira noite, ficou alternando entre a casa dela e a sua. A chuva interminável não mais incomodava a ele e a Zeus, pois adaptou uns abrigos camuflados para mantê-los secos. A parte difícil era trabalhar depois de ter dormido apenas algumas horas antes do dia clarear. Desde então, ficava de vigília em noites alternadas, mas, mesmo assim, não era o suficiente para colocar o sono em dia.

Não ia parar, porém. Aquele homem era imprevisível, e procurava por sinais que indicassem a presença de Clayton quando estava trabalhando ou quando estava resolvendo alguma coisa na cidade. Toda noite, fazia um caminho diferente ao voltar para casa, pegava atalhos correndo pelo meio da mata e depois observando a estrada para ver se Clayton não o estava seguindo. Não tinha medo dele, mas também não era idiota. Clayton não só era membro da Família Real do Condado de Hampton, como também trabalhava para a polícia, e era com esse fato que mais se preocupava. Que dificuldade teria em plantar algo — drogas, mercadorias roubadas, até mesmo uma arma usada em algum crime — na casa de Thibault? Ou alegar que Thibault estaria de posse dessas coisas e conseguir que essas provas fossem descobertas? Não seria nada difícil. Thibault tinha certeza de que qualquer júri, após ouvir o testemunho de um oficial da lei, escolheria ficar ao lado dele em vez do de um estranho, por mais inconsistentes que fossem as provas, ou por mais genuíno que fosse seu álibi. Acrescente-se a isso os bolsos generosos e influentes da família Clayton, e não seria difícil conseguir uma testemunha que o acusasse de uma série de crimes.

A parte assustadora é que ele poderia imaginar Clayton fazendo todas essas coisas, e foi por isso que tinha decidido encontrá-lo e conversar com ele sobre o cartão de memória e a gravação, em primeiro lugar. Apesar de não ter nenhum dos dois — havia destruído o cartão e jogado fora assim que pegou a máquina, e o detector de movimentos com filmadora não passava de fruto da sua criatividade —, blefar parecia ser a única opção para ganhar tempo a fim de descobrir o que fazer em seguida. A animosidade que Clayton sentia por ele era perigosa e imprevisível. Se era capaz de invadir a casa de Thibault, se era capaz de manipular a vida pessoal de Elizabeth, provavelmente faria qualquer coisa que achasse necessário para se livrar de Thibault.

As outras ameaças — falar com o jornal, o delegado e com o avô dele — simplesmente serviam para reforçar o blefe. Sabia que Clayton estava procurando pelo cartão porque acreditava que Thibault poderia usá-lo contra ele. Ou por causa do trabalho, ou por causa da família, e algumas horas de pesquisa sobre a ilustre família na biblioteca, no domingo à tarde, foram suficientes para convencer Thibault de que provavelmente deveria ser pelos dois.

Mas o problema dos blefes era que funcionavam até certo ponto. Quanto tempo ia demorar até que Clayton decidisse pagar para ver? Mais algumas semanas? Um mês? Talvez mais? E o que Clayton faria? Vai saber!

Nesse momento, Clayton pensava que Thibault tinha o controle da situação, e Thibault não tinha dúvida de que isso só aumentava a raiva dele. Com o tempo, ia reagir e colocaria essa raiva para fora descontando nele, ou em Elizabeth ou em Ben. Quando percebesse que Thibault não tinha o cartão de memória, ficaria livre para agir como desejasse.

Thibault ainda não tinha certeza do que fazer sobre isso. Não conseguia se imaginar deixando Elizabeth... Ou Ben e Nana, por causa disso. Quanto mais ficava em Hampton, mais sentia que esse era o lugar ao qual pertencia, e isso significava que ele não só tinha de vigiar Clayton, mas evitar o homem o máximo possível. Tinha esperança de que, depois de algum tempo, Clayton passaria simplesmente a aceitar a situação, deixando tudo para lá. Sabia que não era muito provável, mas, por enquanto, era tudo o que tinha.

— Você está disperso novamente — disse Elizabeth ao abrir a porta de tela atrás dele.

Thibault balançou a cabeça. — Só estou cansado no fim de mais uma semana de trabalho. Pensei que fosse difícil suportar o calor, mas pelo menos ainda conseguia fugir um pouco dele. Mas não há como fugir da chuva.

Elizabeth sentou-se ao lado dele na cadeira de balanço da varanda. — Não gosta de ficar ensopado?

— Digamos que não seja o mesmo que estar de férias.

— Sinto muito.

— Tudo bem. Não estou reclamando. Na verdade, quase não me preocupo com isso; e é melhor que eu me molhe do que Nana. E amanhã é sexta-feira, não é?

Ela sorriu. — Hoje eu vou levar você para casa e dessa vez não aceito não como resposta.

— Tudo bem.

Elizabeth olhou pela janela antes de se virar novamente para Thibault. — Falou a verdade quando disse que tocava piano, não falou?

— Eu toco piano.

— Quando foi a última vez que tocou?

Deu de ombros, pensando nisso. — Há dois ou três anos.

— No Iraque?

Ele concordou com a cabeça. — Era aniversário de um dos comandantes. Ele adorava Willie Smith, um dos grandes pianistas de *jazz* entre os anos 1940 e 1950. Ficaram sabendo que eu tocava e tive de me apresentar.

— No Iraque — ela repetiu, sem esconder a surpresa.

— Até os fuzileiros precisam relaxar.

Ela colocou os cabelos atrás da orelha.

— Quer que eu ensine Ben?

Ela não pareceu ouvi-lo. — E quanto à igreja? Você já foi a alguma?

Pela primeira vez, olhou nos olhos dela.

— Sinto que essa conversa não serve apenas para que nos conheçamos melhor.

— Quando estava lá dentro, ouvi Nana falando ao telefone. Você sabe como ela adora participar do coral, não sabe? E que ela acabou de voltar a realizar alguns solos?

Thibault pensou em como responder, suspeitando de aonde a conversa ia chegar e nem se preocupou em esconder o fato.

— Sei.

— No próximo domingo ela fará um solo ainda mais longo. Está muito animada com a ideia.

— Você não está?

— Mais ou menos — suspirou com um olhar triste. — Acontece que ontem Abigail caiu e quebrou o pulso. Era sobre isso que Nana estava falando ao telefone.

— Quem é Abigail?

— A pianista da igreja. Acompanha o coral todos os domingos — Elizabeth começou a balançar a cadeira para frente e para trás, de olho na tempestade. — Bem, Nana disse que ia arrumar um substituto. Na verdade, ela fez uma promessa.

— Ah?

— Também disse que já tinha uma pessoa em mente.

— Entendi.

Elizabeth deu de ombros. — Só achei que seria bom você saber. Tenho certeza de que daqui a pouquinho Nana vai falar com você e não queria que fosse pego desprevenido. Achei melhor vir avisá-lo primeiro.

— Agradeço.

Thibault não disse nada por um bom tempo. No silêncio que se seguiu, Elizabeth colocou a mão no joelho dele.

— O que você acha?

— Tenho a sensação de que não tenho escolha.

— Claro que tem. Nana não vai forçá-lo a nada.

— Mesmo depois de ter feito uma promessa?

— Ela acabaria entendendo — colocou a mão no coração. — Assim que curasse seu coração partido, tenho certeza de que o perdoaria.

— Ah!

— E acho que isso não iria causar nenhum mal à saúde dela. Mesmo com o AVC e todo o desapontamento sentido, não acho que ela ia ficar de cama ou coisa assim.

Thibault abriu um sorriso. — Você não acha que está exagerando?

Os olhos de Elizabeth brilhavam diante da travessura. — Talvez, mas a questão é, você vai tocar?

— Acho que sim.

— Ótimo. E saiba que vai ter de ensaiar amanhã.

— Tudo bem.

— Pode ser que o ensaio seja longo. Os ensaios sempre são longos às sextas-feiras. Elas adoram música, sabe?

— Ótimo — suspirou.

— Veja desta forma: você não vai ter de trabalhar na chuva o dia todo.

— Que maravilha!

Ela lhe deu um beijo no rosto. — Você é um bom homem. Vou silenciosamente torcer por você quando estiver sentada na igreja.

— Obrigado.

— Ah, e quando Nana sair, não a deixe perceber que eu lhe falei alguma coisa.

— Não deixarei.

— E tente parecer animado. Até mesmo, honrado. Como se nunca tivesse imaginado que ela fosse lhe oferecer uma oportunidade tão maravilhosa.

— Não posso simplesmente dizer sim?

— Não. Nana vai querer que você se entusiasme. Como disse, significa muito para ela.

— Ah — ele segurou nas mãos dela. — Você sabe que poderia ter simplesmente pedido a minha ajuda. Não precisava de toda essa história carregada de sentimento de culpa.

— Eu sei. Mas foi muito mais divertido pedir do outro jeito.

Como se tivessem combinado, Nana apareceu à porta com um leve sorriso, segurou no corrimão e perguntou a ele.

— Você ainda toca piano de vez em quando?

Thibault fez o maior esforço para não cair na risada.

Thibault foi apresentado à diretora musical na tarde seguinte, e, apesar do seu desprezo inicial ao *jeans*, à camiseta e ao cabelo comprido dele, não demorou muito para perceber que ele não só sabia tocar, como era também um músico perfeito. Depois de se aquecerem, cometeu pouquíssimos erros, porém o fato de as peças escolhidas não serem tão difíceis havia ajudado. Depois do ensaio, quando o pastor apareceu, explicaram-lhe os procedimentos do culto para que ele soubesse o que esperar exatamente.

Enquanto isso, Nana olhava para ele com orgulho e conversava com suas amigas ao mesmo tempo, explicando que ele trabalhava no canil e estava namorando a Beth. Thibault sentia que as mulheres tinham a atenção voltada para ele, demonstrando um pouco mais do que um simples interesse, porém, ao mesmo tempo, aprovação.

Ao se encaminharem para a saída, Nana deu o braço a ele.

— Você se saiu muito bem.

— Obrigado — disse, espantado.

— Está disposto a dar uma voltinha?

— Para onde?

— Wilmington. Se formos agora, acho que você chegará bem na hora de levar Beth para jantar. Eu tomo conta de Ben.

— O que eu vou comprar?

— Uma jaqueta e calças de algodão. Uma camisa elegante. Não que me importe com o *jeans*, mas, se vai tocar piano no culto de domingo, tem de vir arrumado.

— Ah! — sabia que nem adiantava discutir.

Naquela noite, ao jantar com Elizabeth no Cantina, o único restaurante mexicano do centro, ela observava Thibault pelo seu copo de marguerita.

— Você sabe que agora é um semideus.

— Para Nana?

— Ela não parava de falar no quanto você toca bem, como você foi educado com as amigas dela, como foi respeitoso quando o pastor apareceu.

— Falando assim, parece até que ela estava esperando que eu agisse como um troglodita.

Ela riu. — Pode até ser. Ouvi dizer que antes de sair você estava coberto de lama.

— Tomei banho e troquei de roupa.

— Eu sei. Ela também me disse isso.

— O que foi que ela não lhe disse?

— Que as outras mulheres do coral estavam desmaiando.

— Ela disse isso?

— Não. Não foi preciso, mas estava na cara dela que estavam. Não é todo dia que aparece um estranho, jovem e bonito na igreja para acompanhar o piano. Como não iam desmaiar?

— Acho que você deve estar exagerando.

— Eu acho — Elizabeth deslizava o dedo na borda do copo para sentir o sabor salgado — que ainda tem muito a aprender sobre a vida em uma cidade pequena. Isso é uma grande notícia. Aquele piano é tocado por Abigail há quinze anos.

— Não vou pegar o lugar dela. Isso é temporário.

— Melhor ainda. Dará a eles a chance de escolherem quem preferem. Será assunto por muitos anos.

— É isso que as pessoas daqui fazem?

— Absolutamente. E, a propósito, não há caminho mais rápido para ser aceito por aqui.

— Não preciso ser aceito por ninguém, só por você.

— Sempre charmoso — sorriu. — E o que acha dessa? Keith vai ficar louco de raiva!

— Por quê?

— Porque ele é membro da igreja. Ben vai estar com ele quando o vir. Vai ser a morte para ele saber o quanto as pessoas ficaram agradecidas por você ter oferecido ajuda.

— Não tenho certeza se quero que ele fique ainda mais zangado. Já me preocupo o bastante pensando no que será capaz de fazer.

— Ele não vai fazer nada. Eu sei o que ele anda aprontando.

— Eu não teria tanta certeza.

— Por que você fala assim?

Thibault percebeu as mesas lotadas ao redor deles. Ela pareceu ler sua mente e saiu do lado em que estava sentada na mesa para sentar-se ao lado dele. — Você sabe de algo que não está me contando. O que é? — sussurrou.

Thibault tomou um gole de cerveja e contou a ela sobre seus encontros com o ex dela. Conforme ele ia contando a história, a expressão dela mudou de enojada para divertida, terminando com algo mais parecido com preocupação.

— Você deveria ter me contado antes.

— Eu não me preocupei com isso até ele resolver entrar na minha casa.

— E você acha mesmo que ele é capaz de armar uma cilada para você?

— Você o conhece melhor do que eu.

Percebeu que não estava mais com fome. — Pensei que conhecesse.

Como Ben estava na casa do pai — uma situação que parecia de certa forma surreal tanto para um quanto para o outro, dadas as circunstâncias —, Thibault e Elizabeth foram até Raleigh no sábado, o que tornou mais fácil desviar o pensamento do que Keith Clayton poderia ou não fazer. À tarde, almoçaram na calçada de um café no centro da cidade e visitaram o Museu de História Natural; depois foram a Chapel Hill. A Carolina do Norte jogava contra Clemson, e o jogo estava sendo transmitido pela ESPN. Embora o jogo estivesse acontecendo na Carolina do Sul, os bares do centro da cidade estavam lotados de alunos que assistiam ao jogo em televisões de tela plana gigantes. Ao ouvi-los aplaudir em alguns momentos, vaiar em outros, como se o futuro do mundo dependesse do resultado do jogo, Thibault pensou nos jovens da mesma idade deles servindo o país no Iraque e perguntou-se qual seria o futuro daqueles estudantes universitários.

Não ficaram muito tempo. Depois de uma hora, Elizabeth quis ir embora. Voltaram caminhando para o carro, abraçados, ela com a cabeça no ombro dele.

— Foi divertido. Mas estava tão barulhento!

— Você fala assim porque está ficando velha.

Elizabeth deu um beliscão na cintura dele e percebeu que era só pele e músculos. — Cuidado, amiguinho, ou você vai se dar mal hoje à noite.

— Amiguinho?

— É um termo afetuoso. Digo isso para todos os meus namorados.

— Todos?

— Claro. Até para os estranhos. E quando me dão o lugar no ônibus, digo, obrigada, amiguinho.

— Então, eu sou muito especial na sua vida.

— E não se esqueça disso.

Caminharam por entre a multidão de alunos na Franklin Street, olhando as vitrines e absorvendo a energia. Thibault entendia por que ela tinha vontade de passear por ali. Por causa de Ben, não tinha vivido aquele tipo de experiência. Ficou, porém, mais impressionado por ela estar obviamente se divertindo, sem parecer amarga ou nostálgica pensando em tudo que havia perdido. Ao contrário, seu comportamento era mais próximo de uma antropóloga observadora, decidida a estudar novas culturas. Ela arregalou os olhos quando ele disse isso a ela.

— Não estrague a tarde. Pode acreditar, não estou sendo tão profunda assim. Só queria sair da cidade e me divertir um pouco.

Foram para casa de Thibault e ficaram acordados até tarde; conversando, beijando-se e fazendo amor a noite toda. De manhã, ao acordar, Elizabeth estava deitada ao seu lado, examinando-lhe rosto.

— O que você está fazendo? — perguntou com a voz ainda rouca de sono.

— Observando você.

— Por quê?

— Porque eu quis.

Ele sorriu e deslizou o dedo pelo braço dela, sentindo uma gratidão imensa por tê-la em sua vida. — Você é sensacional, Elizabeth.

— Eu sei.

— Só isso? Só vai dizer eu sei?

— Não venha dar uma de carente para cima de mim. Detesto homens carentes.

— E não tenho certeza se gosto de mulheres que escondem seus sentimentos.

Ela sorriu, inclinando-se para beijá-lo. — Eu me diverti muito ontem.

— Eu também.

— É verdade. As últimas semanas foram as melhores da minha vida. E ontem, só o fato de estar com você... você nem imagina como é. Senti-me... mulher. Não mãe, nem professora, nem neta. Só eu. Fazia muito tempo que isso não acontecia.

— A gente já saiu antes.

— Eu sei. Mas dessa vez foi diferente.

Sabia que ela estava falando do futuro, um futuro que tinha adquirido uma clareza de propósito que não existia antes. Olhando para ela, sabia exatamente o que ela queria dizer.

— Qual o próximo passo? — perguntou seriamente.

Ela o beijou novamente e ele sentiu o calor e a umidade dos lábios dela nos seus. — O próximo passo é levantar da cama. Você tem de estar na igreja em algumas horas.

— Ainda falta muito tempo.

— Para você, talvez. Mas eu estou aqui e minhas roupas estão na minha casa. Você tem de levantar e se arrumar para que eu tenha tempo de me arrumar.

— Essa coisa de igreja não é fácil.

— É verdade. Mas você não tem opção. E, a propósito — segurou na mão dele antes de concluir —, você também é sensacional, Logan.

# Capítulo 23

# Beth

— Gosto dele de verdade, Nana.

De pé, no banheiro, estava fazendo o possível para enrolar o cabelo, mas suspeitava de que, com a chuva, seu esforço seria em vão. Depois de a chuva dar uma pequena trégua, aguardava-se a primeira de duas das tempestades tropicais anunciadas.

— Acho que está na hora de ser honesta comigo. Você não gosta dele simplesmente. Está na cara que o considera o homem da sua vida.

— Não está na minha cara.

— Claro que está. Só falta sentar na varanda para ficar brincando de bem-me-quer, mal-me-quer.

Beth sorriu. — Acredite se quiser, eu entendi a metáfora, na verdade.

— Acidentes acontecem. O que importa é o seguinte: sei que você gosta dele, mas ele gosta de você?

— Claro, Nana.

— Já se perguntou o que isso significa?

— Sei o que significa.

— Só queria ter certeza — Nana olhou-se no espelho e arrumou o cabelo. — Porque eu também gosto dele.

Foi com Nana até a casa de Logan, preocupada com o fato de os limpadores de para-brisa não conseguirem dar-lhe a visão necessária. O nível do rio estava elevado em razão dos temporais sem fim e já começava a atingir um lado da rua. "Mais alguns dias como este", pensou, "e a estradas seriam fechadas". As lojas mais próximas à beira do rio iriam logo começar a se proteger com sacos de areia, na tentativa de evitar que a água destruísse as mercadorias que ficavam perto do chão.

— Duvido que as pessoas cheguem à igreja. Mal dá para ver pela janela.

— Um pouco de chuva não afasta os que amam ao Senhor — enfatizou Nana.

— É muito mais do que um pouco de chuva. Você já deu uma olhada no rio?

— Vi. Está bravo, com certeza.

— Se subir mais um pouco, talvez nem possamos chegar à cidade.

— Vai dar tudo certo — disse Nana.

Beth olhou-a de relance. — Está de bom humor hoje.

— Você não está? Até passou a noite fora!

— Nana! — protestou Beth.

— Não a estou julgando. Só estou falando. Você já é adulta e faz o que quiser da sua vida.

Beth já estava mais do que acostumada às frases de efeito de sua avó. — Obrigada.

— Então, está tudo bem? Mesmo com seu ex querendo arrumar encrenca?

— Acho que sim.

— Você acha que vão se casar?

— Acho que ainda é cedo para pensar nisso. Ainda estamos nos conhecendo.

Nana inclinou-se para frente e limpou os vidros do carro que estavam embaçados. Apesar de a umidade desaparecer momentaneamente, as marcas dos dedos permaneciam. — Assim que vi seu avô, sabia que ele era o homem da minha vida.

— Ele me disse que vocês namoraram seis meses antes de pedi-la em casamento.

— Namoramos. Mas não significa que não teria dito sim antes. Após poucos dias, já sabia que éramos feitos um para o outro. Sei que parece loucura. Mas eu e ele éramos uma combinação perfeita, assim como pão com manteiga, desde o começo.

Fechou os olhos para se lembrar desses tempos com um sorriso nos lábios. — Estava sentada com ele no parque. Devia ser a segunda ou terceira vez que estávamos sozinhos, falávamos sobre pássaros quando um jovem, obviamente de fora da cidade, aproximou-se para ouvir a conversa. Seu rosto estava sujo, não tinha sapatos, e as roupas, além de estarem rasgadas, pareciam não lhe servir. Seu avô abriu um sorriso e continuou falando, como se estivesse dizendo ao garoto que sua companhia era bem-vinda e ele correspondeu com um sorriso. Fiquei tocada por ele não ter julgado o jovem pela aparência. Seu avô continuava falando. Acho que ele sabia o nome de todas as aves da região. Sabia a época em que migravam, onde faziam seus ninhos e os sons que usavam para se comunicar uns com os outros. Depois de algum tempo, o rapaz ficou sentado, somente olhando para seu avô que tinha a capacidade de transformar toda conversa em... algo encantador. E não era só o garoto. Eu também sentia o mesmo. Seu avô tinha uma voz tão serena, parecia uma canção de ninar e, enquanto ele falava, tive a impressão de que deveria ser o tipo de pessoa que não conseguia ficar bravo com alguém mais do que alguns minutos, a raiva não combinava com ele. Não dava margem para ressentimentos ou amargura e foi ali que percebi que seria o tipo de homem que ficaria casado para sempre. E, nessa mesma hora, decidi que seria eu a mulher a me casar com ele.

Apesar de conhecer as histórias de Nana, Beth ficou emocionada.

— Que história comovente!

— Ele era um homem maravilhoso. E quando um homem é assim, tão especial, você percebe mais rápido do que o normal. Você reconhece intuitivamente e tem a certeza de que, aconteça o que acontecer, nunca mais encontrará alguém como ele.

Neste momento, Beth chegou à rua de cascalho em que Thibault morava; ao aproximar-se da casa, aos solavancos, e espalhando lama pelo caminho, viu que ele já estava de prontidão na varanda, vestia o que parecia ser uma jaqueta esportiva e calças de algodão.

Quando ele acenou, ela não conseguiu esconder o sorriso que ia de ponta a ponta.

O culto começou e acabou com música. O solo de Nana foi muito aplaudido, e o pastor agradeceu a Thibault por sua disponibilidade em substituir Abigail ao piano, na última hora, e à Nana por demonstrar as maravilhas operadas pela graça de Deus quando se têm obstáculos a serem superados.

O sermão foi informativo, interessante e comunicado com o humilde reconhecimento de que os mistérios das obras de Deus nem sempre são entendidos. Beth percebeu que o talento do pastor era uma das razões pelas quais a comunidade estava sempre em crescimento.

Do seu lugar, no balcão superior, podia ver Nana e Logan facilmente. Gostava de sentar naquele lugar quando Ben estava na casa do pai, pois ficava fácil para ele encontrá-la. Geralmente, entreolhavam-se duas ou três vezes durante o culto; neste dia ele olhava para ela constantemente, como se compartilhando seu espanto por ser amigo de alguém tão talentoso.

Mas Beth mantinha-se distante de seu ex. Não por causa do que tinha descoberto sobre ele recentemente — embora isso já fosse suficiente —, mas porque facilitava as coisas para Ben. Apesar dos impulsos sexuais de Keith, na igreja comportava-se como se visse lá dentro uma força destruidora que pudesse de alguma forma derrubar seu clã. Vovô sentava-se no centro da primeira fileira, com a família toda de ambos os lados e na fileira de trás. De seu lugar, Beth percebia que ele acompanhava as leituras da Bíblia, fazia anotações, e ouvia atentamente o que o pastor tinha a dizer. De toda a família, era dele de quem Beth mais gostava — ele sempre tinha sido justo e educado com ela, ao contrário de muitos dos demais. Quando se encontravam depois do culto, sempre fazia algum comentário agradável sobre ela e agradecia pelo excelente trabalho que vinha fazendo com Ben.

Havia honestidade na maneira como ele falava com ela, mas também havia uma linha imaginária traçada entre eles, e Beth sabia que não poderia ultrapassar o limite. Vovô sabia que ela desempenhava um papel muito melhor na educação de Ben do que Keith e que ele estava se transformando em um excelente rapaz por causa dela, mas o fato de ter consciência disso não se sobrepunha ao fato de que Ben era, e sempre seria, um Clayton.

Mesmo assim, gostava dele, apesar de Keith, apesar da linha imaginária. Ben gostava dele também, e ela tinha a sensação de que, muitas vezes, vovô exigia que Keith levasse Ben para vê-lo, para poupá-lo de ter de passar um fim de semana inteiro com seu pai.

Tudo aquilo estava longe da sua cabeça ao ver Logan tocando piano. Não sabia o que esperar. Quantas pessoas estudaram piano? Quantas pessoas alegaram tocar bem? Não levou muito tempo para perceber a habilidade excepcional de Logan, muito acima do que estava esperando. Seus dedos deslizavam pelo teclado e seus movimentos eram fluidos; nem parecia olhar para a partitura a sua frente. Enquanto Nana cantava, porém, sua atenção estava voltada para ela, ao mesmo tempo em que mantinha ritmo e andamento perfeitos. Estava muito mais interessado na atuação dela do que em sua própria.

Enquanto ele continuava tocando, ela pensava na história que Nana havia lhe contado no carro. Dispersou-se do culto para relembrar as suas conversas com Logan, da sensação que o abraço dele lhe transmitia, da sua maneira natural de conviver com Ben. Sabia que havia muita coisa desconhecida sobre ele ainda, mas tinha uma certeza: Logan a completava de uma forma que jamais havia considerado possível. Saber os fatos não era o mais importante, disse a si mesma, pois sabia, usando as palavras da sua avó, que ele era o pão da sua manteiga.

Depois do culto, Beth ficou observando de longe, divertindo-se com o fato de que Logan estava sendo tratado como celebridade. Tudo bem que se tratava de uma celebridade cujos fãs eram todos dependentes da Previdência

Social, mas, pelo que podia perceber, ele parecia ao mesmo tempo orgulhoso e envergonhado pela atenção inesperada.

Ao olhar para ela, viu que em seu olhar havia um silencioso pedido de resgate. Mas tudo o que ela fez foi sorrir e dar de ombros. Não queria interferir. Quando o pastor veio agradecer-lhe novamente, sugeriu que Logan poderia continuar tocando mesmo depois que Abigail se recuperasse do pulso quebrado. — Tenho certeza de que vamos encontrar uma solução — disse o pastor.

Ficou mais surpresa ainda quando vovô, com Ben ao seu lado, passou no meio da multidão para cumprimentá-lo. Ao longe viu que Keith tinha uma expressão que demonstrava um misto de raiva e repulsa.

— Bom trabalho, meu jovem — vovô estendeu a mão. — Toca como quem foi abençoado.

Pela expressão de Logan, deu para ver que ele reconheceu seu interlocutor, apesar de que Beth não fizesse a menor ideia de como sabia quem ele era. Ele apertou a mão de vovô.

— Obrigado, senhor.

— Ele trabalha no canil com Nana. E acho que ele e a mamãe estão namorando.

Diante disso, fez-se um silêncio por entre a multidão de admiradores, quebrado apenas por algumas pessoas tossindo de embaraço.

Vovô olhou para Logan, mas ela não percebeu nada de diferente em sua expressão. — É verdade? — perguntou vovô.

— Sim, senhor — respondeu Logan.

Vovô não disse nada.

— Ele também foi fuzileiro naval — disse Ben, sem se dar conta das correntes sociais que se alvoroçavam ao seu redor. Vovô pareceu surpreso, e Logan concordou com a cabeça.

— Servi no Quinto Batalhão, do Quinto Regimento, baseado em Pendleton, senhor.

Depois de uma longa pausa, vovô balançou a cabeça. — Então, obrigado pelo serviço prestado ao nosso país também. Você fez um trabalho maravilhoso hoje.

— Obrigado, senhor — disse novamente.

— Você foi tão educado — disse Beth quando voltavam para casa. Não comentou nada até Nana estar longe o suficiente para não poder ouvir. Lá fora, a grama começava a se transformar em um lago, e a chuva não parava de cair. Passaram para pegar Zeus no caminho de volta e ele agora dormia aos seus pés.

— E por que não seria?

Ela fez uma careta. — Você sabe por quê.

— Ele não é o seu ex — deu de ombros. — Duvido que saiba o que seu ex anda aprontando. Por quê? Você acha que deveria ter contado a ele?

— De forma alguma.

— Também achei que não. Mas olhei para seu ex quando estava falando com o avô dele e ele estava com cara de quem comeu e não gostou.

— Você também percebeu? Eu até achei engraçado.

— Ele não vai ficar feliz.

— Problema dele. Depois do que ele fez, pode fazer a cara que quiser.

Logan concordou e ela se aninhou nele. Thibault ergueu o braço e a puxou ainda mais para perto de si.

— Você estava tão bonito lá em cima tocando piano.

— Ah, é?

— Sei que não poderia ter pensado nisso, pois estava na igreja, mas não pude evitar. Você devia usar jaquetas com mais frequência.

— Meu trabalho não permite esse traje.

— Mas a sua namorada permite.

Ele fingiu estar confuso. — Eu tenho namorada?

Ela deu uma cotovelada de brincadeira antes de olhar para ele e beijá-lo no rosto. — Obrigada por ter vindo para Hampton. E decidido ficar.

Ele sorriu. — Não tive escolha.

Duas horas depois, um pouco antes do jantar, o carro de Keith veio até a entrada da casa passando pelas poças d'água. Ben saiu do carro. Keith deu marcha à ré e foi embora quando Ben chegou à varanda.

— Boa noite, mamãe! Boa noite, Thibault!

Logan acenou para ele, e Beth levantou-se e o abraçou. — Boa noite, querido. Foi tudo bem?

— Sim. Não tive de limpar a cozinha nem colocar o lixo para fora. E sabe de uma coisa?

— Que foi?

Ben sacudiu a água da capa de chuva. — Acho que quero aprender a tocar piano.

Beth sorriu, pensando por que não estava surpresa.

— Ei, Thibault!

— Sim?

— Quer ver a minha casa da árvore?

Beth interrompeu. — Querido... com toda essa chuva, não acho que seja uma boa ideia.

— Está tudo bem. Foi o vovô quem fez e eu fui lá há dois dias.

— O nível da água deve ter subido.

— Por favor, não vamos demorar. E Thibault vai estar comigo o tempo todo.

Mesmo contra sua vontade, Beth acabou permitindo.

# Capítulo 24

# Clayton

Clayton não queria acreditar, mas vovô tinha mesmo ido cumprimentar Thibault depois do culto. Apertou a mão dele, como se ele fosse algum herói enquanto Ben olhava para Thibault com cara de cachorrinho carente.

Fez o maior esforço para não ter de abrir uma cerveja durante o almoço; desde que havia deixado Ben na casa da mãe, já havia tomado quatro. Tinha certeza de que, até a hora de dormir, ia terminar todo o pacote de 12 cervejas. Tinha tomado muita cerveja nas últimas semanas. Sabia que estava abusando, mas era a única coisa que o impedia de explodir desde seu último encontro com Thibault.

O telefone tocou. Tocou novamente. Já era a quarta vez que tocava nas últimas duas horas, mas ele não estava a fim de atender.

Tudo bem, ele admitia. Tinha subestimado aquele homem. Thibault sempre esteve um passo à frente dele, desde o começo. Costumava pensar que Ben sabia direitinho como usar as armas certas para deixá-lo com raiva, mas esse cara usava bombas. "Não", pensou subitamente, "não usava bombas; lançava mísseis que atingiam precisamente seus alvos, todos eles com o único objetivo de destruir a vida dele." E o que era pior, Clayton nem percebeu que isso ia acontecer. Em momento algum.

Estava muito mais do que frustrado, especialmente porque a situação só estava piorando. Agora, era Thibault quem lhe dizia o que fazer. Ficava dando ordens como se ele fosse um empregado, e ele não conseguia ver uma saída. Queria acreditar que Thibault estava blefando ao dizer que tinha filmado a invasão na casa dele. Só poderia estar blefando, afinal, ninguém poderia ser tão esperto assim. Mas, e se fosse verdade?

Clayton pegou outra cerveja na geladeira sabendo que não poderia correr riscos. Quem sabe o que o cara estava preparando em seguida? Tomou um longo gole, desejando que o álcool logo fizesse efeito.

Era para ter sido uma situação fácil de ser resolvida. Ele era policial e o cara era novo na cidade. O poder deveria ter ficado com ele o tempo todo, mas, em vez disso, ele estava sentado em uma cozinha bagunçada porque não quis pedir para Ben limpar por medo de o menino contar a Thibault, o que poderia decretar o fim da vida boa de Clayton.

O que o cara tinha contra ele? Era o que Clayton gostaria de saber. Não tinha sido Clayton quem havia causado todos os problemas. Quem dificultava as coisas era Thibault e, ainda, para colocar sal em uma ferida aberta, o cara estava dormindo com a Beth.

Tomou mais um gole, imaginando como sua vida tinha se tornado um lixo tão rapidamente. Afundado em sua própria tristeza, mal percebeu que alguém batia na porta. Levantou-se e foi atender aos tropeções. Abriu e deu de cara com Tony na varanda, que parecia um rato afogado. Como se as coisas já não estivessem ruins o suficiente, ainda tinha de aguentar aquele verme.

Tony deu um passo para trás. — Nossa, cara. Você está bem? Está com cheiro de quem bebeu todas!

— O que você quer, Tony? — não estava a fim de tolerar isso.

— Estava tentando ligar, mas você não atende.

— Vá direto ao ponto.

— Não o tenho visto muito ultimamente.

— Ando ocupado. E estou ocupado agora, então, vá embora — começou a fechar a porta, mas Tony levantou a mão.

— Espere! Tenho uma informação para você! É importante!

— O que é?

— Lembra quando eu lhe telefonei do salão de bilhar sobre um cara que estava mostrando uma fotografia da Beth?

— E?

— É isso que quero lhe falar. Eu o vi hoje. E ele estava falando com ela.

— De quem você está falando?

— Depois da igreja. Estava falando com a Beth e com o seu avô. Era o cara que estava tocando piano.

Apesar do álcool, Clayton sentiu sua mente clarear. A princípio, lembrou-se vagamente; depois, com clareza. Foi bem no fim de semana que Thibault tinha pego seu cartão de memória.

— Tem certeza?

— Claro que tenho. Eu me lembraria daquele cara em qualquer lugar.

— Ele tinha a foto da Beth?

— Já lhe falei isso. Eu vi. Só achei esquisito, sabe? E, então, vi os dois juntos hoje. Achei que fosse gostar de saber.

Clayton analisou as notícias trazidas por Tony.

— Quero que você me conte tudo o que lembrar sobre essa fotografia.

Tony, o verme, tinha uma memória surpreendentemente boa e não demorou muito para que Clayton ficasse a par de toda a história. Que a fotografia havia sido tirada na feira há alguns anos. Que Thibault não sabia o nome dela. Que estava procurando por ela.

Depois que Tony saiu, Clayton continuou refletindo sobre o que tinha acabado de descobrir.

Não havia como Thibault ter estado em Hampton cinco anos atrás e ter se esquecido do nome dela. Mas, então, como tinha conseguido a fotografia? E tinha atravessado o país para procurar por ela? E se tinha, o que isso queria dizer?

Ainda não tinha certeza, mas havia alguma coisa ali que não estava certa. E Beth, ingênua como era, não só o tinha deixado levá-la para cama, mas para dentro da vida de Ben também.

Ele franziu a testa. Não estava gostando nada daquilo. Não estava gostando mesmo e tinha quase certeza de que Beth também não ia gostar.

# Capítulo 25

# Thibault

— Então, é aqui, hein?

Apesar do abrigo que as árvores ofereciam, Thibault estava todo molhado quando ele e Ben chegaram à casa da árvore. A água pingava pela capa de chuva que ele usava, e as calças novas já estavam encharcadas até o joelho. Dentro das botas, as meias emitiam sons desagradáveis. Ben, por outro lado, estava coberto dos pés à cabeça com uma capa de chuva com capuz e usava as galochas de Nana nos pés. Thibault duvidava que, além de seu rosto, houvesse algum outro pingo de chuva nele.

— É por aqui que entramos. É demais, não é? — Ben apontou para um carvalho ao lado do riacho. Uma série de tábuas pregadas de qualquer jeito permitia que se subisse pelas laterais dos troncos. — Tudo o que você tem de fazer é subir pela escada da árvore para que possamos atravessar a ponte.

Thibault notou com apreensão que o riacho já estava duas vezes maior do que seu tamanho normal, e a água corria rapidamente.

Voltando a atenção para a pequena ponte, viu que era composta de três partes: uma parte feita de corda presa no carvalho, que levava a uma pequena plataforma no centro do riacho, apoiada por quatro pilares inclinados; a plataforma ligava-se à outra parte da ponte de corda à passarela da casa da árvore. Thibault notou os entulhos acumulados pelos pilares e a velocidade da correnteza. Apesar de não ter inspecionado a ponte previamente, suspeitava de que tivesse apodrecido pelas chuvas incessantes e pela correnteza. Antes que pudesse dizer sua opinião, Ben já estava subindo a escada.

Sorriu para ele lá de cima. — Venha! O que você está esperando?

Thibault levantou o braço para se proteger da chuva, sentindo um medo repentino. — Não acho que seja uma boa ideia...

— Covarde! — provocou Ben. Começou a atravessar, com a ponte balançando para lá e para cá enquanto corria.

— Espere! — gritou Thibault, sem obter resultado. Ben já estava na plataforma central. As tábuas encharcadas cederam com o seu peso. Assim que viu que Thibault ia atrás dele, continuou o restante do caminho da casa da árvore. Thibault prendeu a respiração quando Ben pulou na plataforma da casa. Ela se curvou com o peso do corpo dele, mas ficou no lugar. Ben virou-se e abriu um sorriso.

— Volte! Não acho que a ponte vai me aguentar.

— Vai, sim. Foi meu avô quem construiu.

— Por favor, Ben.

— Covarde! — provocou novamente.

Era óbvio que para Ben tudo não passava de um jogo. Thibault olhou de novo para a ponte e achou que, se fosse bem devagar, talvez ela aguentasse. Ben tinha corrido, e isso a retorcera e havia causado pressões de impacto. Será que a ponte ia aguentar o peso de Thibault?

Assim que deu o primeiro passo, as velhas tábuas encharcadas cederam ao peso do seu corpo. Sem dúvida, estavam podres. Pensou na fotografia que estava em seu bolso. A correnteza do riacho fazia movimentos circulares, e, abaixo dos seus pés, havia uma torrente.

Não havia tempo a perder. Caminhou lentamente até a plataforma central e, em seguida, pela ponte móvel. Percebeu a oscilação da plataforma, duvidou que ela aguentasse os dois juntos. A fotografia em seu bolso parecia pegar fogo.

— Vou te encontrar aí dentro — Thibault tentou parecer descontraído. — Não fique na chuva esperando um velho como eu.

Felizmente Ben riu e entrou na casa da árvore. Thibault suspirou aliviado ao ultrapassar a ponte móvel. Deu um longo passo para evitar a plataforma e entrou na casa.

— É aqui que guardo minhas cartas de Pokémon — disse Ben, ignorando a maneira como ele havia entrado e apontando para as caixas do canto. — Tenho um Charizard. E um Mewtwo.

Thibault enxugou o rosto para se recompor e se sentou no chão. — Que legal! — disse, vendo poças de água se formando ao seu redor.

Analisou o pequeno cômodo. Havia brinquedos empilhados em um canto e uma janela aberta deixava grande parte do interior exposta às intempéries, deixando as tábuas encharcadas. O único mobiliário era um simples pufe encostado do canto.

— Aqui é meu esconderijo.

— Ah, é?

— Venho aqui quando estou bravo. Quando os garotos da escola são malvados.

Thibault encostou-se na parede enquanto ia sacudindo a água das mangas. — O que eles fazem?

— Coisas, sabe. Tiram sarro pela forma como jogo basquete, ou como chuto a bola ou por causa dos meus óculos.

— Deve ser difícil.

— Não me incomoda.

Ben pareceu não perceber a contradição óbvia e Thibault continuou. — O que tem de tão especial neste lugar?

— O silêncio. Quando estou aqui, não me fazem perguntas e não me dão ordens. Posso ficar sentando, pensando.

Thibault concordou. — Faz sentido — pela janela percebeu que a chuva tinha mudado a direção por conta do vento.

— Pensando em quê?

Ben deu de ombros. — Em como é crescer e coisas assim. Em ficar mais velho. Queria ser maior.

— Por quê?

— Há um garoto na minha classe que sempre fica me provocando. É malvado. Ele me derrubou no chão da lanchonete.

A casa da árvore balançou com o vento forte. Novamente a fotografia parecia estar queimando em seu bolso e, sem se dar conta, e nem mesmo entender o porquê, levou a mão ao bolso e pegou a fotografia.

Lá fora, o vento continuava soprando forte e dava para ouvir os galhos das árvores batendo contra a estrutura da casa da árvore. Sabia que a chuva estava elevando o nível do riacho a cada minuto. Subitamente, imaginou a plataforma da casa da árvore que sustentava a casa, encurralando-o bem na forte correnteza do riacho.

— Quero dar uma coisa para você — as palavras saíram da boca sem ter consciência do que dizia. — Acho que isso vai resolver seu problema.

— O que é?

Thibault engoliu em seco. — É uma fotografia da sua mãe.

Ben pegou a foto e olhou para ela, curioso. — O que devo fazer com ela?

Thibault inclinou-se para frente e pegou no canto da fotografia. — Leve-a sempre consigo. Meu amigo Victor dizia que era um talismã da sorte. Dizia que foi o que me manteve em segurança no Iraque.

— É minha, de verdade?

Essa era a questão, não era? Depois de um longo momento, Thibault concordou. — É sua, prometo.

— Que legal!

— Você me faria um favor?

— O quê?

— Você poderia manter isso entre nós? E prometeria mantê-la sempre com você?

Ben pensou a respeito. — Posso dobrá-la?

— Acho que não tem problema.

Ben pensou novamente. — Claro. Obrigado — concordou, dobrando a fotografia e colocando-a em seu bolso.

Era a primeira vez em cinco anos que se separava da fotografia e a sensação de perda deixou-o um pouco desorientado. De qualquer forma, Thibault não esperava sentir a falta dela de forma tão intensa. Ver Ben atravessar a ponte ao mesmo tempo em que o riacho corria enfurecido intensificou ainda mais a sensação. Quando Ben acenou, do outro lado do riacho e começou a descer a escada, Thibault pisou relutantemente na plataforma, tentando atravessar a ponte o mais depressa possível.

Sentiu-se exposto ao cruzar a ponte passo a passo, ignorando o fato de que tudo ia desabar no riacho a qualquer momento e ele já não levava mais a fotografia no bolso. Quando chegou ao carvalho, na outra margem, soltou um suspiro, tremendo de alívio. Mesmo assim, ao descer, sentiu uma incômoda premonição de que o que quer que fosse ainda não estava acabado; na verdade, estava apenas começando.

# Capítulo 26

# Beth

Na quarta-feira, Beth olhava pela janela da sua sala de aula na hora do almoço. Nunca tinha visto nada assim, furacões e ventos fortes vindos do nordeste nem se comparavam aos temporais incessantes que recentemente haviam atingido o condado de Hampton, bem como toda a região de Raleigh e a costa. O problema era que, ao contrário da maioria das tempestades tropicais, essas não estavam passando rapidamente e se encaminhando para o mar. Ao contrário, ficavam, e cada dia era mais feio do que o anterior, fazendo com que quase todos os rios da parte leste do Estado transbordassem. Cidadezinhas ao longo dos rios Pamlico, Neuse e Cape Fear já estavam com a água na altura dos joelhos, e Hampton estava indo para o mesmo caminho. Com mais um ou dois dias de chuva só seria possível ir ao centro da cidade de canoa.

O condado já havia decidido fechar as escolas até o fim da semana, pois os ônibus escolares já não mais conseguiam fazer os trajetos de costume e apenas um pouco mais da metade dos professores havia conseguido ir trabalhar. Ben, obviamente, estava animado com a ideia de ficar em casa brincando com Zeus pelas poças d'água, mas Beth sentia-se um pouco receosa. Os jornais e o noticiário local informavam que, como o South River já estava muito acima do nível, a situação ainda ia piorar muito por conta dos riachos e afluentes que continuavam a desaguar nele. Os dois riachos que circundavam o canil ficavam cerca de 500 metros de distância, e agora poderiam ser avistados das janelas da casa, e Logan estava até mantendo Zeus preso por causa do entulho trazido pela chuva.

Ficar preso dentro de casa era difícil para as crianças, uma das razões que as fazia ficar na sala de aula. Depois do almoço, voltariam para a classe, onde, teoricamente, iam desenhar ou colorir tranquilamente, em vez de jogar bola, basquete ou brincar de pega-pega lá fora. Há anos que vinha pedindo para que, em dias como aquele, as mesas e cadeiras da lanchonete fossem afastadas para que as crianças pudessem correr e brincar por vinte minutos a fim de poderem voltar mais concentradas para a sala de aula. Diziam para ela que não tinham como fazer isso por conta de questões regulamentais e de responsabilidade civil, questões relacionadas ao sindicato dos faxineiros, além de questões de segurança e saúde. Ao perguntar o que estavam querendo dizer com isso, davam-lhe uma longa explicação, mas, para ela, tudo se resumia em batatas fritas. Como, por exemplo: "Não podemos permitir que uma criança escorregue em uma batata frita, pois, se isso acontecer, a escola poderá ser processada, ou os faxineiros teriam de negociar o contrato por não terem limpado a batata frita da lanchonete no horário agendado para fazê-lo, e, finalmente, se a criança que escorregar na batata frita acabar caindo no chão, ela ficará exposta a vários patogênicos prejudiciais à saúde".

Bem-vindo ao mundo dos advogados, pensou. Afinal, não eram eles que tinham de dar aula para crianças presas em uma sala de aula um dia inteiro, sem ao menos um tempo para recreio.

Geralmente, teria ido à sala dos professores para almoçar, mas, como não havia muito tempo para preparar as atividades de seus alunos, resolveu ficar na classe para conseguir fazer tudo. Estava em um canto da classe, arrumando um jogo utilizado para emergências como as deste dia, quando percebeu movimento na porta. Virou-se e levou algum tempo para perceber quem era. Os ombros do uniforme ainda estavam molhados e caíam alguns pingos do cinto onde ficava sua arma. Na sua mão, havia um envelope de papel-manilha.

— Oi, Beth — disse calmamente. — Você tem um minuto?

Ela se levantou. — O que foi, Keith?

— Vim pedir desculpas — juntou as mãos como em sinal de contrição. — Sei que não tem muito tempo, mas preciso falar com você a sós. Arrisquei vir até aqui, mas, se o momento não for adequado, talvez possamos marcar um horário que seja mais conveniente para você.

Beth olhou no relógio. — Tenho cinco minutos.

Keith entrou na sala e ia fechar a porta quando resolveu pedir permissão a ela. Ela concordou, pois queria resolver logo o assunto que o trouxera ali. Keith aproximou-se dela, mantendo uma distância respeitosa.

— Como disse, vim aqui para pedir desculpas a você.

— Pelo quê?

— Pelos rumores que você ouviu. Não fui totalmente sincero com você.

Beth cruzou os braços. — Em outras palavras, você mentiu.

— Menti.

— Mentiu na minha cara.

— Menti.

— Sobre o quê?

— Perguntou se eu coloquei para correr alguns caras que você namorou no passado. Não foi bem isso que fiz, mas o que não falei para você é que, de fato, conversei com eles.

— Você conversou com eles.

— Sim.

Beth fez o maior esforço para controlar a raiva.

— E... o que você quer? Pedir desculpas por ter falado com eles ou por ter mentido para mim?

— As duas coisas. Peço desculpas por ter falado com eles e por ter mentido para você. Sei que não temos o melhor relacionamento no momento desde que nos divorciamos e sei que você acha que cometeu um erro por ter se casado comigo. Você tem toda a razão. Não deveríamos ter nos casado e aceito esse fato. Mas entre nós dois, e estou sendo honesto, você ficou com um papel muito mais importante do que o meu, nós temos um filho maravilhoso. Você pode achar que não sou o melhor pai do mundo, mas nunca me arrependi de ter tido Ben, ou do fato de ele ficar com você a maior parte do tempo. Ele é um garoto incrível e você está fazendo um trabalho maravilhoso com ele.

Ela não sabia ao certo aquilo a que responder, então optou pelo silêncio e ele continuou.

— Mas ainda me preocupo, e sempre me preocuparei, como disse, com quem participa da vida de Ben, quer seja amigo, conhecido ou até mesmo alguém que você venha a apresentar a ele. Sei que não é justo e você deve achar isso uma invasão na sua privacidade, mas é assim que eu sou. E, para ser honesto, não sei se vou mudar.

— Então, você está dizendo que vai ficar me seguindo para sempre?

— Não — respondeu rapidamente. — Não vou mais fazer isso. Só estava explicando por que fiz antes. E, acredite em mim, não ameacei ou intimidei aqueles caras. Só falei com eles. Expliquei o quanto Ben significava para mim e que, como pai dele, ele era a coisa mais importante da minha vida. Você pode até não concordar com a forma como me relaciono com ele, mas se você pensar em alguns anos atrás, vai se lembrar de que as coisas nem sempre foram assim. Ele costumava gostar de vir a minha casa. Agora não gosta mais. Mas eu não mudei. Ele mudou. Não de uma forma ruim — é normal crescer, e é isso que ele está fazendo. E talvez eu tenha de perceber e aceitar o fato de que ele está ficando mais velho.

Ela não disse nada. Conforme Keith a observava, ele deu um longo suspiro. — Também disse aos homens que não queria que você se magoasse. Sei que posso ter parecido possessivo, mas não foi a minha intenção. Falei da mesma forma como um irmão teria dito. Como Drake teria dito. Como dizendo, se você gosta dela, se você a respeita, apenas tenha certeza de cuidar bem dela. Foi isso que disse a eles — deu de ombros. — Sei lá, talvez alguns deles tenham entendido de forma errada porque sou policial ou por causa do meu sobrenome, mas isso são coisas que não posso evitar. Acredite em mim, a última coisa que quero é que você seja infeliz. A coisa pode não ter dado certo entre nós, mas você é a mãe do meu filho e sempre será.

Keith abaixou a cabeça e mexeu os pés. — Você tem todo o direito de ficar brava comigo. Eu errei.

— Errou mesmo — Beth ficou onde estava, de braços cruzados.

— Como disse, sinto muito e jamais vai acontecer de novo.

Ela não respondeu imediatamente. — Tudo bem. Vamos ver se você vai conseguir.

Ele deu um sorrisinho amarelo e disse: — É justo.

— Só isso? — abaixou-se para continuar arrumando o jogo.

— Na verdade, também queria conversar com você sobre Logan Thibault. Há algo que você deveria saber sobre ele.

Ela levantou as mãos para fazê-lo parar. — É melhor nem começar.

Isso não o dissuadiu. Em vez disso, deu um passo à frente, colocando a mão na aba do chapéu. — Não vou falar com ele a menos que você queira que eu fale. Quero deixar isso claro. Acredite em mim, Beth. Isso é sério. Não estaria aqui se não fosse. Estou aqui porque me preocupo com você.

A cara de pau dele era de tirar o fôlego. — Você realmente espera que acredite que você só quer o meu bem depois de ter admitido que tem me espionado há anos? E que foi o responsável por ter arruinado toda e qualquer chance de relacionamento entre mim e qualquer outra pessoa nos últimos anos?

— Isso não tem nada a ver com aquelas coisas...

— Deixe-me adivinhar... você acha que ele é usuário de drogas, certo?

— Não faço ideia. Mas ele não tem sido honesto com você.

— Você não sabe se ele tem sido honesto comigo ou não. Agora, saia daqui. Não quero falar com você e nem quero ouvir o que você tem a dizer.

— Então, pergunte você para ele. Pergunte se ele veio a Hampton para encontrar você.

— Para mim chega — foi em direção à porta. — E se você tocar em mim enquanto estiver saindo, eu vou gritar.

Passou por ele e, quando ia abrir a porta, Keith suspirou bem alto.

— Pergunte a ele sobre a fotografia.

Seu comentário a fez parar. — Quê?

A expressão de Keith era séria, como ela nunca tinha visto. — A fotografia que ele pegou de Drake.

# Capítulo 27

# Clayton

Clayton percebeu pela cara dela que tinha conseguido sua atenção, mas ela não tinha certeza do que ele estava querendo dizer com isso.

— Ele tem uma fotografia sua. E, quando chegou à cidade, foi ao salão de bilhar Decker's. Tony estava lá naquela noite e o viu. Na verdade, ele até me ligou na mesma hora porque achou estranha a história do cara, mas eu nem dei bola para ele. Na semana passada, porém, Tony foi até a minha casa para me dizer que reconheceu Thibault quando o viu tocar piano na igreja.

Beth não conseguia fazer mais nada além de olhar para ele.

— Não sei se Drake deu para ele ou se pegou de Drake. Mas acho que é a única coisa que faz sentido. Tanto Drake quanto Thibault eram fuzileiros, e, de acordo com Tony, a fotografia era antiga, tirada há anos.

Ele hesitou. — Sei que lhe falei da forma como me comportei e parece que também quero colocá-lo para correr, mas não vou falar com ele. Só que acho que você deveria, e não estou falando isso por ser seu ex-marido. Estou falando como policial.

Beth queria ir embora, mas não encontrava forças para se mover.

— Pense bem. Ele tinha uma foto sua, e, somente baseado nisso, atravessou o país para lhe encontrar. Não sei o porquê, mas posso muito bem adivinhar. Ele ficou obcecado por você, mesmo sem nunca tê-la encontrado, como aquelas pessoas que ficam obcecadas por celebridades. E o que ele fez? Ele a perseguiu, mas vê-la a distância, ou simplesmente conhecê-la, não foi suficiente. Em vez disso, ele tinha de fazer parte da sua vida. É isso que os assediadores mais perigosos fazem, Beth.

Seu tom era calmo e profissional, o que só intensificava o medo que ela começava a sentir.

— Pela sua expressão, vejo que é tudo novidade para você. Você deve estar se perguntando se estou falando a verdade ou não, e o meu histórico não é dos melhores. Mas, por favor, por Ben e por você, converse com ele. Posso estar junto se você quiser, ou posso mandar um colega se você preferir. Ou você pode chamar outra pessoa, sua amiga Melody. Só quero que você entenda a gravidade do assunto. Como é... aterrorizante e assustador. Isso é de dar medo e não há como explicar para você como é importante que leve o assunto a sério.

A expressão da sua boca mostrava a tranquilidade com que expressava os fatos e a forma como colocou o arquivo na mesa de um aluno. — Aqui tem informações gerais sobre Logan Thibault. Não tive tempo de ir muito a fundo, e posso me meter em encrencas por deixar você ver isso, mas como sei o que mais ele não te contou... — parou de falar para olhar para ela novamente.

— Pense no que eu lhe falei. E tome cuidado, tudo bem?

# Capítulo 28

# Beth

Ela mal conseguia olhar pelo para-brisa, dessa vez tinha muito mais a ver com sua falta de concentração do que com a chuva. Depois que Keith saiu, ficou extremamente confusa olhando para o arquivo, ainda tentando entender as coisas que seu ex tinha falado.

Logan e a fotografia de Drake... Logan tinha ficado obcecado por ela... Logan tinha decidido ir atrás dela... Logan tinha ido a sua caça.

Não conseguia respirar direito, e juntou todas as suas forças para ir até a diretoria dizer que tinha de ir para casa. Assim que o diretor olhou para ela, concordou, oferecendo-se para encontrar um substituto para o resto da tarde. Nana ia buscar Ben na escola, Beth disse a ele.

No caminho para casa, as imagens não paravam de vir a sua mente, como se fosse um caleidoscópio de visões, sons e cheiros. Ela tentou convencer-se de que Keith estava mentindo, tentando agarrar-se a uma forma de racionalizar os fatos. Talvez fosse possível, considerando a forma como ele havia mentido no passado...

Keith tinha falado a verdade. Tinha sido mais profissional do que pessoal, e tinha falado a ela algo que poderia ser facilmente verificado.

Sabia que ela ia perguntar a Logan sobre isso... queria que ela perguntasse a Logan... o que significava...

Beth apertou a direção, tinha uma necessidade urgente de falar com Logan. Ele ia esclarecer tudo. Ele tinha de conseguir esclarecer.

A água do rio já tinha chegado até a estrada mas, como estava muito preocupada, só se deu conta disso quando o carro já estava no meio dela. Sentiu como se estivesse sendo atirada para frente com o rio fluindo a sua volta e chegou a achar que isso poderia fazer com que o motor do carro parasse, mas ele continuou trafegando normalmente até atingir uma parte mais segura novamente, com a água mais baixa.

Chegando em casa, não sabia o que pensar, dentro de si havia uma confusão crescente. Sentia-se ora furiosa, ora traída e manipulada, ora decidida a não acreditar em nada daquilo, pois Keith deveria ter mentido mais uma vez.

Ao aproximar-se da entrada da casa, procurou avistar Logan no meio dos campos alagados.

Ao longe, em meio à cerração, viu que havia luzes dentro de casa. Pensou em ir falar com Nana, aproveitar seu raciocínio rápido, seu bom senso e esclarecer tudo. Ao ver as luzes acesas no escritório, sentiu um nó na garganta. Desviou a direção do carro para a entrada do escritório, dizendo a si mesma que era tudo um mal-entendido. Logan não tinha a fotografia. Passou por cima das poças de lama, e a chuva caía tão forte que o limpador de para-brisas não conseguia cumprir sua função. Na varanda do escritório, viu Zeus deitado na porta, com a cabeça levantada.

Parou em frente à porta e correu para a varanda, com a chuva caindo em seu rosto. Zeus aproximou-se, colocando o nariz perto de sua mão, mas Beth não deu atenção a ele e entrou, esperando encontrar Logan sentado à mesa.

Ele não estava lá. A porta que dava para os canis estava aberta. Ficou parada no meio do escritório, encheu-se de coragem enquanto observava as sombras do corredor escuro. Esperou até que Logan aparecesse na parte mais iluminada...

— Oi, Elizabeth. Não esperava você por aqui. O que aconteceu?

Ao vê-lo, sentiu que ia explodir. Subitamente, sentiu a boca seca, não sabia nem como começar a falar. Pressentindo o estado em que ela se encontrava, Logan não disse nada.

Ela fechou os olhos, sentindo que ia chorar, depois respirou lentamente. — Por que você veio até Hampton? Quero que você diga a verdade dessa vez.

— Já falei a verdade!

— Você me contou tudo?

Hesitou um segundo antes de responder. — Nunca menti para você.

— Não foi isso que perguntei. Perguntei se não escondeu nenhum detalhe de mim.

Logan a analisou atentamente. — De onde surgiu isso?

— Não interessa! — dessa vez deu para perceber a raiva na voz dela. — Só quero saber por que você veio a Hampton.

— Eu já disse...

— Você tem uma fotografia minha?

Logan não disse nada.

— Responda à pergunta — deu um passo à frente. — Você tem uma fotografia minha?

Não sabia ao certo qual seria a reação dele, mas, além de um leve suspiro, ele nem vacilou.

— Tenho.

— A que eu dei para Drake?

— Sim.

Com essa resposta, ela sentiu seu mundo inteiro desmoronar. De repente, tudo começou a fazer sentido, a forma como ele olhou para ela a primeira vez em que a viu, a razão de ter aceitado trabalhar por um salário-mínimo, por que fez amizade com Ben e Nana, por que vivia falando de destino...

Ele tinha a foto. Tinha vindo a Hampton para encontrá-la. Tinha vindo atrás da sua presa.

Sentiu uma súbita dificuldade de respirar.

— Ai, meu Deus!

— Não é o que você pensa...

Estendeu a mão para ela, que ficou paralisada olhando o que estava acontecendo até tomar consciência do fato. Deu um pulo para trás, desesperada para aumentar a distância entre eles. Tudo tinha sido uma mentira...

— Não me toque!

— Elizabeth...

— Meu nome é Beth!

Olhou para ele como se fosse um estranho, até que ele abaixou o braço. Quando tentou falar novamente, sua voz saiu como um sussurro. — Posso explicar...

— Explicar o quê? Que você atravessou o país para me encontrar? Que você se apaixonou por uma imagem?

— Não foi assim — sacudiu a cabeça.

Ela não o ouviu. Só conseguia olhar para ele, imaginando se alguma coisa que ele havia dito era verdade.

— Você me perseguiu... — disse quase que a si mesma, mais do que a ele. — Você mentiu para mim. Você me usou.

— Você não está entendendo...

— Não estou entendendo? Você quer que eu entenda?

— Não roubei a foto. Achei a foto no Kuwait, e coloquei no quadro de avisos onde achei que alguém procuraria por ela. Mas ninguém apareceu para pegá-la.

— E daí... você pegou de volta? — balançou a cabeça sem acreditar no que estava acontecendo. — Por quê? Porque teve uma ideia louca e absurda de vir atrás de mim?

— Não — disse, aumentando o tom de voz. O som a assustou, fazendo-a pensar com mais calma, somente por um instante. — Vim porque tenho uma dívida com você.

— Você tem uma dívida? O que isso quer dizer?

— A foto... ela me salvou.

Apesar de ter ouvido a frase corretamente, não conseguiu entender as palavras. Ficou esperando por mais, mas ele não disse mais nada, achou o silêncio de alguma forma... assustador. Os pelos do seu braço estavam arrepiados e ela deu um passo para trás. — Quem é você? O que você quer de mim?

— Não quero nada. E você sabe quem eu sou.

— Não, não sei. Não sei nada sobre você!

— Deixe-me explicar!

— Então me explique de forma bem clara por que não me falou dessa fotografia quando veio aqui pela primeira vez! — gritou. Sua voz ecoava pelo ambiente. Em sua mente, viu Drake e todos os detalhes da noite em que a foto foi tirada. Apontou o dedo para ele. — Por que você não disse que achou essa foto no Iraque e pensou que fosse querer tê-la de volta? Por que você não me contou quando falamos sobre Drake?

— Não sei...

— A foto não era sua! Deu para entender? Não era para ficar com você! Era para o meu irmão, não para você! Era dele e você não tinha o direito de esconder isso de mim!

A voz de Logan mais parecia um sussurro. — Nunca quis magoar você.

Olhou fixamente para ele, fazendo penetrar-lhe toda raiva sentida.

— Era tudo fingimento, não era? Você achou a foto e criou uma fantasia na qual faria o papel principal. Você me manipulou desde o primeiro momento em que nos encontramos! Você se preparou para descobrir o que poderia fazer para parecer que era a pessoa perfeita para mim. E fez isso porque estava obcecado por mim, você me levou a me apaixonar por você.

Percebeu a hesitação de Logan diante de suas palavras e continuou:

— Você tinha tudo planejado desde o começo! É doente e é errado e não posso acreditar que caí nessa!

Ele balançou levemente os calcanhares, espantado com as palavras dela.

— Admito que queria encontrá-la. Mas você está errada quanto ao motivo. Não vim aqui para fazê-la se apaixonar por mim. Sei que parece loucura, mas vim aqui por acreditar que a fotografia me manteve em segurança e que... de alguma forma, tinha uma dívida com você, mesmo sem saber o significado disso, ou no que isso daria. Mas não planejei nada depois que cheguei aqui. Aceitei o emprego e, depois, me apaixonei por você.

Ela não mudava a expressão dura enquanto ele falava. Em vez disso, começou a balançar a cabeça lentamente.

— Você consegue ouvir o que está falando?

— Sabia que você não iria acreditar, por isso não contei para você...

— Não tente se justificar com mentiras. Você ficou preso em uma fantasia doentia e não quer admitir o fato.

— Pare de falar desta forma — ele também gritou. — É você que não está ouvindo. Você não está nem tentando entender o que estou dizendo?

— Por que deveria tentar entender? Você está mentindo para mim desde o começo. Você está me usando desde o começo.

— Não estou usando você — procurou se recompor, endireitando as costas. — E não menti sobre a foto. Só não contei por não saber como fazê-lo de uma forma que você não me considerasse louco.

Ela levantou as mãos. — Nem pense em colocar a culpa em mim. Foi você quem mentiu! Foi você quem omitiu os fatos! Eu contei tudo! Abri meu coração para você! Deixei meu filho afeiçoar-se a você! — gritou. Ao continuar, sua voz falhou e ela sentiu as lágrimas começando a se formar. — Fui para cama com você porque pensei que fosse alguém em que pudesse confiar. Mas agora sei que não posso. Dá para imaginar como isso me faz sentir? Saber que a coisa toda era uma espécie de charada?

— Por favor, Elizabeth... Beth... me escute.

— Não quero escutar. Já ouvi mentiras demais.

— Não seja assim.

— Você quer que eu escute? Escutar o quê? Que você ficou obcecado por uma fotografia e veio atrás de mim porque acreditava que a foto mantinha você em segurança? Isso é loucura, e o que mais incomoda é que você nem reconhece que sua explicação só faz com que você pareça mais psicótico.

Ele olhou para ela e deu para notar seu queixo contraindo-se.

Sentiu um calafrio percorrer seu corpo. Para ela, não dava mais. Não queria mais saber dele. — Quero-a de volta. Quero a foto que dei para o Drake.

Ele não respondeu e ela foi até o peitoral da janela, pegou um vaso de flores e jogou em cima dele gritando. — Onde está? Eu quero!

Logan abaixou-se, e o vaso passou perto, indo bater na parede atrás dele. Pela primeira vez, Zeus latiu, sentindo-se confuso.

— Não é sua! — gritou.

Logan endireitou-se novamente. — Não está comigo.

— Onde está?

Logan fez uma pausa antes de responder. — Dei para o Ben.

Ela semicerrou os olhos. — Saia daqui!

Logan fez uma pausa e acabou indo em direção à porta. Beth desviou-se do caminho para manter distância dele. Zeus girava a cabeça, olhando para Logan e para Beth alternadamente, antes de decidir ir lentamente atrás de Logan.

Na porta, Logan parou e virou para ela.

— Juro pela minha vida que não vim aqui para me apaixonar por você ou fazer você se apaixonar por mim. Mas foi o que aconteceu.

Ela olhou para ele. — Já falei para você sair daqui.

Ele virou-se e saiu no meio da tempestade.

# Capítulo 29

# Thibault

Apesar da chuva, Thibault não conseguia se imaginar voltando para casa. Queria ficar lá fora; sentir-se quente e seco não parecia correto. Queria punir-se pelo que tinha feito, por todas as mentiras que havia contado.

Ela estava certa. Não havia sido honesto com ela. Apesar da dor que sentiu por algumas das coisas que ela lhe disse e da falta de disposição que demonstrou em ouvi-lo, encontrava justificativa no sentimento de traição que ela estava sentindo. Mas como explicar? Não entendia totalmente os motivos que a levaram a interpretar as atitudes dele como as de um louco. Era óbvio que estava obcecado, mas não da forma como ela havia imaginado.

Devia ter contado a ela sobre a fotografia assim que chegou e esforçava-se para encontrar as razões que o haviam levado a optar por não contar. Na pior das hipóteses, ela teria ficado surpresa e feito algumas perguntas, e ia acabar ficando nisso. Suspeitava de que Nana o teria contratado da mesma forma, e nada disso teria acontecido.

Mais do que tudo, queria dar meia-volta e ir atrás dela. Queria explicar, contar a história toda desde o início.

Mas não ia fazer isso, ela precisava ficar um tempo sozinha, ou pelo menos longe dele. Precisava de um tempo para se recuperar e talvez, apenas talvez, entender que o Thibault que ela havia aprendido a gostar era o único Thibault que existia. Imaginava se esse tempo sozinha seria capaz de fazer com que ela lhe perdoasse.

Thibault caminhava, afundando os pés na lama. Percebeu quando um carro passou lentamente, e a água atingiu seus eixos. Mais para frente, viu o rio tomando o espaço da rua cada vez mais. Decidiu cortar caminho pela floresta. Talvez fosse a última vez que fizesse esse caminho. Talvez fosse hora de voltar para o Colorado.

Thibault continuou caminhando. A folhagem de outono, ainda nas árvores, fornecia um abrigo parcial à chuva, e, quanto mais penetrava na mata, mais sentia que a distância entre eles começava a aumentar.

# Capítulo 30

# Beth

Beth tinha acabado de tomar um banho e estava de pé em seu quarto, usando uma enorme camiseta quando Nana colocou a cabeça na porta.

— Você quer conversar? A escola me ligou dizendo que você estava vindo para casa. O diretor disse que estava um pouco preocupado com você, e depois vi quando estacionou no escritório. Achei que vocês dois estavam tendo uma briguinha.

— É mais do que uma briguinha, Nana — disse Beth, em um tom de cansaço.

— Isso eu concluí pelo fato de ele ter ido embora e você ter ficado tanto tempo na varanda depois disso.

Beth concordou com a cabeça.

— Tem algo a ver com o Ben? Ele não o machucou, não é? Ou a você?

— Não, não é nada disso.

— Bom, porque isso é a única coisa que não pode ser perdoada.

— Não sei se essa pode.

Nana olhou para a janela antes de dar um longo suspiro.

— Acho que vou ter de dar comida aos cães hoje, certo?

Beth olhou para ela com irritação. — Obrigada por ser tão compreensiva.

— Gatinhos e florzinhas — disse, erguendo as mãos.

Beth refletiu sobre as palavras dela e acabou soltando um murmúrio de frustração.

— O que você quer dizer com isso?

— Não quer dizer nada, mas, por um segundo, consegui fazer você ficar tão irritada que parou de sentir pena de si mesma.

— Você não entende...

— Então, me faça entender.

— Ele me perseguiu, Nana. Por cinco anos, e depois atravessou o país para me procurar. Ele ficou obcecado.

Nana ficou surpreendentemente em silêncio. — Por que você não começa do começo? — sugeriu, sentando-se na cama de Ben.

Beth não tinha certeza se queria falar sobre isso, mas achou que seria melhor falar logo de uma vez. Começou recontando a visita de Keith em sua sala de aula, e, por vinte minutos, contou a Nana sobre sua partida abrupta da escola, sua insegurança agonizante, e concluiu com o confronto com Logan. Ao terminar, Nana juntou as mãos no colo.

— Então, Thibault admitiu ter a fotografia? E, de acordo com você, disse que era um amuleto da sorte e decidiu vir até aqui porque sentia ter uma dívida com você?

Beth concordou. — É isso aí.

— O que ele quis dizer com amuleto da sorte?

— Não sei.

— Você não perguntou?

— Nem me importei... Nana. A coisa toda é... assustadora e estranha. Quem faria uma coisa dessas?

Nana franziu as sobrancelhas. — Admito que pareça estranho, mas acho que ia querer saber por que ele acreditava ser um amuleto da sorte.

— Por que isso importaria?

— Porque você não estava lá — enfatizou. — Você não viveu as coisas que ele viveu. Talvez ele esteja falando a verdade.

— A fotografia não é um amuleto. Isso é loucura.

— Talvez. Mas já vivo há muitos anos para saber das coisas estranhas que acontecem na guerra. Os soldados acreditam em certas coisas, e se acham que algo os mantêm em segurança, que mal há nisso?

Beth suspirou. — Uma coisa é acreditar. Outra totalmente diferente é ficar obcecado pela fotografia e perseguir a pessoa.

Nana colocou a mão no joelho de Beth. — Todo mundo dá uma de louco às vezes.

— Não dessa forma. Há uma coisa assustadora nessa história.

Nana ficou quieta antes de deixar escapar um suspiro. — Pode ser que você esteja certa — deu de ombros.

Beth analisou o rosto de Nana, subitamente deixou-se vencer pela exaustão. — Você pode me fazer um favor?

— O quê?

— Você pode ligar para o diretor e pedir para ele trazer Ben para casa depois da escola? Não quero que você dirija com esse tempo, mas também não estou em condições de dirigir.

# Capítulo 31

# Clayton

Clayton tentou, mas não conseguiu ultrapassar o lago que havia se formado na frente da casa de Beth; suas botas nem apareciam de tão enterradas na lama que estavam enquanto andava. Sentiu uma extrema vontade de falar todos os palavrões do mundo. Dava para ver as janelas abertas perto da porta da frente, e sabia que Nana ia ouvi-lo. Apesar da idade, aquela mulher tinha o ouvido de uma coruja, e a última coisa que queria era causar má impressão. A mulher já o detestava o suficiente.

Subiu a escada e bateu na porta. Percebeu que alguém se movimentou dentro da casa e viu o rosto de Beth na janela, até que finalmente ela abriu a porta.

— Keith? O que você está fazendo aqui?

— Estava preocupado. Queria ter certeza de que estava tudo bem.

— Está tudo bem.

— Ele ainda está aqui? Quer que eu fale com ele?

— Não, foi embora. Não sei onde ele está.

Clayton mexeu os pés, tentando parecer contrito. — Sinto muito, e detesto ter sido eu a pessoa a lhe contar. Sei que você gostava muito dele.

Beth concordou, mordendo os lábios.

— Também queria lhe falar para não ser tão dura consigo mesma. Como falei antes, pessoas desse tipo, aprendem a esconder quem são. São sociopatas e você não tinha como ficar sabendo.

Beth cruzou os braços. — Não quero falar sobre isso.

Clayton levantou as mãos, sabendo que tinha ido longe demais, sabendo que tinha de retroceder. — Imaginei. E você está certa. Meu lugar não é esse, especialmente depois da maneira horrorosa como tratei você no passado — colocou a mão no cinto e forçou um sorriso. — Só queria me certificar de que estava tudo bem.

— Estou bem. Obrigada.

Clayton virou-se para ir embora e depois parou. — Quero que você saiba que, pelo que Ben disse, Thibault parecia ser um cara legal.

Olhou para ele surpreendida.

— Só quero lhe dizer que, se tivesse sido diferente, se alguma coisa tivesse acontecido com Ben, Thibault ia se arrepender de ter nascido. Eu morreria antes de deixar que algo acontecesse ao nosso filho. E sei que você sente a mesma coisa. É por isso que você é uma mãe maravilhosa. Em uma vida em que eu cometi um milhão de erros, uma das melhores coisas que fiz foi deixar você criá-lo.

Ela concordou, tentando conter as lágrimas, e se virou. Quando ela enxugou os olhos, Clayton aproximou-se dela.

— Ei — disse com voz macia — sei que você não quer ouvir isso agora, mas acredite em mim, você fez a coisa certa. E, com o tempo, você vai encontrar alguém, e tenho certeza de que ele vai ser o melhor cara do mundo. Você merece isso.

Ela começou a soluçar, e Clayton a abraçou. Instintivamente, ela se deixou abraçar. — Está tudo bem — sussurrou e, por um bom tempo, ficaram na varanda, seus corpos unidos enquanto ele a segurava.

Clayton não ficou muito tempo. Não era preciso, pensou. Havia conseguido o que queria. Beth agora o via como um amigo gentil, carinhoso e compassivo, alguém que havia se arrependido de seus pecados. O abraço havia sido só um prêmio extra, nada planejado, mas uma boa forma de concluir o encontro.

Não ia pressioná-la. Isso seria um erro. Precisava de um tempo para esquecer Thibault. Mesmo que ele fosse um sociopata, mesmo que o cara deixasse a cidade, os sentimentos não podem ser ligados e desligados como interruptores de tomada. Mas iam passar, da mesma forma que a chuva ia continuar durante o outono. O próximo passo seria ter certeza de que Thibault estava voltando para o Colorado.

E depois? Fazer papel de bonzinho. Talvez convidar Beth para participar de algo que ele e Ben estivessem fazendo, ou para um churrasco. Em princípio, deixar tudo de forma casual, para que ela não suspeitasse de nada, e depois começar a sugerir fazer algo com Ben durante a noite, no meio da semana. Era essencial manter a coisa toda longe dos olhos inquisidores de Nana, o que significava ficar longe do canil. Apesar de saber que Beth não estaria raciocinando bem nas primeiras semanas, Nana estaria, e a última coisa que queria era que Nana ficasse buzinando na orelha de Beth sobre o que achava que ele estava aprontando.

Depois disso, quando começassem a se acostumar um ao outro novamente, talvez pudessem tomar umas cervejas enquanto Ben estivesse dormindo, algo feito no calor do momento. Talvez ele temperasse sua cerveja com um pouco de vodca para que ela não pudesse voltar para casa dirigindo. Então, oferecesse sua cama para ela dormir enquanto ele dormiria no sofá. Faria tudo como um perfeito cavalheiro, mas manteria a cerveja fluindo. Falaria sobre os velhos tempos, os bons tempos — e a deixaria chorar por Thibault. Permitiria que as emoções dela aflorassem e colocaria seu braço ao redor do ombro dela para oferecer conforto.

Ele sorriu ao ligar o carro, certo de que sabia muito bem o que aconteceria em seguida.

# Capítulo 32

# Beth

Beth não dormiu e acordou exausta.

A tempestade havia atingido sua fúria total na noite anterior, trazendo ventos fortes e quantidades massivas de chuva, igualando-se ao dia anterior. Não dava para imaginar que desse para a água ficar ainda mais profunda, mas, ao olhar para a janela, o escritório parecia uma ilha isolada no meio do oceano. Na noite anterior, tinha estacionado o carro em uma parte mais alta do terreno, perto da árvore de magnólia; percebia agora que havia feito uma boa coisa. Ele também, estava em sua própria ilha, ao passo que a água estava quase atingindo o piso do caminhão de Nana. O caminhão sempre trafegava bem no meio das enchentes, mas o fato de os breques terem sido trocados era uma boa coisa. Senão, não teriam funcionado.

Na noite anterior, havia ido até a cidade para comprar leite e outros itens de necessidade básica, mas a viagem havia sido inútil. Tudo estava fechado, e os outros carros eram utilitários e SUVs , dirigidos pelo departamento de polícia. Metade da cidade estava sem luz, mas até agora sua casa não tinha sido atingida. Entretanto, havia uma esperança, a Tv e o rádio anunciavam o fim dos temporais para aquele dia; no dia seguinte, felizmente, o nível da água começaria a baixar.

Sentou-se na cadeira de balanço na varanda enquanto Nana e Ben jogavam baralho na cozinha. Era o único jogo em que tinham habilidades iguais, o que evitava Ben de ficar entediado. Mais tarde, pensou em deixá-lo correr pelo quintal na hora que fosse dar uma olhada nos cães. Provavelmente ia desistir de fazer qualquer esforço para mantê-lo seco e ia deixá-lo molhar toda a roupa; quando deu comida aos cães pela manhã, a capa de chuva não havia servido para nada.

Ao ouvir o som da chuva batendo constantemente no telhado, sentiu seus pensamentos divagarem para Drake. Desejou pela milésima vez poder falar com ele e perguntou-se o que ele teria dito sobre a fotografia. Será que ele também acreditava em seu poder? Drake nunca havia sido uma pessoa supersticiosa, mas seu coração batia mais forte toda vez que se lembrava do pânico inexplicável que sentiu ao perder a fotografia.

Nana estava certa. Ela não sabia o que Drake tinha vivido lá, como também não sabia qual fora a experiência de Logan. Por mais informada que fosse, nada daquilo era real para ela. Ficou imaginando o estresse que eles sentiram, a milhares de quilômetros de distância, usando coletes à prova de bala, vivendo no meio de pessoas que não falavam sua língua, tentando sobreviver. Era impossível acreditar que alguém ia se apegar a algo que acreditava mantê-lo a salvo?

Não, decidiu. Não era diferente de levar consigo uma medalha de São Cristóvão ou um pé de coelho. Não importava o fato de não haver lógica nenhuma nisso, a própria lógica não importava. Nem mesmo a crença absoluta em poderes místicos poderia fazer com que ele se mantivesse a salvo.

Mas ir atrás dela? Assediá-la?

Era aí que não conseguia mais entender. Por mais cética que fosse em relação às intenções de Keith — ou até mesmo seus esforços em parecer genuinamente preocupado com seu bem-estar —, tinha de admitir que a situação a havia deixado extremamente vulnerável.

O que Logan havia dito? Algo sobre ter uma dívida com ela? Por ter salvo sua vida, supôs, mas como?

Balançou a cabeça negativamente, esgotada pelos pensamentos que não paravam de passar por sua cabeça. Olhou para cima quando viu a porta abrir.

— Oi, mamãe!

— Oi, querido.

Ben aproximou-se e sentou-se ao lado dela. — Onde está Thibault? Eu ainda não o vi.

— Ele não virá.

— Por causa da tempestade?

Ela não havia contado a ele ainda e não estava pronta para fazê-lo agora. — Ele tinha umas coisas para fazer.

— Tudo bem — olhando para o quintal, disse: — Não dá nem para ver o quintal.

— Eu sei. Mas a chuva deve parar muito em breve.

— Já ficou assim antes? Quando você era pequena?

— Algumas vezes. Mas sempre com furacões.

Ele concordou com a cabeça e ajeitou os óculos. Ela passou as mãos pelos cabelos dele.

— Ouvi dizer que Logan deu uma coisa para você.

— Não posso falar sobre isso. É segredo — falou em um tom sério.

— Você pode contar para sua mãe. Sou boa em guardar segredos.

— Boa tentativa. Não vou cair nessa.

Ela sorriu e se inclinou, colocando o balanço em movimento com os pés. — Tudo bem. Já sei da foto.

Ben olhou para ela, imaginando o quanto sabia.

— Eu sei — ela continuou. — É para te proteger.

— Ele te falou?

— Claro.

— Ah! — seu desapontamento era evidente. — Ele disse que era para que ficasse entre nós dois.

— Está com você? Gostaria de vê-la, se estiver com você.

Ben hesitou e levou a mão ao bolso. Tirou a fotografia dobrada e entregou a ela. Beth a abriu e olhou para ela, sentindo uma necessidade de relembrar os momentos que a antecederam: seu último fim de semana com Drake e a conversa que tiveram, a roda-gigante, a estrela cadente.

— Ele falou mais alguma coisa quando lhe deu? — perguntou ao devolver a foto a ele. — Além do fato de ser um segredo, quero dizer.

— Disse que seu amigo Victor dizia que era um amuleto da sorte, e que isso o manteve em segurança no Iraque.

Sentiu seu coração acelerar e aproximou seu rosto do de Ben.

— Você disse que Victor chamava de amuleto da sorte?

— Ah-hã. Foi isso que ele disse.

— Tem certeza?

— Claro que tenho.

Beth ficou olhando para seu filho, sentindo-se em guerra consigo mesma.

# Capítulo 33

# Thibault

Thibault carregou a mochila com algumas provisões que tinha em casa. O vento soprava forte e continuava chovendo torrencialmente, mas já havia caminhado com tempo pior do que aquele. Sentia, porém, que não tinha as forças necessárias para sair da casa.

Uma coisa havia sido caminhar para chegar até ali; outra completamente diferente era partir. Quando saiu do Colorado, sua vida parecia mais solitária do que nunca; naquela casa, sua vida estava plena, completa.

Ou havia sido, até um dia antes.

Zeus finalmente se acalmou em um canto da casa. Havia andado o dia todo para lá e para cá, pois Thibault não o levou para passear. Cada vez que Thibault se levantava para pegar um copo d'água, Zeus levanta-se também, todo animado, achando que era hora de passear.

Era meio da tarde, mas o céu nublado, com cara de chuva, deixava o dia mais escuro. A tempestade continuava a chicotear a casa, mas sentia que já estava no fim. Assim como um peixe recém-pescado, pulando no embarcadouro, a tempestade não ia morrer de forma silenciosa.

Havia passado a maior parte do dia tentando não pensar no que aconteceu, ou em como o que havia acontecido poderia ter sido evitado: era um jogo de tolos. Tinha simplesmente estragado tudo, e não dava para voltar no tempo. Sempre tentou viver a vida sem ter de lidar com coisas que não poderiam ser refeitas, mas dessa vez era diferente. Não tinha certeza se iria conseguir superar.

Ao mesmo tempo, não conseguia deixar para lá a sensação de que não estava tudo terminado, havia algo ainda a ser concluído. Era só a conclusão que estava faltando? Não. Era mais que isso; sua experiência na guerra tinha lhe ensinado a confiar em seus instintos, mesmo que não soubesse sua procedência. Levando em consideração que deveria ir embora de Hampton, pelo menos para se afastar o máximo possível de Keith Clayton — não tinha ilusões de que Clayton ia perdoar e esquecer —, não conseguia caminhar até a porta.

Clayton era o centro da roda. Clayton — junto com Ben e Elizabeth — era a razão da sua vinda. Só não conseguia entender o porquê ou o que ele tinha de fazer.

No canto onde estava, Zeus levantou-se e foi em direção à janela. Thibault virou-se para ele ao ouvir a batida na porta. Ficou tenso instintivamente, mas, quando Zeus olhou pela janela, começou a abanar o rabo.

Quando Thibault abriu a porta, viu Elizabeth a sua frente. Ficou paralisado. Por um momento, simplesmente entreolharam-se.

— Oi, Logan.

— Oi, Elizabeth.

Esboçou um sorriso, tão rápido que quase pareceu inexistente. Perguntou a si mesmo se não estava tendo visões.

— Posso entrar?

Thibault abriu a passagem para ela, observando-a retirar a capa de chuva, seus cabelos louros saindo do capuz. Ficou segurando, insegura, até Thibault vir pegá-la. Pendurou na maçaneta da porta antes de olhar para ela novamente.

— Estou feliz que tenha vindo.

Ela concordou. Zeus encostou o focinho na mão dela e ela fez um carinho em sua cabeça antes de voltar a atenção para Thibault.

— Podemos conversar? — disse.

— Se você quiser — apontou para o sofá e Elizabeth sentou em uma ponta enquanto ele sentou na outra.

— Por que você deu a foto para o Ben? — perguntou sem preâmbulos.

Thibault ficou olhando para a parede, pensando em uma maneira de explicar sem tornar as coisas ainda piores. — Por onde começar?

— Me conte em dez palavras, no máximo — sugeriu, percebendo a forma reticente dele. — E então, continuamos daí.

Thibault massageou as têmporas antes de suspirar e olhou para ela. — Porque achei que fosse protegê-lo.

— Protegê-lo?

— Quando fomos à casa da árvore, vi que a tempestade enfraqueceu a estrutura toda, incluindo a ponte. Ele não deve voltar mais lá. Está quase desmoronando.

Ela olhava para ele de forma intensa, sem nem mesmo piscar. — Por que você não ficou com ela?

— Porque senti que ele precisava mais do que eu.

— Porque ficaria protegido.

Thibault concordou. — Sim.

Ficou mexendo na capa do sofá antes de se virar para ele novamente. — Então, você acredita honestamente no que disse? Sobre a foto ser um amuleto?

Zeus aproximou-se dele e deitou-se a seus pés. — Talvez.

— Por que você não me contou a história toda?

Thibault olhou para o chão, com os cotovelos em cima dos joelhos, e começou, hesitante, a contar toda a saga da fotografia. Começou com os jogos de pôquer no Kuwait, depois mudou para os mísseis que os deixaram inconsciente no combate em Fallujah. Contou todos os detalhes sobre os carros-bomba e as bombas caseiras a que conseguiu sobreviver em Ramadi, incluindo que Victor alegava ter sido a fotografia que havia salvo a vida dos dois. Falou sobre a reação dos outros fuzileiros e do seu legado de desconfiança.

Ele fez uma pausa antes de olhar para ela novamente.

— Mas, mesmo depois disso, continuei não acreditando. Victor, porém, nunca deixou de crer. Acreditava nesse tipo de coisa e eu tirava sarro dele por dar tanta importância. Mas nunca acreditei, pelo menos, não conscientemente — juntou as mãos e seu tom de voz ficou mais suave. — No último fim de semana em que ficamos juntos, Victor me disse que eu tinha uma dívida com a mulher da fotografia, porque a foto havia me mantido a salvo, e, se eu não pagasse minha dívida, não haveria equilíbrio. Repetiu que meu destino era encontrá-la. Depois de alguns minutos, ele estava morto, mas eu tinha escapado sem nenhum arranhão. Mesmo assim, não acreditei. Mas foi aí que comecei a ver seu fantasma. Não sabia o que esperar ao chegar aqui. Mas, em um determinado ponto, havia se tornado um desafio: se eu ia encontrá-la, quanto tempo demoraria. Quando finalmente cheguei ao canil e vi a placa de emprego, pensei que essa fosse a forma de pagar a dívida. Candidatar-me ao emprego pareceu-me a decisão correta. Assim como pareceu-me correto dar a fotografia a Ben, quando fomos à casa da árvore. Mas não sei se vou conseguir me fazer entender, por mais que tente.

— Você deu a fotografia a Ben para mantê-lo a salvo — repetiu Elizabeth.

— Por mais louco que pareça? Sim!

Ela processou a informação em silêncio. — Por que você não me falou tudo isso desde o começo?

— Eu deveria ter feito isso. Mas é que tinha a foto comigo há cinco anos, e não queria abrir mão dela até entender seu propósito.

— Você acha que entende agora?

Inclinou-se para fazer um carinho em Zeus antes de responder. Olhou diretamente nos olhos dela. — Não tenho certeza. O que posso dizer é que o que aconteceu entre nós, tudo o que aconteceu, não começou quando encontrei a foto. Começou quando entrei no canil. Foi ali que você se tornou real para mim, e quanto mais passei a conhecê-la, mais sentia que estávamos vivendo algo real. Sentia-me feliz e vivo como há muito, muito tempo não sentia. Como se fôssemos feitos um para o outro.

— Seu destino? — ergueu a sobrancelha ao dizer.

— Não... não é isso. Não tem nada a ver com a foto, ou com minha vinda, ou com qualquer coisa que Victor tenha dito. É que nunca encontrei alguém como você antes, e tenho certeza de que nunca encontrarei. Eu te amo, Elizabeth... e mais do que isso, gosto de você, gosto de ficar ao seu lado.

Ela o analisou com uma expressão impossível de ser interpretada. Quando falou, seu tom ainda era neutro. — Você percebe que a história ainda assim parece louca e faz com que você pareça um maluco?

— Eu sei. Acredite, até eu me acho um doido.

— E se eu falar para você ir embora de Hampton e nunca mais me procurar novamente?

— Então, eu irei, e você nunca mais terá notícias minhas.

O comentário pairou no ar, cheio de significado. Ela mudou de posição no sofá, virando o rosto, aparentemente desgostosa, antes de se virar novamente para ele.

— Você nem mesmo telefonaria? Depois de tudo que passamos juntos? Não posso acreditar — ela torceu o nariz.

Ele sentiu uma onda de alívio ao perceber que ela estava provocando. Suspirou, só então percebendo que estava segurando o fôlego, e sorriu.

— Se isso fosse necessário para você entender que não sou psicopata.

— Acho patético. Um homem deveria pelo menos telefonar.

Ele se aproximou um pouco mais no sofá, quase que de maneira imperceptível. — Vou me lembrar disso.

— Você entende que não vai poder contar essa história para ninguém se pretende continuar vivendo aqui?

Ele se aproximou um pouco mais, dessa vez, deixando evidente. — Posso viver com isso.

— E se você pensa em conseguir um aumento só porque está namorando a neta da patroa, pode esquecer também.

— Eu me viro.

— Não sei como. Você nem tem carro.

Nesse momento, ele ficou ao lado dela, e ela se virou de costas para ele, seu cabelo roçando nos ombros dele. Ele se inclinou e beijou o pescoço dela. — Eu vou encontrar uma solução — sussurrou, antes de selar seus lábios nos dela.

Beijaram-se no sofá por bastante tempo. Quando ele finalmente a levou para o quarto, fizeram amor, seus corpos unidos como um só. A troca foi apaixonada, repleta de raiva, mas complacente, ferida e terna como a emoção dos dois. Ele tocou-lhe a face, e ela o beijou.

— Acho que você pode ficar — sussurrou.

# Capítulo 34

# Clayton

Clayton não conseguia acreditar em seus olhos, segurou a direção do carro com tanta força que os dedos ficaram brancos. Piscou repetidas vezes para ver se estava enxergando mal, mas continuava vendo as mesmas coisas: o carro de Beth na garagem, o casal se beijando no sofá, Thibault levando-a para o quarto.

Beth e Thibault juntos. A cada minuto que passava, sentia ondas de raiva cada vez mais poderosas inundando seu ser. Seus planos perfeitos, todos eles, haviam ido por água abaixo. E ele ficaria para sempre nas mãos de Thibault.

Mordeu os lábios de ódio. Ficou tentado a entrar lá, mas lembrou-se do maldito cachorro. Novamente. Já era bem difícil ter de vigiá-los de binóculos, do carro, sem ser notado.

Thibault. O cão. Beth...

Deu um soco na direção do carro. Como isso havia acontecido? A Beth não ouviu o que ele disse? Ela não entendeu o perigo em que estava se metendo? Ela não se importava com Ben?

De forma alguma aquele louco ia fazer parte da vida do filho dele.

Sem chance.

Não com ele vivo.

Ele devia ter imaginado. Devia saber como ela era idiota. Ela podia estar se aproximando dos 30 anos, mas raciocinava como criança. Devia ter imaginado que, se ela quisesse continuar saindo com Thibault, iria continuar, mesmo que isso significasse ignorar o óbvio.

Mas aquilo ia chegar ao fim. Mais cedo ou mais tarde. Ele a faria enxergar a luz, custasse o que custasse.

# Capítulo 35

# Thibault

Depois de se despedir de Elizabeth com um beijo, Thibault jogou-se no sofá, sentindo-se ao mesmo tempo esgotado e aliviado. Estava feliz com o fato de Elizabeth tê-lo perdoado, de ter tentado entender que a intrincada viagem que havia realizado para chegar até lá não era nada além de um milagre. Ela o aceitava, com todos os seus defeitos, algo que nunca pensou ser possível.

Antes de ir para casa, tinha-o convidado para jantar, e, apesar de ter aceitado de imediato, tinha planejado descansar antes de ir. Senão, duvidava ter forças para conseguir conversar.

Antes de dormir, sabia que tinha de levar Zeus para passear, mesmo que por pouco tempo. Foi até a varanda dos fundos e pegou uma capa de chuva. Zeus atrás dele, interessado.

— Sim, vamos sair. Só vou trocar de roupa primeiro.

Zeus latiu de alegria, correndo para a porta e voltando para Thibault.

— Estou indo o mais rápido que posso. Calma!

Zeus continuou a andar e pular ao seu redor.

— Calma! — Zeus olhou suplicantemente para ele, mas acabou sentando, mesmo relutante.

Thibault vestiu a capa de chuva, calçou as botas e abriu a porta de tela. Zeus saiu correndo porta afora, no meio da chuva, e, de imediato, ficou atolado na lama. Diferente da casa de Nana, a casa de Thibault ficava em um terreno mais elevado, a água juntava-se a cerca de meio quilômetro de distância. Mais à frente, Zeus entrou na floresta e depois voltou ao descampado, andou pela rua de cascalho, correndo e saltando de alegria. Thibault sorria, sabendo exatamente como ele se sentia.

Ficaram alguns minutos lá fora, andando no meio da tempestade. O vento estava mais forte; Thibault sentia a chuva caindo em seu rosto. Não fazia mal. Era a primeira vez em vários anos que se sentia inteiramente livre.

Percebeu que mal dava para ver as marcas dos pneus do carro de Elizabeth no começo da rua. Mais um pouco de chuva e elas iam desaparecer por completo. Mas algo chamou sua atenção e tentou interpretar o que via. A primeira coisa que lhe ocorreu é que os pneus que haviam deixado marcas eram largos demais.

Aproximou-se para examinar melhor e concluiu que os pneus da saída haviam se sobreposto aos da chegada. Foi só quando chegou bem perto que notou seu erro. Eram dois conjuntos de pneus, os dois com saída e chegada. Dois carros. No começo, não viu sentido algum.

Sua mente começou a dar vários cliques rapidamente conforme as peças do quebra-cabeça iam se encaixando. Mais alguém havia estado ali. O que não fazia sentido, a menos que...

Olhou para a floresta que levava até o canil. Naquele momento, o vento e a chuva estavam no auge da sua fúria, semicerrou os olhos antes de prender o fôlego. Sua mente corria junto com seu corpo, calculando em quanto tempo conseguiria chegar lá. Esperava conseguir chegar em tempo.

# Capítulo 36

# Beth

Como que por obra do destino, Nana estava no canil quando Keith entrou de rompante e fechou a porta, agindo como se a casa fosse dele. Mesmo da cozinha, Beth viu as veias salientes no pescoço dele. Cerrou os punhos ao olhar para ela.

Quando atravessou a sala, Beth sentiu seu corpo contraindo-se, sendo dominado pelo medo. Nunca tinha visto Keith desse jeito, e, conforme ela recuava, seguindo os ângulos dos armários, surpreendeu-se ao ver Keith parar na porta da cozinha. Ele sorriu, mas sua expressão era anormal, uma caricatura demente do que deveria ser.

— Desculpe entrar dessa forma, mas precisamos conversar.

— O que você está fazendo aqui? Você não pode entrar aqui assim...

— Preparando o jantar, hein? Lembro-me de quando costumava preparar o jantar para mim.

— Saia daqui, Keith — disse rispidamente.

— Não vou a lugar algum — olhou para Beth como se ela não soubesse o que estava falando. Apontou para uma cadeira. — Por que você não se senta?

— Não quero me sentar — sussurrou, com ódio de si mesma por estar tão assustada. — Quero que você vá embora.

— Isso você não vai conseguir — voltou a sorrir, mas a segunda tentativa não foi melhor que a primeira. Havia um vazio em seu olhar que nunca havia notado antes. Sentiu seu coração bater acelerado.

— Você pode pegar uma cerveja para mim, por favor? Tive um longo dia de trabalho, se você entende o que quero dizer.

Beth engoliu em seco, com medo de desviar o olhar. — Não tenho mais cerveja.

Ele concordou, antes de dar uma volta pela cozinha e olhar novamente para ela. — Tem uma ali, perto do fogão. Deve ter outra em algum lugar. Você se importa se eu olhar na geladeira? — nem esperou pela resposta e foi abrindo a porta da geladeira, esticando a mão na prateleira do fundo. — Achei uma — olhou para ela enquanto ela abria a garrafa. — Acho que você se enganou, não é mesmo? — tomou um longo gole e piscou para ela.

Beth fez um enorme esforço para ficar calma. — O que você quer, Keith?

— Ah, você sabe. Só quero ficar a par das coisas. Ver se há algo que eu deva saber.

— Saber? Sobre o quê? — perguntou, sentindo um nó no estômago.

— Sobre o Thibault.

Ela ignorou a deturpação do nome. — Não sei do que você está falando.

Tomou mais um gole, bochechando a cerveja enquanto balançava a cabeça. Engoliu fazendo barulhos com a boca. — Ao vir para cá, foi isso que pensei que você fosse responder. Mas conheço você melhor do que você pensa. Houve uma época em que não tinha certeza se conhecia você em absoluto, mas isso mudou nos últimos anos. Criar um filho juntos deixa laços em um casal, não acha?

Ela não respondeu.

— É por isso que estou aqui. Por causa de Ben. Porque quero o melhor para ele e, neste momento, não tenho certeza se você está pensando com clareza.

Aproximou-se dela e tomou mais um gole de cerveja. A garrafa já estava quase vazia. Limpou a boca com a mão e continuou. — Sabe, acho que você e eu nem sempre tivemos um bom relacionamento. Isso não é bom para nosso filho. Ben precisa saber que nos damos bem. Que ainda somos amigos íntimos. Não acha que essa é uma lição importante a ensiná-lo? Saber que, mesmo seus pais sendo divorciados, ainda podem ser amigos?

Não estava gostando daquele monólogo, mas estava com medo de interrompê-lo. Essa era uma faceta diferente de Keith Clayton... uma faceta perigosa.

— Acho que é importante. Você não tem pensado com clareza nos últimos dias.

Conforme ele se aproximava, ela ia deslizando ao longo do balcão, tentando ficar de frente para ele.

— Não se aproxime. Estou lhe avisando.

Ele continuava diminuindo a distância, olhando para ela com aqueles olhos vazios. — Está vendo o que eu disse? Você está agindo como se eu fosse machucar você. Eu jamais machucaria você. Deveria saber isso sobre mim.

— Você está louco.

— Não estou não. Um pouco nervoso, pode ser, mas não estou louco — quando ele sorriu novamente, o vazio em seu olhar desapareceu e ela sentiu seu estômago revirar. — Você sabe que mesmo depois de tudo que me faz passar ainda te acho bonita?

Ela não estava gostando do rumo da conversa. Nem um pouco. Nesse ponto, já estava encurralada, sem nenhum lugar para poder fugir. — Vá embora, está bem? Ben está lá em cima e Nana vai entrar a qualquer minuto...

— Tudo o que eu quero é um beijo. Isso é pedir demais?

Ela não acreditava no que tinha ouvido. — Um beijo? — repetiu.

— Por enquanto. É tudo. Em nome dos velhos tempos. Depois, saio. Prometo.

— Não vou beijar você — disse, assustada.

Ele já estava na frente dela. — Você vai. E depois você vai fazer mais. Mas, por enquanto, só um beijo está bom.

Beth inclinou-se para trás, tentando manter distância. — Keith, por favor, não quero fazer isso. Não quero te beijar.

— Você vai superar — quando ele se inclinou para frente, ela se virou e ele a pegou pelos braços. Ao ver os lábios dele se aproximando, sentiu o coração bater descompassado.

— Você está me machucando!

— A questão é a seguinte, Beth — ela sentia a respiração dele em seu pescoço —, tudo bem se não quer me beijar. Aceito isso. Mas decidi que quero que sejamos mais que amigos.

— Vá embora daqui! — ela gritou e ele a soltou, dando risada.

— Claro. Vou embora. Sem problemas. Mas vou falar para você o que vai acontecer se não encontrarmos uma solução.

— Vá embora!

— Acho que devemos ter alguns... encontros de vez em quando. E não vou aceitar não como resposta.

A maneira como ele disse a palavra "encontro" causou-lhe arrepios. Beth não acreditava no que estava ouvindo.

— Afinal, eu avisei você sobre Thibault. Mas onde é que você foi hoje? Na casa dele. Você cometeu um enorme erro. Sabe, é bem fácil para mim, posso indiciá-lo por assédio, alegando que ele se tornou obcecado por você. São duas acusações que fazem dele uma pessoa perigosa, mas você está obviamente ignorando esses fatos. E com isso arrisca a vida de Ben, que é obrigado a morar com você.

O tom de voz dele era neutro. Beth estava paralisada com as palavras dele.

— Odiaria ter de ir ao tribunal declarar o que você tem feito, mas é isso que vou fazer. E tenho certeza de que vão me conceder a guarda total dessa vez.

— Você não faria isso.

— Faria. A menos que — sua satisfação evidente deixava a insinuação mais aterrorizante. A seguir, fez uma pausa, para que ela digerisse a ameaça, e voltou a explicar como se fosse um professor novamente. — Primeiro, você diz para Thibault que nunca mais quer vê-lo novamente. Depois, diz para ele sair da cidade. E, em seguida, começamos a sair. Em nome dos velhos tempos. É isso ou Ben vai morar comigo.

— Não vou morar com você — uma vozinha gritou por detrás da porta da cozinha.

Beth olhou atrás de Keith para ver Ben, com uma expressão de pânico. Ben começou a recuar. — Não vou fazer isso!

Ben virou-se e saiu correndo, batendo a porta da frente ao desaparecer no meio da tempestade.

# Capítulo 37

# Beth

Beth tentou passar por Clayton, mas ele segurou o braço dela.

— Ainda não acabamos — não iria deixá-la sair sem que tivesse certeza de que havia entendido.

— Ele correu lá para fora!

— Ele vai ficar bem. Quero ter certeza de que você entendeu como as coisas ficarão entre nós.

Beth não hesitou, deu um tapa com toda força no rosto dele com a mão que estava livre, e ele recuou. Quando ele largou seu braço, ela o empurrou para trás com toda a sua força, sentindo que ele ainda não tinha recuperado o equilíbrio.

— Dê o fora daqui! — gritou. Assim que ele se recompôs, ela bateu em seu peito novamente. — Estou cansada de você e da sua família me dizendo o que eu posso e não posso fazer, e não vou mais tolerar isso!

— Que pena! — falou com toda naturalidade. — Você não tem alternativa. Não vou deixar Ben perto daquele seu namorado.

Em vez de responder, como se estivesse cansada de ouvir, empurrou-o para o lado e foi em frente.

— Aonde você vai? Ainda não acabamos.

Ela correu pela sala. — Vou encontrar Ben.

— É só chuva.

— É enchente, caso não tenha percebido.

Ficou vendo enquanto ela corria até a varanda, esperando encontrar Ben por lá, mas, por alguma razão, olhou para todos os lados, e não conseguiu localizá-lo. Um raio iluminou o céu, trovões ecoaram um pouco depois. Perto. Perto demais. Clayton foi até a porta e percebeu que Beth estava indo para o lado mais afastado; analisando o quintal, viu Nana aproximando-se com um guarda-chuva.

— Você viu Ben? — perguntou subitamente.

— Não — respondeu, confusa, com a água escorrendo ao seu redor. — Acabei de chegar. O que está acontecendo? — parou de falar quando viu Clayton. — O que ele está fazendo aqui?

— Ben não passou por aqui? — Beth começou a descer as escadas.

— Não é nada de mais. Ele vai voltar... — disse, sabendo que tinha de terminar sua conversa com ela.

Beth parou de repente e olhou para ele. Clayton percebeu que a raiva tinha sido substituída por algo próximo ao terror. O barulho da tempestade de súbito ficou muito distante.

— O que foi?

— A casa da árvore...

Levou um minuto para processar as palavras, então Clayton sentiu uma pressão no peito.

Um segundo depois, os dois estavam correndo em direção à mata.

# Capítulo 38

# Thibault, Beth e Clayton

Thibault finalmente conseguiu chegar à entrada do canil com suas botas encharcadas e pesadas. Zeus ficou ao seu lado o tempo todo. Só diminuindo o ritmo quando a água atingiu a altura dos joelhos. Mais para frente, viu o carro, o caminhão e o SUV. Ao se aproximar, percebeu as luzes no alto e soube que Clayton estava na casa.

Apesar da exaustão, correu para frente, pisando duro a lama. Zeus ao seu lado como um golfinho saltando pelas ondas. Quanto mais Thibault corria, mais distante parecia estar, mas finalmente passou pelo escritório do canil e foi em direção à casa. Foi aí que notou a presença de Nana na varanda, apontando uma lanterna para a mata.

Mesmo de longe, dava para notar que ela estava em pânico.

— Nana — chamou, mas a tempestade impedia que o som da sua voz chegasse até ela. Um pouco depois, ela deve ter ouvido, pois virou em sua direção, apontando a lanterna para ele.

— Thibault?

Thibault esforçou-se para dar os últimos passos. A chuva o chicoteava de todos os lados, e a luz fraca dificultava a visão. Diminuiu o ritmo, tentando recuperar o fôlego.

— O que aconteceu? — gritou.

— Ben desapareceu.

— Como assim, desapareceu? O que houve?

— Não sei! Clayton estava aqui, e Beth veio procurar por Ben... e então os dois saíram correndo para o riacho. Ouvi alguma coisa sobre a casa da árvore.

Um segundo depois, Thibault estava se embrenhando na mata, com Zeus ao seu lado.

A chuva e o vento balançavam os galhos de ambos os lados, cortando seus rostos e mãos. O caminho estava bloqueado por dúzias de troncos caídos, forçando Beth e Keith a se enfiar no meio dos arbustos e das vinhas para poder passar por eles. Beth tropeçou e caiu duas vezes, atrás dela ouviu o mesmo acontecer com Keith. A lama estava grossa e viscosa; na metade do caminho, Beth perdeu um par de sapatos, mas não parou.

A casa da árvore. A ponte. Só adrenalina e medo a impediam de vomitar. Em sua mente, via seu filho na ponte na mesma hora em que ela desabava.

Nas sombras tropeçou novamente em um galho de árvore que estava meio podre e sentiu uma dor extrema no pé. Levantou-se o mais rápido possível, tentando ignorar a dor, mas, assim que colocou o pé no chão, caiu novamente. Nesse momento, Keith já estava ao lado dela, levantou-a sem dizer nada. Segurando-a pela cintura, foi arrastando-a para frente.

Os dois sabiam que Ben estava em perigo.

Clayton esforçou-se para não entrar em pânico. Ficava repetindo a si mesmo que Ben era inteligente, que perceberia o perigo, que não brincaria com a sorte. Ben era a criança mais valente de todas. Pela primeira e única vez na sua vida, sentia-se agradecido por isso.

Mesmo lutando contra os arbustos, Beth mancando ao seu lado, Clayton não poderia ignorar o que via. Muito além da margem, quase aos pés deles, viu o riacho, correndo mais largo e mais rapidamente do que jamais tinha visto.

Thibault tinha corrido muito, abrindo caminho no meio da lama e da água, forçando-se a não diminuir o ritmo, mas sentia que, a cada passo que dava, ficava mais difícil manter o ritmo frenético. Galhos e vinhas batiam em seu rosto e em seus braços, causando cortes que nem sentia enquanto corria.

Tirou a capa de chuva e depois a camisa para continuar correndo.

Dizia a si mesmo que estava perto, que não faltava muito.

E nas profundezas de sua mente, ouvia a voz de Victor ecoando: "Ainda tem mais".

Beth sentia os ossos de seus pés batendo uns nos outros a cada passo, enviando ondas de fogo a toda parte inferior de seu corpo, mas recusava-se a gritar ou chorar.

Ao chegarem perto da casa da árvore, o riacho estava ainda mais largo, com a correnteza formando redemoinhos. A água salobra formava pequenas ondas ao redor dos galhos caídos pela margem, que a água ia escondendo. A água turbulenta arrastava uma quantidade suficiente de entulho capaz de deixar qualquer pessoa inconsciente.

A chuva era torrencial. A poucos metros de distância o vento tinha derrubado outro galho. A lama parecia sugar a energia dos dois. Mas sabia que tinha chegado ao carvalho: no meio do temporal, conseguiu ver a ponta da corda, como um mastro de um navio finalmente avistado em um porto coberto pela névoa. Seus olhos foram da escada à corda da ponte e à plataforma central... A correnteza passava por cima dela, e o entulho se acumulava. Seu olhar foi da corda da ponte para a plataforma da casa da árvore, percebendo o estranho ângulo de oscilação da ponte. Não estava há mais do que 30 centímetros da água porque a plataforma havia sido separada do antigo apoio estrutural da casa da árvore, claramente prestes a desabar.

Como se estivesse em um pesadelo, subitamente viu Ben no meio do riacho, agarrado à corda da ponte debaixo da plataforma da casa da árvore. Só então se permitiu gritar.

Clayton sentiu o medo percorrer suas veias assim que viu Ben agarrado à corda da ponte. Sua mente raciocinava freneticamente.

Era muito longe para nadar até o outro lado, e não havia tempo para isso.

— Fique aí! — gritou para Beth ao correr para a escada da árvore. Subiu e correu pela ponte, desesperado para chegar até Ben. Estava vendo a plataforma da casa afundar. Ia desabar assim que a força da correnteza a atingisse.

No terceiro passo, a tábua podre quebrou, e Clayton caiu pela plataforma central, quebrando as costelas em queda livre em direção à água. Fez tudo o que pôde para se agarrar à corda, ao atingir as águas turbulentas. Esforçou-se para segurar com força quando mergulhou, sentindo sua roupa puxá-lo para baixo. A corda esticou, e ele percebeu que estava sendo puxado pela corrente. Segurou firme, tentando manter a cabeça fora da água, batendo as pernas desesperadamente.

Veio à superfície ofegante: suas costelas quebradas explodindo de dor, deixando tudo obscuro por um momento. Em pânico, segurou a corda com a outra mão, lutando contra a correnteza.

Enquanto se segurava, ignorando a dor, galhos caíam sobre seu corpo antes de seguirem, rodopiando violentamente. A correnteza batia com força em seu rosto, impedindo a visão, tornando difícil pensar em qualquer outra coisa que não fosse sua sobrevivência. Na sua luta, não percebeu que os pilares que sustentavam a plataforma central sobre o peso do seu corpo começaram a se inclinar com a força da correnteza.

Beth tentava andar, mesmo mancando. Deu três passos e caiu de novo. Colocou as mãos na boca e gritou.

— Use a corda para se mover, Ben! Fique longe da plataforma! Você consegue!

Não tinha certeza se ele conseguia ouvi-la, mas, um pouco depois, ele começou a se distanciar da plataforma, em direção à forte correnteza no centro do riacho. Em direção ao pai dele...

Keith estava se debatendo, mal estava se aguentando...

Tudo parecia acelerar e diminuir o ritmo na mesmo hora em que percebeu uma súbita movimentação ao longe, um pouco acima da correnteza. Do canto do olho, viu Logan, tirando suas botas e suas roupas.

Pouco depois, mergulhou na correnteza, seguido por Zeus.

Clayton sabia que não ia aguentar muito tempo. A dor em suas costelas era insuportável, e a correnteza continuava a abatê-lo. Só conseguia respirações curtas e lutava contra a morte iminente.

A correnteza implacável arrastava Thibault dois metros a cada metro que ele conseguia nadar. Sabia que poderia voltar para trás por terra, assim que conseguisse chegar à margem oposta, mas não tinha muito tempo. Focando sua atenção em Ben, nadou com toda sua força.

Um grande galho caiu em cima dele, fazendo-o afundar por um momento. Quando voltou à superfície novamente, ainda desorientado, viu Zeus atrás dele, nadando com vigor. Se recompôs e voltou a nadar esforçando-se desesperadamente. Em pânico, viu que não havia atingido nem o centro do riacho.

Beth viu Ben mover-se pela corda e arrastou-se para ficar mais próxima da margem.

— Vamos! Você consegue! Aguente firme, querido! — soluçava.

Enquanto tentava nadar, Thibault bateu na plataforma central da ponte. Rolou na água, girou descontroladamente; e, pouco depois, bateu em Clayton. Em pânico, Clayton segurou em seu braço com a mão livre e afundou Thibault, que girou e tentou segurar na corda, conseguindo pegá-la quando Clayton a soltou. Clayton agarrou-se a Thibault, subindo nele em um esforço frenético para conseguir respirar.

Thibault lutou debaixo da água, segurando a corda com uma mão, mas sem conseguir se libertar de Clayton. Sentiu que os pulmões iam explodir ao mesmo tempo em que o pânico começava a dominá-lo.

Nesse exato momento, os pilares balançaram novamente, o peso dos corpos de Clayton e Thibault era demais para aguentarem e, com um som de algo que está se rasgando, a plataforma cedeu completamente.

Beth observou Keith e Logan lutarem um pouco antes de os restos da corda que se prendiam à plataforma central terem se soltado. Do outro lado, a casa da árvore mergulhou no riacho, causando uma enorme erupção de água e levando Ben corrente abaixo. Horrorizada, viu que ele continuava preso à corda que se prendia à plataforma central, que agora rodopiava no meio da correnteza.

Zeus estava perto de Keith e Logan quando a plataforma central caiu subitamente, como uma concha empurrada pelas ondas. Zeus desapareceu de vista.

Tudo estava acontecendo tão rapidamente; não conseguia mais ver Logan nem Keith, e só depois de procurar freneticamente pela água é que viu a cabeça de Ben, a um milímetro dos entulhos.

Ouviu os gritos agudos de Ben, e viu o esforço que estava fazendo para manter a cabeça fora d'água. Levantou-se novamente e mancou, imune à dor, tentando desesperadamente não perder seu filho de vista.

E então, como em um sonho que se torna realidade, viu uma cabeça escura, reluzente, movendo-se diretamente para seu filho.

Zeus.

Ouviu Ben chamar o cachorro e de súbito sentiu seu coração aliviar-se.

Mancou e caiu, levantou e caiu novamente. Finalmente, decidiu rastejar para tentar ver o que estava acontecendo. Usou os galhos para se arrastar para frente. Zeus e Ben iam diminuindo conforme iam sendo levados pela correnteza, mas Zeus estava cada vez mais próximo.

Subitamente, os dois emergiram e Zeus virou-se para a margem do riacho. Ben atrás dele, agarrado à cauda.

— Bata as pernas, querido! Força! — gritou.

Mancou, pulou e arrastou-se para tentar acompanhar a correnteza, mas não obteve sucesso. Ben e Zeus distanciavam-se cada vez mais. Endireitou o corpo para tentar acompanhá-los com os olhos; haviam alcançado o centro do riacho... não, haviam passado o centro.

Continuou indo, lutando com toda força que lhe restava para mantê-los em seu campo de visão, tentando aproximar-se, o instinto vencendo-a. Em vez da dor no pé, sentia o coração bater mais forte a cada passo dado.

Só faltava um terço para chegar à margem do riacho... a correnteza estava mais fraca... só um quarto...

Ela continuava indo, agarrando-se em galhos e empurrando-se para frente. Estavam perdidos no meio da folhagem, foram alguns minutos de agonia até avistá-los novamente.

Quase lá... permitindo que o alívio tomasse seu lugar... só mais um pouquinho...

Por favor, Deus... só mais um pouquinho...

E lá estavam eles. Ben colocou primeiro o pé e depois soltou Zeus. Depois, Zeus foi um pouco mais adiante e pisou a margem também. Beth foi na direção deles ao vê-los saírem da água, ainda assustados.

Zeus estava exausto e desabou assim que atingiu terra firme. Ben fez o mesmo logo em seguida. Quando Beth conseguiu encontrá-los, Zeus já estava de pé, suas pernas tremendo de cansaço, encharcado e tossindo.

Beth foi ao chão ao lado de seu filho e colocou-o sentado quando começou a tossir como Zeus.

— Está tudo bem?

— Estou bem — voltou a tossir e tirou a água do rosto. — Estava com medo, mas lembrei-me da fotografia no bolso. Thibault disse que ela ia me manter a salvo. Onde está papai? E Thibault?

Depois de suas perguntas, os dois começaram a chorar.

# Epílogo

# Dois meses depois

Beth olhou pelo espelho retrovisor e sorriu ao ver Zeus em pé na caçamba do caminhão, com o nariz ao vento. Ben estava sentado ao lado dela, mais magro, depois do estirão de crescimento recente, mas ainda sem altura suficiente para apoiar o braço confortavelmente na janela.

Era o primeiro dia quente depois daquele tempo horroroso. O Natal estava se aproximando, faltavam menos de duas semanas. O calor e as tempestades de outubro já eram uma lembrança distante. As enchentes tinham chegado ao noticiário nacional. O centro de Hampton ficou alagado, assim como muitas outras regiões; no total, seis pessoas morreram.

Apesar do pesadelo que haviam vivido, Beth percebia que sentia uma espécie de paz pela primeira vez em sua memória recente. Desde o funeral, havia pensado muito sobre os extraordinários acontecimentos que conduziram àquele dia fatídico. Sabia que muitas pessoas da cidade tinham dúvidas sobre as escolhas que fizera. De vez em quando, ouvia uns sussurros, mas ignorava a maioria deles. Se Logan havia ensinado algo a ela era que só poderia contar com a fé em si mesma e em seus instintos.

Felizmente, Nana estava cada vez melhor. Nos dias que se seguiram ao acidente, como ela preferia chamar, Beth, e principalmente Ben, haviam se apoiado em sua sabedoria e seu apoio incondicional. Continuava cantando regularmente no coral, conseguia tempo para cuidar dos cães e já usava as duas mãos. De vez em quando, ainda mancava quando estava cansada. Na realidade, houve um período em que as duas andavam exatamente da mesma forma. Beth havia tirado o gesso há dois dias; tinha quebrado quatro ossos do pé e ficou de gesso por cinco semanas, com Nana zombando dela, dizendo que havia outra inválida na família.

Ben havia mudado muito; estava preocupada com algumas mudanças e orgulhosa de outras. Sobreviver àquele pesadelo havia dado a ele uma autoconfiança excessiva e levava isso consigo para a escola. Ou, pelo menos, gostava de pensar que sim. Às vezes, ficava pensando se não era por causa da fotografia que levava no bolso. A plastificação já estava se abrindo, mas ele não se separava dela. Com o tempo, supôs, ia deixar para lá, mas vai saber? Era o legado de Logan para Ben, portanto significava muito para ele.

A perda havia sido dura para Ben, é claro. Apesar de raramente tocar no assunto, Beth sabia que ele se sentia culpado. E continuava tendo pesadelos de vez em quando, algumas vezes chamando por Keith e outras por Logan. Quando Beth o sacudia para que acordasse, o sonho era sempre o mesmo. Estava quase se afogando no rio, e Zeus vinha em sua direção. Só que no sonho ele não conseguia se agarrar à cauda do cachorro, por mais que tentasse. Aproximava-se e não conseguia, repetidas vezes, até que descobria que o cachorro não tinha cauda, e via a si mesmo – como se de um outro lugar – afundando lentamente na água.

Chegando ao cemitério, Beth estacionou o carro no lugar de sempre. Tinha dois vasos de flores. Primeiro, como sempre fazia quando ia lá, foi até a sepultura de Drake e ficou um pouco ali, lembrando-se dele, depois tirou algumas ervas daninhas ao redor do túmulo e colocou as flores.

Depois foi à outra sepultura. Tinha trazido um vaso maior para essa. Era aniversário dele e queria que ele tivesse certeza de que fora lembrado.

Zeus andava para lá e para cá, cheirando e explorando tudo, como sempre. Ben vinha atrás, como fazia desde a chegada de Zeus. Ben sempre gostou de Zeus, mas, depois que ele salvou sua vida no rio, parecia impossível conseguir separá-los. Zeus parecia saber o que havia feito, ou pelo menos era isso que Ben dizia; por isso, na cabeça do cachorro, eram inseparáveis. À noite, Zeus dormia no corredor, na porta do quarto de Ben. Sempre que ia ao banheiro no meio da noite, Beth via Zeus perto da cama, dando uma olhada no seu fiel companheiro que dormia.

A perda foi complicada e tanto ela quanto Ben lutaram com a repercussão causada. Sentia, às vezes, que suas lembranças eram conflitantes, pois, apesar do heroísmo que marcou sua morte, suas reminiscências nunca foram positivas. Mas, com tudo dito e feito, Keith Clayton seria lembrado por sua gratidão inequívoca. Jamais esqueceria da forma como ele a havia carregado depois da queda naquele dia. Ou de que, no fim, havia morrido, tentando salvar o filho dos dois.

Esse gesto tinha de valer alguma coisa. Valia muito, apesar de suas outras falhas, era assim que ela havia escolhido lembrar-se dele para sempre. Tinha esperanças de que, para o bem do filho, ele também viesse a se lembrar do pai dessa forma, sem sentimentos de culpa e sabendo que Keith o amava, mesmo não tendo dito isso a ele em vida.

Quanto a ela, Logan estaria a sua espera quando voltasse para casa. Havia se oferecido para vir ao cemitério, mas ela sabia que ele não queria vir. Era fim de semana e ele preferia passar a manhã andando sozinho pela propriedade, consertando coisas e construindo a nova casa da árvore de Ben no quintal. Mais tarde, haviam planejado montar a árvore de natal. Ela estava se acostumando aos seus ritmos e humores, reconhecendo os sinais silenciosos que indicavam sua personalidade. Bons e maus, virtudes e defeitos; ele era dela para sempre.

Ao estacionar, viu Logan descer a escada e acenou. Ela também era dele para sempre, imperfeita como era. É pegar ou largar, pensou. Ela era o que era.

Logan aproximou-se dela e sorriu. Como se estivesse lendo sua mente, abriu os braços.

RR DONNELLEY

IMPRESSÃO E ACABAMENTO
Av Tucunaré 299 - Tamboré
Cep. 06460.020 - Barueri - SP - Brasil
Tel.: (55-11) 2148 3500 (55-21) 3906 2300
Fax: (55-11) 2148 3701 (55-21) 3906 2324

IMPRESSO EM SISTEMA CTP